# 中國学術思想 研究輯刊

## 二四編

林慶彰 主編

## 第4冊

### 荀悅政治思想研究
#### ——以天命論和君道思想爲中心的考察

林柏佑 著

### 從荀子之性惡看道德的潛能與實踐

湯靖雯 著

花木蘭文化出版社

國家圖書館出版品預行編目資料

荀悅政治思想研究——以天命論和君道思想爲中心的考察　林
柏佑 著／從荀子之性惡看道德的潛能與實踐　湯靖雯 著—初
版—新北市：花木蘭文化出版社，2016〔民 105〕
目 2+138 面／目 2+98 面；19×26 公分
（中國學術思想研究輯刊 二四編；第 4 冊）
ISBN 978-986-404-716-1 ／ 978-986-404-717-8（精裝）
1.（漢）荀悅 2.學術思想 3.政治思想／1.（周）荀況 2.學
術思想 3.性惡論
030.8　　　　　　　　　　　　　　105013473／105013474

ISBN-978-986-404-716-1　ISBN-978-986-404-717-8

中國學術思想研究輯刊
二四編　第 四 冊　　ISBN：978-986-404-716-1 ／ 978-986-404-717-8

## 荀悅政治思想研究——以天命論和君道思想爲中心的考察
## 從荀子之性惡看道德的潛能與實踐

作　者　林柏佑／湯靖雯
主　編　林慶彰
總 編 輯　杜潔祥
副總編輯　楊嘉樂
編　輯　許郁翎、王筑　美術編輯　陳逸婷
出　版　花木蘭文化出版社
社　長　高小娟
聯絡地址　235 新北市中和區中安街七二號十三樓
　　　　　電話：02-2923-1455 ／傳眞：02-2923-1452
網　址　http://www.huamulan.tw 信箱 hml 810518@gmail.com
印　刷　普羅文化出版廣告事業
封面設計　劉開工作室
初　版　2016 年 9 月
全書字數　117501 字／84560 字
定　價　二四編 11 冊（精裝）新台幣 20,000 元

# 荀悅政治思想研究
## ——以天命論和君道思想爲中心的考察

林柏佑 著

## 作者簡介

林柏佑，男，台中人。1988 年生，2011 年畢業於國立清華大學中國文學系，2015 年於該校中國文學研究所取得碩士學位，著有碩士論文《荀悅政治思想研究──以天人關係和君道思想為中心的考察》。

## 提　要

　　本文探討荀悅（148 ～ 209）的政治思想，尤集中於其對天人關係與君道思想的討論，並相當注重其思想與其時政治情勢間的關聯。

　　荀悅活動於主荒政謬的東漢桓靈年間，歷經黃巾民變，任職於幾無實權的建安朝廷，歿於建安十四年。荀悅今存著作不多，唯有剪裁自《漢書》的編年體史書《漢紀》與儒家類子書《申鑒》。二書中呈現的荀悅，正如《四庫提要》對《申鑒》的評論：「其原本儒術，故所言皆不詭於正。」但，荀悅並非無的放矢，也非單純地空呼教條式的規範。本文認為，荀悅身為漢之忠臣，一方面侍講禁中，教導獻帝，另一方面透過著作，有意識地回應當時的諸多政治問題。

　　荀悅亟欲解決的問題，主要集中於皇權方面。東漢靈帝與宦官濫用權力，以致群雄並起，失去實際控制天下的能力。儘管曹操迎獻帝於許昌，打著漢朝旗號，四處征討，漢朝廷也只是個軀殼，不具實權。面對群雄並起的問題，荀悅的天人三勢說，透過對天人關係的討論，既宣稱漢朝廷得天命，確保皇權，又保證人事的積極性、能動性，其「政體」思想可見其恢復秩序的用意。

　　但是，東漢朝廷之所以失去實權，就是「主荒政謬」的結果，問題的源頭在於皇帝與宦官濫用權力，靈帝甚至賣官以聚斂。因此，荀悅對於人君的應有樣態甚至限制手段，也有若干主張，如應用賢臣以修德、重視諸侯之「夾輔」。

　　最後，荀悅非常重視「權變」，既主張應考量時勢而損益制度，也重視迫於時宜而不得不為的「權宜之計」。本文認為，荀悅隱隱以「權宜之計」暗示漢朝廷應與曹操合作，藉其力量以平天下，展現其「為曹所以為漢」的立場

# 第一章 緒 論

## 第一節 研究動機與目的

荀悅（148～209），字仲豫，東漢末儒者、史家，漢末望族潁川荀氏的第三代，荀淑的孫子、「八龍」之首荀儉的兒子、大儒荀爽（128～190）的姪子。《後漢書・荀韓鍾陳傳》之《荀淑傳》下附荀悅的傳記，有簡短的生平、經歷介紹：

> 悅年十二，能說《春秋》。……性沈靜，美姿容，尤好著述。靈帝時閹官用權，士多退身窮處，悅乃託疾隱居，時人莫之識，唯從弟彧特稱敬焉。初辟鎮東將軍曹操府，遷黃門侍郎。獻帝頗好文學，悅與彧及少府孔融侍講禁中，旦夕談論。累遷祕書監、侍中。時政移曹氏，天子恭己而已。悅志在獻替，而謀無所用，乃作《申鑒》五篇。其所論辯，通見政體，既成而奏之。其大略曰：……帝好典籍，常以班固《漢書》文繁難省，乃令悅依《左氏傳》體以為《漢紀》三十篇，……辭約事詳，論辯多美。……〔註1〕

荀悅個性、作風低調，在漢末群雄並起的時代，並不知名；並且，第二次黨錮之禍，潁川荀氏亦遭禁錮，〔註2〕因此，自荀悅青年時期至四十八歲出仕之間的事蹟，全無紀錄。建安元年（196），荀悅進入鎮東將軍府，之後輾轉進入建安朝廷。

---

〔註1〕 〔劉宋〕范曄著，〔唐〕李賢等注：《後漢書》（北京：中華書局，1965），卷62，〈荀韓鍾陳列傳〉，頁2062。

〔註2〕 《後漢書・黨錮列傳》言：「其在位者，免官禁錮，爰及五屬」；同書〈荀爽傳〉言「後遭黨錮，隱於海上，又南遁漢濱，積十餘年」。見范曄：《後漢書》，頁2189、2056。亦見陳啓雲著，高專誠譯：《荀悅與中古儒學》（瀋陽：遼寧大學出版社，2000），頁105。

雖任職於建安朝廷，但當時的建安朝廷沒有任何權力，所謂「時政移曹氏，天子恭己而已」，〔註3〕與以謀略、實務見長，始終被曹操（155～220）委以軍國之任的堂弟荀彧（163～212）、堂姪荀攸（157～214）比較，荀悅在宮中除了本身的工作外，就是與時任少府的孔融（153～208）「侍講禁中，且夕談論」。〔註4〕建安三年，漢獻帝（181～234）認爲《漢書》「文繁難省」，令荀悅依《左傳》體改寫《漢書》，「總爲帝紀」；建安五年（200），《漢紀》三十卷完成。建安十年（205），荀悅上《申鑒》五卷。〔註5〕建安十四年（209），荀悅卒，年六十二，其著作除《漢紀》、《申鑒》傳世外，尚有亡佚的〈崇德〉、〈正論〉及諸論數十篇。

身爲《漢紀》撰述者，荀悅多爲後代稱許。《漢紀》影響甚大，西晉張璠所著《後漢紀》已云「其書大行於世」，〔註6〕雖只是鈔撮《漢書》，卻對後代史書產生重大影響。劉知幾《史通·六家》云：

> 當漢代史書，以遷、固爲主，而紀傳互出，表志相重，於文爲煩，頗難周覽。至孝獻帝，始命荀悅撮其書爲編年體，依《左傳》著《漢紀》三十篇。自是每代國史，皆有斯作，起自後漢，至於高齊。〔註7〕

劉知幾指出《漢紀》傳承史書體裁的重要性。就內容上來說，袁宏也稱《漢紀》「才智經綸，足稱佳史」，〔註8〕《史通·二體》除了以史書體裁角度言「班、荀二體，角力爭先，欲廢其一，固亦難矣」之外，更言「歷代褒之，有逾本傳」，〔註9〕指出以剪裁《漢書》爲主要寫作手法的《漢紀》，歷代評價甚至有逾《漢書》者。

---

〔註3〕 〔劉宋〕范曄著，〔唐〕李賢等注：《後漢書》，卷62，〈荀韓鍾陳列傳〉附〈荀悅傳〉，頁2058。

〔註4〕 同前註，頁2058。

〔註5〕 關於荀悅上奏《申鑒》的時間，學者對《後漢紀》記載的解讀多有爭議，陳啓雲已辨明之。見〈荀悅著述的文本和語境問題：《漢紀》與《申鑒》〉，《儒學與漢代歷史文化》（桂林：廣西師範大學出版社，2007）。另，梁德華：〈《漢紀》論贊研究〉對照《漢紀》的「荀悅曰」與《申鑒》重出者，論證《申鑒》深化了《漢紀》「荀悅曰」的內容，或可證明《漢紀》的著作時間早於《申鑒》。見梁德華：〈《漢紀》論贊研究〉，《荀悅《漢紀》新探》（香港：香港中文大學中國古籍研究中心，2011），頁225～240。

〔註6〕 〔晉〕張璠：《後漢紀》，收入周天遊：《八家後漢書輯注》（上海：上海古籍出版社，1986），頁721。

〔註7〕 〔唐〕劉知幾著，〔清〕浦起龍通釋：《史通通釋》（上海：上海古籍出版社，2009），〈六家〉，頁11。

〔註8〕 〔晉〕袁宏：《後漢紀·序》，收入張烈點校：《兩漢紀》（北京：中華書局，2002），下冊，頁1。

〔註9〕 〔唐〕劉知幾著，〔清〕浦起龍通釋：《史通通釋》，〈二體〉，頁26。

　　此外，今本《漢紀》的荀悅評論——「荀悅曰」，也是史學評論之創舉。其突破此前《左傳》、《史記》、《漢書》以人物或制度爲批評對象的論贊，而對歷史事件本身加以評論。陳啓雲指出：「在荀悅之後，對『史』的『論』或『評』，即所謂『史論』或『史評』，才成爲傳統中國史學的重要體裁」。〔註10〕

　　身爲「史家」的荀悅，在歷史上赫赫有名，但是，荀悅的自我認同，應該是儒者。《後漢書》本傳載荀悅「年十二，能說《春秋》」，〔註11〕根據陳啓雲先生的推斷，荀悅年輕時，很有可能跟著荀爽一起讀書。〔註12〕至於荀爽，《後漢書·荀爽傳》載：

　　　　（爽）著《禮》、《易傳》、《詩傳》、《尚書正經》、《春秋條例》，又集
　　　　漢事成敗可爲鑒戒者，謂之《漢語》。又作《公羊問》及《辨讖》，
　　　　並它所論敘，題爲《新書》，凡百餘篇。〔註13〕

荀爽遍注諸經，可謂大儒，且其注經並非單純地注解經典，而是與其生命經歷相呼應，有其政治態度。〔註14〕在荀爽的影響之下，至少在表面上，荀悅像是一位儒者，他在《漢紀》中評論、贊共四十八處，過萬字，就明引經典超過三十次；《申鑒》一書，更是從書名便可知其撰作目的：

　　　　夫道之本，仁義而已矣。五典以經之，群籍以緯之，詠之歌之，弦
　　　　之舞之。前鑒既明，後復申之。故古之聖王，其於仁義也，申重而
　　　　已。篤序無疆，謂之《申鑒》。〔註15〕

《申鑒》的撰作目的在於「申重」五典及群籍裡的「道之本」，也就是「仁義」。以「申鑒」爲名，荀悅等於明言此書只打算重複申述既有的道德規範及政治理念，而非別出機杼、另尋它途，這反映出荀悅服膺儒家政治理念的立場。《四庫全書總目提要》正是站在這一角度，評論荀悅《申鑒》一書：

〔註10〕陳啓雲：《荀悅與中古儒學》，頁144。
〔註11〕〔劉宋〕范曄著，〔唐〕李賢等注：《後漢書》，卷六十二，〈荀韓鍾陳列傳〉，頁2058。
〔註12〕陳啓雲：《荀悅與中古儒學》，頁105～111。
〔註13〕〔劉宋〕范曄著，〔唐〕李賢等注：《後漢書》，卷六十二，〈荀韓鍾陳列傳〉，頁2057。
〔註14〕陳啓雲：〈荀爽《易傳》中的革命思想〉，《中國古代思想文化的歷史論析》（北京：北京大學出版社，2001），頁223～254。
〔註15〕〔漢〕荀悅著，〔明〕黃省曾注，孫啓治校補：《申鑒注校補》（北京：中華書局，2012），卷1，〈政體〉，頁1。

……一曰政體，二曰時事，皆制治大要，及時所當行之務。三曰俗嫌，皆機祥讖緯之説。四曰雜言上，五曰雜言下，則皆泛論義理，頗似揚雄法言。……又稱悅別有《崇德》、《正論》及諸論數十篇，今並不傳，惟所作《漢紀》及此書，尚存於世。《漢紀》文約事詳，足稱良史，而此書剖析事理，亦深切著明。蓋由其原本儒術，故所言皆不詭於正也。〔註16〕

從荀悅服膺經典的角度來說，《提要》如此評論可謂恰當。但，亦有學者提出異見，如王夫之《讀通鑑論》：

荀悅、仲長統立言於紛亂之世，以測治理，皆矯末漢之失也，而統爲愈。悅之言專以繩下，而操之已嘔，申、韓之術也，曹操終用之以成乎嚴迫之政，而國隨亡。統則專責之上，而戒惕淫以清政教之原，故曰統爲愈也。〔註17〕

王夫之指出，荀悅與仲長統的思想，都是爲了解決當時的問題而產生的，然而，與《提要》不同的是，王夫之認爲荀悅的思想「專以繩下」，如果再往前推，就會成爲「申韓之術」。同書另一處，王夫之的觀點也差不多：

讀崔寔之《政論》，而世變可知矣。譬德教除殘爲粱肉治疾，申、韓之緒論，仁義之蟊賊也。其後荀悅、鍾繇申言之，而曹孟德、諸葛武侯、劉先主決行之於上，君子之道詘，刑名之術進，激於一時之詭隨，而啓百年嚴酷之政，亦烈矣哉！〔註18〕

王夫之明白指出，荀悅思想是對崔寔思想的繼承，而「譬德教除殘爲粱肉治疾」，即亂世用重典的主張，即爲「申韓之緒論」。王夫之的評論，可能與其對儒術的認知有關，本文不擬探討，然而，此評論指出一突破點，即荀悅思想雖然「原本儒術」，卻也不是全然遵循儒術，勢必因時勢而有損益。進一步說，漢代「儒術」本就是儒、道、法、陰陽雜揉的，範圍本就與先秦不同，〔註19〕因此，「原本儒術」的說法仍有其合理性。

---

〔註16〕〔清〕紀昀：《四庫全書總目提要》（台北：商務印書館，1986），卷四十七，頁2～52。
〔註17〕〔清〕王夫之：《讀通鑑論》（北京：中華書局，1975），卷八，頁290。
〔註18〕同前註，頁239。
〔註19〕林師聰舜指出，由於西漢思想與現實政治關係密切，學者便有其現實需要，只要有助於推動政治實踐，就會吸取各家的思想成分，因而表現出雜家化傾向，「就先秦學術分類的標準而言，西漢思想家已不是純粹的道家、法家，或陰陽家。」見林師聰舜：《西漢前期思想與法家的關係》（台北：大安出版社，1991），頁225～226。

　　《提要》與王夫之的評論，引出關於荀悅思想的另一問題：即使有所損益，但「原本儒術」的荀悅思想，該如何回應當時的政治狀況？而在回答此一問題時，另一應先回答的問題是，當時所面臨的政治狀況又是什麼？

　　《漢紀》成書於建安五年（200），《申鑒》成書於建安十年（205），荀悅於建安十四年（209）病逝，荀悅所要回應的政治問題極爲複雜。在經過桓靈二帝與宦官「主荒政謬」的荼毒後，光和七年（184），黃巾起義，局勢迅速陷入混亂當中。中平五年（188），劉焉以「刺史威輕」爲理由，「建議改置牧伯，鎮安方夏」。〔註20〕從此以後，地方統轄權未再回到東漢朝廷手上。中平六年（189）靈帝駕崩，劉辯立，其後董卓掌政，殺劉辯及何太后，立劉協，即漢獻帝。此後，經過近六年的紛爭，曹操迎獻帝至其根據地許昌，改元建安，漢獻帝終於處在一相對穩定的環境當中。

　　但是，天下形勢並未就此穩定下來。儘管曹操於建安五年（200）勦滅北方袁氏勢力，但直至荀悅過世，曹操都並未掃清所有地方勢力，同時，曹操卻掌握實權，建安朝廷徒留其王朝之名及官僚制度，但沒有權力。儘管沒有權力，但建安朝廷對於「僭逆」的地方勢力，卻仍下詔譴責。《後漢書・孔融傳》載孔融的〈崇國防疏〉，點出了這一點：

> 是時荊州牧劉表不供職貢，多行僭僞，遂乃郊祀天地，擬斥乘輿。詔書班下其事。融上疏曰：「……萬乘至重，天王至尊，身爲聖躬，國爲神器，陛級懸遠，祿位限絕，猶天之不可階，日月之不可踰也。每有一豎臣，輒云圖之，若形之四方，非所以杜塞邪萌。……前以露袁術之罪，今復下劉表之事，是使跋扈欲窺高岸，天險可得而登也。……。」〔註21〕

建安朝廷既無實權，何以急切地「每有一豎臣，輒云圖之」？此詔當有可能是曹操的意思，正是諸葛亮對劉備說曹操「挾天子而令諸侯」〔註22〕之意。

　　歷經黑暗的桓靈時代，曾被禁錮的荀悅，建安年間任職於建安朝廷，並且大多任內朝官。大亂之後，應是一個大有可爲的時代，荀悅卻處在一個無

---

〔註20〕〔劉宋〕范曄著，〔唐〕李賢等注：《後漢書》，卷75，〈劉焉袁術呂布列傳〉頁2431。

〔註21〕〔劉宋〕范曄著，〔唐〕李賢等注：《後漢書》，卷70，〈鄭孔荀列傳〉，頁2269～2270。

〔註22〕〔晉〕陳壽著，〔劉宋〕裴松之注，盧弼集解：《三國志集解》（上海：上海古籍出版社，2009），卷35，〈蜀書・諸葛亮傳〉，頁2442。

法有所作爲的朝廷。因此，他要面對的問題，不僅是桓靈年間主荒政謬，朝廷腐敗的問題，更須面對當下的問題，即建安朝廷沒有權力的問題。一方面，荀悅的政治思想應在群雄爭霸的時代環境中致力於恢復秩序；另一方面，君王與其所任之人濫權失道，甚至爭相搜刮民財，這些歷史教訓正在眼前，荀悅也必須要提出辦法解決。

由此，本文想問的問題是，荀悅如何在「原本儒術」的情況之下提出見解，解決這麼巨大而複雜的問題？在混亂的時局中，應如何使秩序恢復？如何杜絕桓靈時代君王及宦官濫用權力，造成「主荒政謬」的問題？如何解釋建安朝廷沒有實權的現狀？觀《漢紀》的評論與《申鑒》，筆者注意到，荀悅十分重視天人關係及君道思想，而這二者恰好是解決上述問題之關鍵。本文的撰作重點，即圍繞天人關係及君道思想展開。

## 第二節　研究回顧

自上世紀八零、九零年代開始，中國與台灣的荀悅相關研究開始蓬勃發展。2002 年，程宇宏〈荀悅思想研究綜述〉簡述了此前的荀悅研究成果。程氏將荀悅相關研究分作六類：荀悅哲學思想的性質、荀悅的社會政治思想、荀悅的人性道德論思想、荀悅的歷史觀與史學思想、荀悅的其它學術思想，以及關於荀悅的評傳式研究。程宇宏於結論中指出荀悅研究「已由史料梳理的描述型研究，逐步推進爲學理的深入分析，並已取得一定的成果」，並點出荀悅思想研究接下來有待解決的問題：「荀悅思想應歸於正統儒家或漢末批判思潮的問題」、「荀悅具體觀點的理想性與現實性關係如何」，與「荀悅在評論現實政治的態度、取捨應對之風的理念準則與價值標準的探討。」〔註 23〕

在 2002 年以前的荀悅研究中最出色的，莫過於陳啓雲於 1975 年撰寫，2000 年由高專誠翻譯，遼寧大學出版社出版的《荀悅與中古儒學》；其次則是劉隆有於 1980 年代的一系列文章。

陳啓雲的《荀悅與中古儒學》，實是荀悅研究的定音之作。陳氏自言此書是個人由研究社會經濟史轉而關注「思想文化史」的代表作，此書按照其思想文化史「文化精神・學術思想觀」的詮釋方法，以「緊扣史事、就事論理」

---

〔註23〕程宇宏：〈荀悅思想研究綜述〉，《南都學壇（人文社會科學學報）》，2002 年第 6 期，頁 9～13。

的方式，〔註 24〕從荀悅所處的時代寫起，先以三章的篇幅，由王莽倒台、東漢建立開始，並著重於「儒生」與「地方豪強」的性質與演變過程。書中指出兩者在黨錮之禍後迅速合流，造成黃巾之亂，進而演變成強人政治。陳氏簡介史事的目的，在於解釋當時知識份子心態的轉變。陳氏認為，西漢儒家顯示出來的改革精神，隨著王莽的倒台，一同消失。東漢儒生的保守、今文學派失去積極進取的精神，都與王莽的敗亡有關係。〔註25〕

　　簡介過歷史，並探討社會、階層的變動，論述時代背後的整體思想之後，陳氏再以三章的篇幅，將荀悅置於時代脈絡之中，全面重建荀悅的生長、生存環境，再論述荀悅思想與時代的關係。最後，以「荀悅以後的世界」作為〈結語〉的標題，將荀悅置於東漢至魏晉思想轉變的脈絡之中。〔註 26〕

　　陳氏著重於儒生、地方豪強這兩種社會身份，是因荀氏家族正處於「儒生」與「豪強」的身份交會點。他指出：黨錮之禍後，某些士人回到故鄉，尋求地方豪強的認同與合作——陳寔與荀淑的會面、陳寔令陳紀「講解」他與荀爽的對話給荀氏八龍聽等事件，應該如是解讀——從而造成「地方豪強的士大夫化」以及「士大夫的豪強化」，〔註27〕陳氏認為，這是六朝只有門閥，沒有豪強的原因。〔註 28〕

---

〔註24〕陳啓雲將「思想文化史」定位為「注重整體文化與個人、個別思想、具體凝聚的文化與自由活躍的思想之間的各種錯綜複雜的關係。」另，陳啓雲認為「文化精神‧學術思想觀」作為一種詮釋方法，「注重文化各層面，尤其是與思想密切相關的上層架構」，具體的方法，即是「扣緊史事，就事論理。」見陳啓雲：《儒學與漢代歷史文化》（廣西：廣西師範大學出版社，2007），頁 3～4、〈漢代思想文化含義的新詮釋〉，《儒學與漢代歷史文化》，頁 30～35。

〔註25〕陳啓雲：《荀悅與中古儒學》，頁 20；這個看法的基礎，可參閱〈代序：我怎樣研究漢儒與王莽〉，《儒學與漢代歷史文化》，頁 29～31。

〔註26〕陳啓雲：〈導言：中華中古前期史研究反思〉，《漢晉六朝文化‧社會‧制度：中華中古前期史研究》（台北：新文豐，1996），頁 7。

〔註27〕陳啓雲：《荀悅與中古儒學》，頁 30～31。需要補充的是，「士大夫」與「豪強」本不是兩個完全不同的群體。陳氏亦有文章指出：「士族作為中國中古時期的領導階級大概具有『地主』（經濟菁英）、『官僚』（政治菁英）、和『學者』（文化菁英）三種屬性」，群體身份的轉變似不成立，陳氏此處也許只是指出其心態的轉變。見〈導言：中華中古前期史研究反思〉，頁 8。關於豪族的政治、文化、經濟力量的討論，另見楊聯陞：〈東漢的豪族〉，《東漢的豪族》（北京：商務印書館，2011），頁 1～58；宮崎市定著、劉建英譯：《九品官人法研究：科舉前史》（北京：中華書局，2008）頁 46～54。

〔註28〕陳啓雲：〈潁川荀氏家族〉，《漢晉六朝文化‧社會‧制度：中華中古前期史研究》，頁 80。

陳啓雲以「緊扣史事、就事論理」的方法研究東漢思想文化與荀悅的成果，使我們清楚地瞭解身處動盪時代的荀悅思想所以形成的外緣、內緣因素。陳氏亟欲以宏觀的視野跳脫「荀悅」這個歷史斷面，畢竟史料缺乏，《漢紀》史論與《申鑒》書中所呈現出的荀悅，表面上多引經典，思想看似平淡而無新意。從這個角度說，《荀悅與中古儒學》開創了荀悅研究的新道路。

但，從另一個角度看，陳氏的方法也有其侷限之處：陳氏已自言「文化精神‧學術思想觀」的專精範圍太小、分散面太廣，不易全部整合成系統化的解釋。〔註29〕這正是陳啓雲《荀悅與中古儒學》及其後一系列文章，包括〈荀悅與後漢思潮〉、〔註30〕〈潁川荀氏家族〉〔註31〕等篇章的問題。陳啓雲欲以極其宏觀的角度定位荀悅在歷史與思想史中的位置，也希望透過荀悅，更看清楚「中古儒學」的樣貌。荀悅是陳氏觀察「中古儒學」的透鏡，與此相對的侷限，就是其研究方式的架構甚大，難免不能顧及荀悅思想本身的細微之處，因此，儘管《荀悅與中古儒學》的論述及見解十分精彩，四十年來，仍不斷地有研究荀悅思想的論著出現。

劉隆有的一系列文章，則中肯地分析與評論荀悅的思想本身，其提出的論點對本文影響巨大。劉氏〈試論荀悅撰寫《漢紀》的政治目的〉一文承趙翼《廿二史箚記》的說法，批駁自袁宏《後漢紀》以來認爲荀悅「擁漢反曹」的見解，指出荀悅「走著一條通過贊助曹操而維護漢室的政治道路」，荀悅也因是曹操的「黨舊姻戚」而被安置在漢獻帝身旁。〔註32〕〈「極爲治之體，盡君臣之義」——荀悅史學思想試析〉一文則透過《漢紀》與《漢書》的比較，指出《漢紀》是一本明主賢臣的結合史，讚頌直臣，貶斥佞臣。劉隆有認爲，這與荀悅與荀氏家族所經歷的黨錮之禍有關。〔註33〕〈試論荀悅《漢紀》中的天命論思想〉則點出荀悅「並沒有對『天』作過多的神秘渲染，只是以之

---

〔註29〕陳啓雲：〈漢代思想文化含義的新詮釋〉，《儒學與漢代歷史文化》，頁34～35。

〔註30〕陳啓雲：〈荀悅與後漢思潮〉，《中國古代思想文化的歷史論析》，頁255～296。

〔註31〕陳啓雲：〈潁川荀氏家族〉，《儒學與漢代歷史文化》，頁143～153。

〔註32〕劉隆有：〈試論荀悅撰寫《漢紀》的政治目的〉，《河南大學學報（社會科學版）》1985年第1期，頁15～17。

〔註33〕劉隆有：〈「極爲治之體，盡君臣之義」——荀悅史學思想試析〉，《史學史研究》1983年第4期，頁31～37。

為發論之端，探討帝王立身為政之道」，並指出荀悅重視天命的原因在於欲維護「聖漢統天」的合理性。〔註34〕

二十一世紀以來，中國與台灣共有二本專書、超過二十篇單篇論文探討荀悅思想，更有四篇碩士論文研究荀悅。這些散篇或專題論文的研究廣度，大多不脫程宇宏〈綜述〉所歸納的範圍；研究深度則仍停留在闡釋的階段。其中，最值得一提的，乃是梁德華《荀悅《漢紀》新探》，以及程宇宏《荀悅治道思想研究》。

梁德華《荀悅《漢紀》新探》，開啓一研究荀悅思想的新途徑。由於關於荀悅生平的記載付之闕如，荀悅今存著作亦少，如何把握其思想，編年史《漢紀》實是一重要途徑。然而，過往研究皆將《漢紀》看作《漢書》的簡要紀年本，因此《漢紀》便被理所當然地認為其承續《漢書》的心態、筆法，其思想價值就只能限定在「荀悅曰」及「贊曰」之中了。儘管有比較《漢書》與《漢紀》者如劉隆有，也僅是人致對照，並未深入且廣泛地比對。梁氏此書「從文獻學角度出發，歸納並分析荀悅整理《漢書》之基本方法」，〔註35〕多以《漢書》、《史記》與《漢紀》對勘，分析荀悅在刪改《漢書》時可能的意向。例如梁氏此書提到楚漢相爭時，項羽執太公要脅劉邦退兵，《漢書》載劉邦「分一杯羹」的無賴之語，《漢紀》僅言「王不聽」，梁氏言「或有意維護其帝王形象」。〔註36〕總的而言，梁氏此書提供一研究荀悅思想的新途徑，其從文獻比對上得到的結論，相當有說服力。

程宇宏《荀悅治道思想研究》則以「治國之道」為框架，全書除緒論外分作六章，分別論述荀悅的「正統論」、「天命觀」、「天秩觀」、「君臣觀」、「立策觀」、「人性觀」，可謂全面探討荀悅思想。在論述荀悅思想的同時，程氏博採思想史料，探討荀悅思想觀念的出處及演變，如論及荀悅「三勢說」與天命論的關係，便以《白虎通》的「三命」概念加以詮釋；〔註37〕程氏《荀悅治道思想研究》一書不僅論述詳細，更有想在思想史上定位荀悅的野心。

〔註34〕劉隆有：〈試論荀悅《漢紀》中的天命論思想〉，《西南師範學院學報》1984年第2期，頁111～116。
〔註35〕梁德華：《荀悅《漢紀》新探·序》（香港：香港中文大學中國古籍研究中心，2011），頁vi。
〔註36〕梁德華：〈荀悅《漢紀》整理《漢書》方法探究──兼論《漢紀》與《資治通鑑》之異同〉，《荀悅《漢紀》新探》，頁76～77。
〔註37〕程宇宏：《荀悅治道思想研究》（廣州：中山大學出版社，2005），頁94。

綜上所述，近年關於荀悅的著作不可謂少，對於荀家在漢末的豪族地位轉折及其背後可能的心理，陳啓雲已有研究成果；對於荀悅思想本身的解釋、闡發，程宇宏已幾乎集其大成。雖然前人的研究成果十分豐富，荀悅政治思想仍值得研究，並寫成一篇學位論文。畢竟，每人對於文獻闡述、解讀的方向或有不同；再者，本文欲以荀悅於建安朝的地位及其所面臨的時代問題切入，以期能發掘荀悅的理路及其特殊性。或能藉助前人之研究成果，並補足前人並未探及之處，更深入探索荀悅思想。

## 第三節　研究範圍與篇章安排

### （一）研究範圍

本文的主要研究範圍是荀悅的兩本著作，編年史書《漢紀》及子書《申鑒》。由於此二書皆不受唐宋後士人重視，故版本問題頗多，〔註38〕陳啓雲〈荀悅著述的文本和語境問題：《漢紀》與《申鑒》〉一文論述頗詳，茲不贅述。〔註39〕本文採用的《漢紀》材料為 2002 年，由張烈點校，北京中華書局出版的《兩漢紀》，此書採《四部叢刊》本，即上海涵芬樓影印的明嘉靖黃姬水刊本為底本，校以南監本、龍谿精舍本、學海堂本，並吸收黃丕烈、吳慈培、鈕永建、傅增湘的校勘成果，〔註40〕堪稱目前點校最完備的《漢紀》本子。

對於《漢紀》的研究，本文未擬採取梁德華的字字對照作法，推敲荀悅改寫《漢書》、參考《史記》之際所摻進《漢紀》中的意識型態與想法，主要仍是直接採用今本《漢紀》中的「荀悅曰」及「贊曰」，作為對探索荀悅思想的方法。

---

〔註38〕關於《漢紀》在唐代的影響力，現代學者多引《四庫提要》，認為唐代科舉既以《漢紀》為一科，理應十分盛行。然而，《提要》所言的「唐人試士，以悅《紀》與《史》《漢》為一科」，似不見於《通典》、《通志》等政書。從《漢紀》的成書過程來看，將剪裁自《漢書》所成的《漢紀》與《漢書》同列為科目，似乎沒有必要。另，東漢史書《東觀漢記》常簡稱為《漢記》，《提要》作者可能誤將《東觀漢記》解讀為荀悅之《漢紀》。此為本文的推測，《漢紀》接受史的真相不是本文欲探討的焦點，故僅提出假設，待後人斟酌。

〔註39〕陳啓雲：〈荀悅著述的文本和語境問題：《漢紀》與《申鑒》〉，《儒學與漢代歷史文化》，頁 154～173。

〔註40〕張烈：〈點校說明〉，《兩漢紀》，上冊，頁 3。

　　荀悅的另一著作，是子書《申鑒》。《申鑒》現存最早版本是明清時印刷的，歷代學者亦多有校正。2012 年，孫啓治著《申鑒注校補》，以今見最早的黃省曾作注的文始堂本《申鑒注》爲底本，輔以《漢魏叢書》本、《四庫全書》本、《增訂漢魏叢書》本、龍谿精舍本，再參考《後漢書》、《群書治要》，並集盧文弨、錢培名之校補，文字校定方面，相當完備。

　　由於本文關切的重點除了荀悅之外，亦著重於荀悅在時代與思潮中的位置，故於《漢紀》與《申鑒》外，也會參考諸史如《三國志》、《後漢紀》、《後漢書》，亦從《全後漢文》中參考崔寔、仲長統的思想著作。

## （二）章節安排

　　本文分爲五章。

　　第一章爲〈緒論〉，分述撰作動機及目的、文獻回顧，以及研究範圍、篇章安排。

　　第二章爲〈荀悅政治思想的產生背景〉，分別就「皇權的旁洛、濫用及失去」、「荀悅的通儒傾向及其形成原因」，以及「《漢紀》、《申鑒》的撰作時空背景及荀悅與漢獻帝之關係」加以申述。就荀悅的儒學背景、其所經歷的黨錮之禍，以及荀悅任職於建安朝廷的官職，推測其著作《漢紀》、《申鑒》時的可能的心態。

　　第三章爲〈荀悅的擁護漢廷的立場及重建秩序之主張〉，就「荀悅的天命觀」、「『天人三勢說』與荀悅的災異觀」、「荀悅思想重視君權的面向」以及「荀悅的『政體』思想」四部分申述，集中討論荀悅所認知的天人關係，並指出荀悅以特殊的天人關係──即「三勢說」──既保證了漢朝得天命，又保證了人事的能動性，賦予君主權力。在「賦予君主權力」的前提之下，荀悅並提出了種種的主張，一方面維護君權，一方面以「法教」爲中心，試圖重建秩序。

　　第四章爲〈荀悅的君道思想〉，討論「荀悅的理想天子觀」、「荀悅思想對君主的限制與警戒」以及「荀悅的權變思想」。荀悅既保證漢朝得天命，又保證了人事的能動性，顯見荀悅對於恢復秩序的努力。然而，恢復秩序之後，荀悅就必須面對另一個問題：君主掌握權力，若無限制，人君若失道，將造成可怕的後果，荀悅的前半生經歷的桓靈時代就是最好的例子。因此，荀悅既同以「天命」規範人君，並且十分強調「用人」的重要，並在位階上有意

地抬升賢臣的重要性，一方面影響君主，一方面使賢臣決策。若君主一意孤行，荀悅也對君主設下限制，包括「天子無道，諸侯正之」。最後，荀悅透過經權思想，指出了「權」的重要性，也隱隱以此思想合理化建安朝的現況。

　　第五章爲〈結語〉，總括全文，並指出本研究的意義。

# 第二章　荀悅政治思想的產生背景

　　本章探討影響荀悅政治思想的產生背景。首節先由東漢的政治狀況談起，並指出東漢朝廷由濫權而失權的過程。次節則論荀悅的通儒傾向及其形成原因，認為荀悅一方面身為儒者，又受到其家族的影響，因此雖服膺經典，卻非不通時變的儒生俗士，而是應劭口中的「通儒」，思想有經世致用的傾向。末節從荀悅撰作《漢紀》及《申鑒》時的政治環境出發，試圖釐清荀悅的政治態度，以及《漢紀》與《申鑒》的性質，以見此二書的特殊性。

## 第一節　皇權的旁落、濫用及失去

　　本節擬簡述東漢後期的政治社會問題。誠如論者所說，「東漢衰亡之原因絕非單一因素能夠決定，而是廣泛地涵蓋了政治、軍事、社會、經濟、文化等各個層面彼此之間的交互影響所致」，﹝註 1﹞牽涉甚廣，非是本文所能深切探討的議題，也不是本文的主旨所在。是故，本節不擬討論東漢何以衰亡，希望聚焦於君主權力的問題，並具體指出兩個現象，其一是戚宦攬權，造成皇權旁落；其二是延熹二年（159）後，宦官攬權營私，靈帝更與宦官一起搜刮民財，濫用權力。此二者可說是東漢淪亡之關鍵，因此，也就是荀悅思想必須面對的問題。

### （一）戚宦掌權與靈帝搜刮民財

　　東漢中期以後，外戚、宦官交爭。《後漢書・皇后紀上》：

---

﹝註 1﹞ 陳鏘懋：《漢靈帝時期的政局》（嘉義：嘉義大學史地學系研究所碩士論文，
　　　　2006），頁 1～2。

> 東京皇統屢絕，權歸女主，外立者四帝，臨朝者六后，莫不定策帷
> 幕，委事父兄，貪孩童以久其政，抑明賢以專其威。〔註2〕

東漢皇帝多不長壽，因此「皇統屢絕」，年幼皇帝即位，太后輔政。太后「委
事父兄」，造成外家獨大，年幼皇帝不滿外家獨佔權柄，聯合宦官誅殺外戚，
政權落入宦官之手。此後，皇帝又早崩，便產生戚宦交爭的惡性循環。東漢
外戚把持政權者，就有竇憲、鄧騭、閻顯、梁冀，以及竇武。雖然外戚並非
全爲恣意妄爲、貪贓枉法之輩，但范曄說的「抑明賢以專其威」，已經指出重
點，外家將權力拿在手裡，侵奪本應是天子擁有的權力。茲以竇憲、梁冀二
人爲例，《後漢書·竇融列傳》載竇憲事：

> 憲既平匈奴，威名大盛，……刺史、守令多出其門。尚書僕射郅壽、
> 樂恢並以忤意，相繼自殺。由是朝臣震慴，望風承旨。而（竇）篤
> 進位特進，得舉吏，見禮依三公。……雖俱驕縱，而（竇）景爲尤
> 甚，奴客緹騎依倚形勢，侵陵小人，強奪財貨，篡取罪人，妻略婦
> 女。商賈閉塞，如避寇讎。有司畏懦，莫敢舉奏。〔註3〕

竇憲既是外戚，又有平匈奴之功勳，權勢甚大，至於「刺史、守令多出其門」，
其兄弟也仗勢欺民。「刺史、守令多出其門」雖不代表竇氏全然操縱選舉，但
至少代表著竇氏的權力侵入了原本的規則，而且可以置喙的層級甚至是地方
大員。此事之影響，丁鴻因日食而上的封事說得很清楚：

> ……今大將軍雖欲敕身自約，不敢僭差，然而天下遠近皆惶怖承
> 旨，刺史二千石初除謁辭，求通待報，雖奉符璽，受臺敕，不敢
> 便去，久者至數十日。背王室，向私門，此乃上威損，下權盛也。
>
> 〔註4〕

獲得朝廷任免的官吏，已經有符璽等物，卻仍要先拜訪竇憲，才能就任。丁
鴻指出，這是「背王室，向私門」，下位者的權力超過了上位者。

再看梁冀。與竇憲一樣，遷除官吏也要對梁冀有所表示，才能任職。《後
漢書·梁統列傳》載梁冀掌權的情形：

> （冀）專擅威柄，凶恣日積，機事大小，莫不諮決之。宮衛近侍，

---

〔註2〕 〔劉宋〕范曄著，〔唐〕李賢等注：《後漢書》，卷10上，〈皇后紀上〉，頁401。
〔註3〕 〔劉宋〕范曄著，〔唐〕李賢等注：《後漢書》，卷23，〈竇融列傳〉附〈竇憲
列傳〉，頁819。
〔註4〕 同前註，卷37，〈桓榮丁鴻列傳〉，頁1266。

並所親樹，禁省起居，纖微必知。百官遷召，皆先到冀門牋檄謝恩，
然後敢詣尚書。〔註5〕

竇憲的狀況是，官吏遷除，尚書發佈命令後，必須面見竇憲；梁冀則是在去
面見尚書之前，就必須先到梁冀家門前「謝恩」，似乎用人的命令是由梁冀發
佈，比起竇憲，梁冀的派頭更大。同時，梁冀的貪贓不在話下，其對象甚至
是四方貢獻：

其四方調發，歲時貢獻，皆先輸上第於冀，乘輿乃其次焉。吏人齎
貨求官請罪者，道路相望。冀又遣客出塞，交通外國，廣求異物。
因行道路，發取妓女御者，而使人復乘執橫暴，妻略婦女，毆擊吏
卒，所在怨毒。〔註6〕

四方貢獻之物，必須先經過梁冀的一輪挑選；以金錢賄賂而求關說的人「道
路相望」，顯見不是秘密，天下皆知，再加上奴客橫行霸道，梁冀可說是全無
忌憚，無法無天，甚至因皇帝言語不中聽而毒殺皇帝：

沖帝又崩，冀立質帝。帝少而聰慧，知冀驕橫，嘗朝群臣，目冀曰：
「此跋扈將軍也。」冀聞，深惡之，遂令左右進鴆加煮餅，帝即日
崩。〔註7〕

在梁冀身上，「背王室，向私門」達到了極致，「跋扈將軍」一事，並非外戚
與皇帝的權力爭奪，只是皇帝說話不中聽，梁冀就任意操縱廢立。

竇憲與梁冀都是以外戚的身份侵奪皇帝的權力，以獲得錢財、名聲。延
熹二年（159）以後，漢桓帝藉單超、徐璜、具瑗、左悺、唐衡五人之力，誅
滅梁冀一族後，從此「權歸宦官，朝廷日亂矣」。〔註8〕此事發生在荀悅十一
歲時，此後直至荀悅四十歲，都是宦官隻手遮天的時代。

儘管《後漢書‧宦者列傳》中所記載的宦官，亦有善類，但總的而言，
在宦官主政的桓靈時代，政治還是相當黑暗的，《後漢書‧黨錮列傳》言：

逮桓、靈之間，主荒政繆，國命委於閹寺，士子羞與為伍，故匹夫
抗憤，處士橫議，遂乃激揚名聲，互相題拂，品核公卿，裁量執政，
婞直之風，於斯行矣。〔註9〕

〔註5〕〔劉宋〕范曄著，〔唐〕李賢等注：《後漢書》，卷34，〈梁統列傳〉，頁1183。
〔註6〕同前註，頁1181。
〔註7〕同前註，頁1179。
〔註8〕同前註，卷78，〈宦者列傳〉，頁2520。
〔註9〕同前註，卷67，〈黨錮列傳〉，頁2185。

范曄此論指出，當時的政治黑暗，是由於「國命委於閹寺」，國家權柄落入宦官手中。士人對此狀況不滿，形成黨派，評論政治。

宦官主政的問題，最大的影響，就是直接衝擊民生。《後漢書・宦者列傳》載建寧二年（169），張儉舉奏侯覽強佔民田、奪人宅院的惡行，並列出了侯覽的財產清單：

> ……督郵張儉因舉奏覽貪侈奢縱，前後請奪人宅三百八十一所，田百一十八頃。起立第宅十有六區，皆有高樓池苑，堂閣相望，飾以綺畫丹漆之屬，制度重深，僭類宮省。又豫作壽冢，石椁雙闕，高廡百尺，破人居室，發掘墳墓。虜奪良人，妻略婦子，及諸罪釁，請誅之。而覽伺候遮搶，章竟不上。〔註10〕

侯覽爲自己置產，竟然強奪人宅三百多所，並奪人田一百多頃，對於民生的衝擊不可謂不大。另，〈宦者列傳〉描寫當時宦官貪賕以求一己紙醉金迷的生活：

> 其後四侯轉橫，天下爲之語曰：「左回天，具獨坐，徐臥虎，唐兩墮。」皆競起第宅，樓觀壯麗，窮極伎巧。金銀罽氈，施於犬馬。多取良人美女以爲姬妾，皆珍飾華侈，擬則宮人。其僕從皆乘牛車而從列騎。……兄弟姻戚皆宰州臨郡，辜較百姓，與盜賊無異。〔註11〕

四侯爲己經營宅第、苑囿的行爲，與侯覽差不多。范曄並且指出，宦官的勢力範圍不僅止於洛陽，其貪賕之手也伸向各方。地方上盡是與宦官有關係的人，藉搜刮民財以自肥，范曄說此輩「與盜賊無異」，侯覽兄侯參之事，可爲一例：

> （侯）覽兄參爲益州刺史，民有豐富者，輒誣以大逆，皆誅滅之，沒入財物，前後累億計。〔註12〕

宦官的親屬擔任地方大員，握有權柄，欲取民財時，隨便安個罪名，便可運用公權力輕鬆侵吞民財。不只侯覽之兄，當時，「五侯」的親屬們，都在地方上擔任大員：

> 超弟安爲河東太守，弟子匡爲濟陰太守，璜弟盛爲河內太守，悺弟敏爲陳留太守，瑗兄恭爲沛相，皆爲所在蠹害。〔註13〕

---

〔註10〕〔劉宋〕范曄著，〔唐〕李賢等注：《後漢書》，卷78，〈宦者列傳〉，頁2523。
〔註11〕同前註，頁2521。
〔註12〕同前註，頁2523。
〔註13〕同前註，頁2521。

前述侯參任刺史，此五人任守相，都是州郡長官，可說是宦官們在地方的吸血機器，宦官搜刮民間財產，範圍不僅止於京師，而是整個天下，並且吸血的力度甚強。

　　宦官胡作非為之事所在多有，卻沒有能夠限制的人。從上文可以看到，宦官們的權勢甚大，張儉與侯覽的衝突，「覽遂誣儉為鉤黨」，興起大獄，張儉逃亡。宦官權勢薰天，與外戚專權的情形不同，前述的外戚是侵奪皇權，而桓靈時期宦官能夠如此囂張，實是皇帝自己將權力分給宦官，並為其撐腰。桓帝靠著單超等五侯方得親政，故寵信宦官，靈帝亦十分寵信宦官：

> 帝本侯家，宿貧，每歎桓帝不能作家居，故聚為私藏，復藏寄小黃門常侍錢各數千萬。常云：「張常侍是我公，趙常侍是我母。」宦官得志，無所憚畏，並起第宅，擬則宮室。〔註14〕

一方面，身為天下至尊的皇帝竟言宦官是自己的父母，讓宦官無所顧忌，放肆地掠奪；另一方面，由於漢靈帝自認為從前過得不夠好，因此當了皇帝，自己就十分貪利，自己有私產，並寄放私財在宦官處，〈宦者列傳〉：

> 時帝多蓄私藏，收天下之珍，每郡國貢獻，先輸中署，名為「導行費」。〔註15〕

「郡國貢獻，先輸中署」與「其四方調發，歲時貢獻，皆先輸上第於冀」相同，靈帝不僅無視宦官貪贓，自己更是帶頭搜刮民財。中平二年（185），南宮發生火災，「讓、忠等說帝令斂天下田畝稅十錢，以修宮室」，〔註16〕甚至向預備官員收修宮錢，否則不得任官：

> 刺史、二千石及茂才孝廉遷除，皆責助軍修宮錢，大郡至二三千萬，餘各有差。當之官者，皆先至西園諧價，然後得去。有錢不畢者，或至自殺。其守清者，乞不之官，皆迫遣之。〔註17〕

任官者必須要先繳修宮錢，並且無法拒絕，甚至有清官因此而死：

> 時鉅鹿太守河內司馬直新除，以有清名，減責三百萬。直被詔，悵然曰：「為民父母，而反割剝百姓，以稱時求，吾不忍也。」辭疾，

〔註14〕〔劉宋〕范曄著，〔唐〕李賢等注：《後漢書》，卷78，〈宦者列傳〉，頁2536。
〔註15〕同前註，頁2532。
〔註16〕同前註，頁2535。
〔註17〕同前註。

不聽。行至孟津，上書極陳當世之失，古今禍敗之戒，即吞藥自殺。

〔註18〕

若須付出鉅款才能任官，則官吏上任，必然貪污。司馬直因不忍搜刮百姓，不惜犧牲生命。靈帝搜刮民財的作爲，委實與宦官沒有兩樣。

　　向預備官員收修宮錢，否則不得出任，這已經類似賣官行爲，但畢竟還不是眞正意義上的賣官。靈帝另有賣官事，最有名的故事是崔烈買官，《後漢書·崔駰列傳》載崔烈事：

> 靈帝時，開鴻都門榜賣官爵，公卿州郡下至黃綬各有差。其富者則先入錢，貧者到官而後倍輸，或因常侍、阿保別自通達。是時段熲、樊陵、張溫等雖有功勤名譽，然皆先輸貨財而後登公位。烈時因傅母入錢五百萬，得爲司徒。及拜日，天子臨軒，百僚畢會。帝顧謂親倖者曰：「悔不小靳，可至千萬。」程夫人於傍應曰：「崔公冀州名士，豈肯買官？賴我得是，反不知姝邪！」烈於是聲譽衰減。

〔註19〕

靈帝公開賣官，且所賣者不只低階官吏或權責較小的官，而是位高權重至「公卿州郡」。官位有公定價，有清名者有折扣，貧窮者甚至可以賒欠，上任後再「加倍繳回」，顯示出靈帝賣官不是偶一爲之，而是當作營利事業。崔烈花了五百萬買得司徒官位，靈帝竟然在大庭廣眾之下，與程夫人談論崔烈買官價碼，認爲應賣貴一些，毫不掩飾其貪財的面目，眼中可說是全無公義，只有私利。

　　皇帝與宦官一起搜刮民財，直接影響的當然是民生。〈黨錮列傳〉說「五侯宗族賓客虐遍天下，民不堪命，起爲寇賊」，〔註20〕是可以預料的結果。更重要的是，桓靈二帝任用私人，與靈帝賣官，造成對整個政治制度及風俗的影響。

　　對於政治制度而言，桓靈親任宦官，靈帝賣官，對於選官制度的傷害甚大。《抱朴子·審舉》：

> 靈獻之世，閹官用事，群奸秉權，危害忠良。臺閣失選用於上，州郡輕貢舉於下。夫選用失於上，則牧守非其人矣；貢舉輕於下，則

〔註18〕〔劉宋〕范曄著，〔唐〕李賢等注：《後漢書》，卷78，〈宦者列傳〉，頁2536。
〔註19〕同前註，卷52，〈崔駰列傳〉，頁1731。
〔註20〕同前註，卷78，〈宦者列傳〉，頁2521～2522。

秀孝不得賢矣。故時人語曰：「舉秀才，不知書；察孝廉，父別居。

寒素清白濁如泥，高第良將怯如雞。」〔註21〕

葛洪論選官制度的崩壞，所選非人，是由於「閹官用事，群奸秉權」，靈帝賣官顯然也會造成一樣的結果。所選非人，不但造成從中央到地方的政務缺乏優秀官員處理，也會造成貢舉失常，「秀孝不得賢」。當「秀孝不得賢」，則「秀」與「孝」之人就失去其外在獎勵，對於社會風俗，也有負面影響。

　　「所選非人」還有另一層面的影響。論者指出，<u>漢代察舉本有其制度，從士人階層的角度來看，那是士人流通的正當途徑，</u>〔註22〕<u>而今宦官卻把持了這條途徑，</u>如曹節「父子兄弟，被蒙尊榮，素所親厚，布在州郡，或登九列，或據三司」。〔註23〕當宦官把持這條途徑，士人晉身官場的窄門被更壓縮，此行為不但破壞了政府與<u>士人</u>之間的互信，更衝擊了<u>士人的利益</u>。在理念上與實際的利益上，士人都不能允許此事發生，因而判分清濁並且「激濁揚清」，形成清議。〔註24〕

## （二）清議及其產生的問題

　　顧炎武認為，東漢之清議，來自於光武帝尊崇節義。《日知錄》卷十七〈兩漢風俗〉條：

漢自孝武表章六經之後，師儒雖盛，而大義未明，故新莽居攝，頌德獻符者遍於天下。光武有鑒於此，故尊崇節義，敦厲名實，所舉用者莫非經明行修之人，而風俗為之一變。至其末造，朝政昏濁，

---

〔註21〕〔晉〕葛洪著，楊明照校箋：《抱朴子外篇校箋》（北京：中華書局，1991），卷15，〈審舉〉，頁393。

〔註22〕宮崎市定指出，東漢的儲備官員即三署郎，皆由孝廉補任，孝廉通常是由州郡長吏如郡功曹出任，經過長時間積澱後，自然在地方上產生固定出任孝廉的「右族」。東晉次透過研究〈酸棗令劉熊碑〉，發現東漢地方州郡的家族已形成「小農──非士大夫豪族──士大夫豪族──中央官僚之家」的序列，有階層之分。選人任官制度，與右族在地方上的勢力消長，密不可分。見宮崎市定著，劉建英譯：《九品官人法研究：科舉前史》（北京：中華書局，2008）頁46～54。東晉次：〈後漢的選舉與地方社會〉，收入《日本中青年學者論中國史‧上古秦漢卷》（上海：上海古籍出版社，1995），頁572～601。

〔註23〕〔劉宋〕范曄著，〔唐〕李賢等注：《後漢書》，卷78，〈宦者列傳〉，頁2526。

〔註24〕川勝義雄著，徐谷芃等譯：《六朝貴族制社會研究》（上海：上海古籍出版社，2007），頁23。

國事日非，而黨錮之流、獨行之輩，依仁蹈義，捨命不渝，風雨如
晦，雞鳴不已，三代以下風俗之美，無尚於東京者。〔註25〕

顧炎武極言東漢士風之淳美，讚賞士人氣節，甚至認爲三代以下至清代，士
風之美無過東漢者。趙翼則從士人任官的心態，言「蓋當時薦舉徵辟，必採
名譽，故凡可以得名者，必全力赴之，好爲苟難，遂成風俗」，〔註26〕指出士
人因任官的標準是名譽，故凡能求名的行爲，就會去做。這一方面造成了顧
炎武所說的「風俗之美」，另一方面也造成了士人「激詭」的行爲。〔註27〕從
其正面意義來說，在東漢初期之後，「當時士大夫自有一段不可磨滅之精神，
亦不可純由外面事態說之也」，在此精神下，外戚輔政，倒行逆施時，便站出
來與之對抗，宦官權勢薰天時亦然。〔註28〕

　　桓帝初年，宦官掌政後，士人開始全面地抵制宦官。所謂抵制，即用殘
酷手段打擊在地方上的宦官親屬賓客，甚至是宦官本人。《後漢書・酷吏列傳》
載陽球事：

光和二年，（球）遷爲司隸校尉。王甫休沐里舍，球詣闕謝恩，奏收
甫及中常侍淳于登、袁赦、封錮、中黃門劉毅、小黃門龐訓、朱禹、
齊盛等，及子弟爲守令者，姦猾縱恣，罪合滅族。太尉段熲諂附佞
倖，宜並誅戮。於是悉收甫、熲等送洛陽獄，及甫子永樂少府萌、
沛相吉。球自臨考甫等，五毒備極。……球使以土窒萌口，箠朴交
至，父子悉死杖下。熲亦自殺。乃僵磔甫屍於夏城門，大署牓曰「賊
臣王甫」。盡沒入財產，妻子皆徙比景。〔註29〕

陽球對待王甫、段熲等濁流的殘酷手段，可見清流士人與宦官對抗之一斑。
清流士人對待宦官、濁流的激烈態度與作法，也正呼應前述的「激詭」，有以
公權力伸張其正義的傾向，也呼應錢穆說的，「當時士大夫自有一股不可磨滅

〔註25〕〔清〕顧炎武：《日知錄》（台北：文史哲出版社，1979），卷17，〈兩漢風俗〉
　　　　條，頁 377。

〔註26〕〔清〕趙翼：《廿二史箚記》（上海：上海古籍出版社，2011），卷5，〈東漢尚
　　　　名節〉條，頁88。

〔註27〕對於漢末士風之「激詭」，張師蓓蓓有詳盡整理、闡發。見張師蓓蓓：《東漢
　　　　士風及其轉變》（台北：國立台灣大學出版委員會，1985），頁 4〜38。

〔註28〕錢穆：《國史大綱》（台北：商務印書館，1995 年（修訂三版）），〈第三編・第
　　　　十章・士族之新地位〉，頁 180。

〔註29〕〔劉宋〕范曄著，〔唐〕李賢等注：《後漢書》，卷 77，〈酷吏列傳〉，頁 2499
　　　　〜2500。

之精神」。與此呼應的另一個現象是，除了在政治上的激烈鬥爭外，清流亦拉幫結派、自我標榜。《後漢書‧黨錮列傳》記載第一次黨錮之禍以後：

> 自是正直廢放。邪枉熾結，海內希風之流，遂共相摽榜，指天下名士，爲之稱號。上曰「三君」，次曰「八俊」，次曰「八顧」，次曰「八及」，次曰「八廚」，猶古之「八元」、「八凱」也。〔註30〕

士人領悟到「正直廢放」、「邪枉熾結」，在這種情況之下，有志之士遂互相標榜。「遂」一字指出了「正直廢放」與「共相標榜」之間的關連，所謂「正直廢放」表示正直之人不僅不受到朝廷青睞，甚至受到禁錮，於是士人對朝廷評判士人的標準感到失望，「共相標榜」也就是士人團體創建屬於自己的標準，以此評定人物之優劣，以對抗使「正直廢放」的評判標準。既是如此，所針對的對象恐已不僅是宦官，更是整個東漢朝廷。閻步克指出：

> 在東漢後期的選官中，儒生文吏的矛盾漸趨消解，而腐敗現象日益嚴重，並對應著整個社會之中清流與濁流的對立。清流士大夫對腐敗的專制權勢，做了激烈的抗爭。〔註31〕

「激烈的抗爭」已見前陽球例，清流士人所作的激烈行爲，也針對著腐敗的政權。閻步克更進一步認爲，當時的「士名」，已大有向政權挑戰的意味，士人脫離了朝廷評價士人的系統，自己創立了一個系統，士人群體共同評定士人的優劣，而非由朝廷決定。士人「不可磨滅之精神」發展至此，成爲對朝廷的離心力。這也呼應了閻步克的另一個說法：清議的本質，是在政治上要求更大的發言權。〔註32〕在清濁之爭當中，清流士人互相標榜，代表朝廷的權威開始慢慢地瓦解。

## （三）東漢秩序全面崩壞

在皇帝與宦官以及地方的貪官污吏聯合搜刮之下，光和七年（184），民間終於爆發大規模民變：

> 鉅鹿人張角自稱黃天，其部師有三十六萬，皆著黃巾，同日反叛。安平、甘陵人各執其王以應之。〔註33〕

---

〔註30〕　〔劉宋〕范曄著，〔唐〕李賢等注：《後漢書》，卷67，〈黨錮列傳〉，頁2187。
〔註31〕　閻步克：《察舉制度變遷史稿》（瀋陽：遼寧大學出版社，1991），頁81。
〔註32〕　同前註，頁82。
〔註33〕　〔劉宋〕范曄著，〔唐〕李賢等注：《後漢書》，卷8，〈孝靈帝紀〉，頁348。

黃巾軍「所在燔燒官府，劫略聚邑」，東漢的地方守令幾乎沒有反抗能力，「州郡失據，長吏多逃亡」，黃巾軍取得了非常大的戰果，「旬日之閒，天下嚮應，京師震動」。〔註34〕黃巾雖迅速被平定，但自此之後天下不寧，各地民變不斷，《後漢書·皇甫嵩朱儁列傳》載此後的民變：

> 自黃巾賊後，復有黑山、黃龍、白波、左校、郭大賢、于氐根、青牛角、張白騎、劉石、左髭丈八、平漢、大計、司隸、掾哉、雷公、浮雲、飛燕、白雀、楊鳳、于毒、五鹿、李大目、白繞、畦固、苦哂之徒，並起山谷閒，不可勝數。……大者二三萬，小者六七千。
> 〔註35〕

這些民變，終靈帝之世都未完全平定。在大小民變不斷的情形下，劉焉於中平五年（188）建議靈帝將地方之刺史改爲州牧，《後漢書·劉焉袁術呂布列傳》：

> 時靈帝政化衰缺，四方兵寇，焉以爲刺史威輕，既不能禁，且用非其人，輒增暴亂，乃建議改置牧伯，鎮安方夏，清選重臣，以居其任。焉乃陰求爲交阯，以避時難。〔註36〕

劉焉指出「刺史威輕」，無法有效地壓制民變，於是建議改置州牧「鎮安方夏」，提升地方大員的權力，使得各地州牧掌握了兵權，劉焉此舉實出自於想要「以避時難」的私心。從此之後，州牧勢大難制，終漢之世，都未能實際掌握全部的地方郡縣。東漢朝廷名義上仍存在，實際上並未握有太多實權。

中平六年（189），漢靈帝駕崩，劉辯即位，何太后臨朝稱制，大將軍何進輔政。何進欲引董卓誅宦官，反爲宦官所殺。董卓進京，自此掌握大權，廢劉辯、立漢獻帝，同時，以袁紹爲首的各地勢力如後將軍袁術、冀州牧韓馥、兗州刺史劉岱、陳留太守張邈等「同時俱起，眾各數萬，以討卓爲名」，〔註37〕天下大亂。自此，東漢朝廷的權力被董卓奪取，地方權力各歸地方勢力，東漢名存實亡。

---

〔註34〕〔劉宋〕范曄著，〔唐〕李賢等注：《後漢書》，卷71，〈皇甫嵩朱儁列傳〉，頁2300。

〔註35〕同前註，頁2310～2311。

〔註36〕同前註，卷75，〈劉焉袁紹呂布列傳〉，頁2431。

〔註37〕同前註，卷74上，〈袁紹劉表列傳上〉，頁2375。

## 第二節 荀悅的通儒傾向及其形成原因

### （一）儒學的發展與「通儒」荀悅

　　錢穆於《國史大綱》中論「士族之新地位」，提出三個士人在政治上逐漸佔有地位的原因，分別是「朝廷帝王之極端提倡」、「民間儒業之普遍發展」，以及「博士弟子額之日益增添」，〔註38〕此三日不僅是士人在政治上佔有地位的原因，同時也是儒學興盛的原因。皮錫瑞《經學歷史》亦將西漢元帝、成帝時代至東漢，劃爲「經學極盛時代」，並指出經學盛行的原因，包括進用儒者如公孫弘、韋賢、韋玄成、薛宣、貢禹等，此輩「並致輔相」，正式宣告儒術爲求取富貴之階，「以累世之通顯，動一時之羨慕」；另外，武帝置博士弟子五十人後，元、成、平帝加以發展，自此「四海之內，學校如林」，「經生即个得大用，而亦得有出身」，漢朝廷重視儒學，使儒學成爲入仕之階，於是儒學大興。〔註39〕及至後漢，儒學更盛，甚至運掌宿衛侍從的期門、羽林，都要通《孝經》章句，《後漢書・儒林傳》：

> 建武五年，乃修起太學，……，自期門羽林之士，悉令通孝經章句，
> 匈奴亦遣子入學。濟濟乎，洋洋乎，盛於永平矣！〔註40〕

然而，自和帝以後，儒學漸衰。東漢朝廷幾番要振興儒學的努力，也只讓儒學在表面上獲得數量上的發展，實際上卻如泡沫一般，數量龐大但內裡空洞：

> 及鄧后稱制，學者頗懈。……自安帝覽政，薄於蓺文，博士倚席不
> 講，朋徒相視怠散，學舍積敗，鞠爲園蔬，牧兒芻豎，至於薪刈其
> 下。……本初元年，梁太后詔曰：「大將軍下至六百石，悉遣子就學，
> 每歲輒於鄉射月一饗會之，以此爲常。」自是遊學增盛，至三萬餘
> 生。然章句漸疏，而多以浮華相尚，儒者之風蓋衰矣。〔註41〕

按照《後漢書》的說法，自從安帝即位之後，太學就只是徒具其名而未有其實，太學中無人講學，教室甚至成爲菜園。此後學生數雖一度因梁后詔令而

---

〔註38〕錢穆：《國史大綱》，〈第三編・第十章・士族之新地位〉，頁169～171。
〔註39〕〔清〕皮錫瑞著，周予同校釋：《經學歷史》，收入林慶彰主編：《民國時期經學叢書》（台中：文听閣，2008），〈經學極盛時代〉，頁91～92。
〔註40〕〔劉宋〕范曄著，〔唐〕李賢等注：《後漢書》，卷79上，〈儒林列傳上〉，頁2545～2546。
〔註41〕同前註，頁2546～2547。

增加，卻「章句漸疏」，並且「以浮華相尚」，太學生群聚太學，不以經學爲務。《後漢書・循吏傳》載仇覽與符融的對話：

> 覽入太學，時諸生同郡符融有高名，與覽比宇，賓客盈室。覽常自守，不與融言。融觀其容止，心獨奇之，乃謂曰：「與先生同郡壤，鄰房牖。今京師英雄四集，志士交結之秋，雖務經學，守之何固？」覽乃正色曰：「天子脩設太學，豈但使人游談其中！」高揖而去，不復與言。〔註42〕

仇覽、符融都是太學生，符融卻是竟日「賓客盈室」，「游談其中」，並還認爲「交結志士」非常自然，從此可見當時風尚。

前述《後漢書・儒林傳》言，當時的太學「多以浮華相尚」，即對應此處的「游談其中」，符融對仇覽所說的「雖務經學，守之何固」，則已指出當時的「經學」並不值死守，其「經學」的具體內涵，正是章句之學。皮錫瑞在〈經學極盛時代〉指出，儒學興盛的頂點即是轉衰的起點，此說極具洞見：

> 凡事有見爲極盛，實則盛極而衰象見者，如後漢師法之下復分家法，今文之外別立古文，似乎廣學甄微，大有裨於經義；實則矜奇炫博，大爲經義之蠹。師說下復分家法，此范蔚宗所謂「經有數家，家有數說。……學徒勞而少功，後生疑而莫正也。」〔註43〕

一方面，章句之學已經過度衍生，成爲學者的負擔，《漢書・藝文志》所謂「幼童而守一藝，白首而後能言」已經指出經學之細瑣。〔註44〕

細瑣的經學無法提升學者對於經義的理解，學者花費極多時間學習，治絲益棼。既然連理解都需花費大量時間，那麼要求以經義致用於世，也就更不可能，是故皮錫瑞指出章句之學「無用」：

> 凡學有用則盛，無用則衰。存大體，玩經文，則有用；碎義逃難，便辭巧說，則無用，有用則爲人崇尚，而學盛；無用則爲人詬病，而學衰。〔註45〕

---

〔註42〕〔劉宋〕范曄著，〔唐〕李賢等注：《後漢書》，卷76，〈循吏傳〉，頁2481。
〔註43〕〔清〕皮錫瑞著，周予同校釋：《經學歷史》，收入林慶彰主編：《民國時期經學叢書》，〈經學極盛時代〉，頁131～132。
〔註44〕〔漢〕班固著，〔唐〕顏師古注：《漢書》（北京：中華書局，1962），卷30，〈藝文志〉，頁1723。
〔註45〕〔清〕皮錫瑞著，周予同校釋：《經學歷史》，收入林慶彰主編：《民國時期經學叢書》，〈經學極盛時代〉，頁126。

皮錫瑞認為，至東漢末期，儒學的「碎義」、「巧說」，使得儒學變得無用。《漢書‧藝文志》指出，過多的字詞解釋造成學者一味鑽研，而非依照經義內容「畜德」：

> 古之學者耕且養，三年而通一藝，存其大體，玩經文而已，是故用日少而畜德多，三十而五經立也。後世經傳既已乖離，……說五字之文，至於二三萬言。後進彌以馳逐，故幼章而守一藝，白首而後能言。〔註46〕

如果對於經文的解讀能夠只是「存其大體」，學者便可依其所指導的「畜德」，若章句之學繁瑣到使學者連「畜德」都無法做到，遑論經世致用。因此，「儒」一字也就會慢慢與「守舊」、「迂腐」等印象連在一起。符融對仇覽說的「今京師英雄四集，志士交結之秋，雖務經學，守之何固」，正顯示儒學已無法在主荒政謬的「志士交結之秋」起到太大作用。

在章句之學的發展之下，「儒生」似乎成了不知變通、迂腐的代名詞，《三國志‧蜀志‧諸葛亮傳》裴注引習鑿齒《襄陽記》的記載，載劉備與司馬徽的對話：

> 劉備訪世事於司馬德操。德操曰：「儒生俗士，豈識時務？識時務者在乎俊傑。此間自有伏龍、鳳雛。」〔註47〕

劉備向司馬徽請教世事，司馬徽以「儒生俗士」自謙，請劉備求教於「俊傑」諸葛亮、龐統。司馬徽將儒生與俗士列為一組，俊傑列為一組，認為儒生、俗士沒有辦法辨認事務孰輕孰重。何以無法辨別輕重？可能是受限於某種既有而僵固的價值觀，又或者是根本並未思考問題。連事務輕重都分不清，無法判斷時局，遑論解決當時的問題，此正是俗儒之「無用」。

若粗略地以「儒生俗士」與「俊傑」二分，表面上看來，比起「俊傑」，荀悅可能更會被歸類為「儒生俗士」一類。荀悅在《漢紀》中的評論、贊共四十八處，超過萬字，就明引經典超過三十次；《申鑒》亦多引經典，且從書名可知，其撰作目的，本就是要申明聖王之道，《申鑒‧政體》：

> 夫道之本，仁義而已矣。五典以經之，群籍以緯之，詠之歌之，弦

---

〔註46〕〔漢〕班固著，〔唐〕顏師古注：《漢書》，卷30，〈藝文志〉，頁1723。

〔註47〕〔晉〕陳壽著，〔劉宋〕裴松之注，盧弼集解：《三國志集解》，卷35，〈蜀書‧諸葛亮傳〉裴《注》引《襄陽記》，頁2442。

之舞之。前鑒既明，後復申之。故古之聖王，其於仁義也，申重而
已。篤序無疆，謂之《申鑒》。〔註48〕

荀悅明言自己著作《申鑒》的目的，是闡明經典、群籍中的道理，以作爲現
實政治的指引。在《漢紀·孝成皇帝紀二》中，荀悅將其政治思想的源頭，
解釋得更爲清楚：

經稱「立天之道曰陰與陽，立地之道曰柔與剛，立人之道曰仁與義」。
陰陽之節在於四時五行，仁義之大體在於三綱六紀。上下咸序，五
品有章；淫則荒越，民失其性。於是在上者則天之經，因地之義，
立度宣教以制其中，施之當時則爲道德，垂之後世則爲典經，皆所
以總統綱紀，崇立王業。及至末俗，異端並生，諸子造誼，以亂大
倫，於是微言絕，羣議繆焉。……〔註49〕

所謂的經典，是古往今來的在上者，參照天地之理而成的治國經驗之書，是
故當下的在上者必須參考經典，而不是參照「異端」，即諸子之學，由此可看
出荀悅服膺經典的傾向。

正如前述司馬徽對「儒生俗士」及「俊傑」的判分，服膺經典的傾向，
可能會造成對荀悅的誤解，認爲荀悅一味守舊，不精於判斷時勢，甚至認爲
荀悅無智略，正如前述的「無用」，胡三省《資治通鑑注》：

荀悅《申鑒》，其立論精切，關於國家興亡之大致，過於彧、攸。至
於揣摩天下之勢，應敵設變以制一時之勝，悅未必能也。曹操奸雄，
親信彧、攸，而悅乃在天子左右。悅非比於彧、攸，而操不之忌，
蓋知悅但能持論，其才必不能辦也。嗚呼，東都之季，荀淑以名德
稱，而彧、攸以智略濟。荀悅蓋得其祖父之彷彿耳，其才不足以用
世。〔註50〕

胡三省認爲，荀悅對於能影響國家興亡的基本國策，立論精切，超過堂弟荀
彧、堂姪荀攸，但荀悅並不具備應變制勝的智略，因此才未入曹操幕府，而
在天子內朝。胡氏認爲，荀悅只能「持論」，而不具備實現的才能，按照前述
儒生俗士與俊傑的粗略劃分，似乎將荀悅劃歸儒生俗士一邊。

〔註48〕 〔漢〕荀悅著，〔明〕黃省曾注，孫啓治校補：《申鑒注校補》，卷1，〈政體〉，
　　　　 頁1。
〔註49〕 〔漢〕荀悅著，張烈點校：《前漢紀》，卷25，〈孝成皇帝紀二〉，頁437。
〔註50〕 〔宋〕司馬光著，〔元〕胡三省注：《資治通鑑》（北京：中華書局，1956），
　　　　 卷64，頁2056。

　　胡氏的解釋，有其合理之處，也有其須指正之處。從歷史事實而言，荀悅未有參軍事的紀錄，自然比不上荀彧、荀攸屢建功勳，從這個角度推測荀悅「無智略」或許合理，然而，這並不表示荀悅就是迂腐的儒生俗士。荀悅在《漢紀》的第一篇評論，就提出了「立策決勝之術」，《漢紀・高祖皇帝紀》：

> 荀悅曰：夫立策決勝之術，其要有三：一曰形，二曰勢，三曰情。
> 形者，言其大體得失之數也；勢者，言其臨時之宜也，進退之機也；
> 情者，言其心志可否之意也。故策同事等而功殊者何？三術不同
> 也。……故曰權不可預設，變不可先圖，與時遷移，應物變化，設
> 策之機也。〔註51〕

荀悅認為，戰略的制訂不應單就一個面向考量，必須綜合形、勢、情，從最大的外在因素到個人情感因素，都應納入思考範圍之內。此論多舉史事佐證，相當具有說服力，荀悅最後的總結，以「權不可預設，變不可先圖，與時遷移，應物變化」作為「設策」的方法，實已將此決策方法從戰略方面，擴展到一般決策，包括政治決策上。〔註52〕結合荀悅的權變觀及立策觀來看，雖然荀悅確無實際功勳，但胡氏依此反推荀悅「但能持論，其才必不能辦」，似有斟酌空間。

　　另一方面，胡三省將「應敵設變以制一時之勝」作為判定荀悅無才的標準，也許並不公允。換一個角度看，荀悅是儒生，因此所看到的問題，可能是更深層的問題，胡氏此論亦肯認，荀悅的才能在於分析「國家興亡之大致」，這並非對時局完全沒有幫助，荀悅雖是儒者而非謀士，但儒者也有其為時局貢獻心力的方法。應劭《風俗通》就將「儒」分作二種：

> 儒者，區也，言其區別古今。居則玩聖哲之詞，動則行典籍之道，
> 稽先王之制，立當時之事，綱紀國體，原本要化，此通儒也。若能
> 納而不能出，能言而不能行，講誦而已，無能往來，此俗儒也。
>
> 〔註53〕

應劭將「儒」分作二類，分別是單純地將典籍作為知識對象，而非行事指引者，稱為「俗儒」；不僅能夠按照典籍之道行事，並且「稽先王之制」以「立

---

〔註51〕〔漢〕荀悅著，張烈點校：《前漢紀》，卷2，〈高祖皇帝紀〉，頁26。
〔註52〕關於荀悅權變觀念的闡釋，詳本書第4章第3節。
〔註53〕〔劉宋〕范曄著，〔唐〕李賢等注：《後漢書》，卷27，〈宣張二王杜郭吳承鄭趙列傳〉注引《風俗通》，頁935。

當時之事」的，也就是依靠經典經世致用者，稱爲「通儒」。《風俗通》的說法，在「儒學」中劃定了「有用」與「無用」的界線，而荀悅正是既服膺經典，又能以之致用的「通儒」。

## （二）荀悅通儒面貌的實際展現

　　荀悅雖非「俊傑」，卻也不是「儒生俗士」，而是通儒。雖然荀悅自言其撰作目的在於「申鑒」，似乎有復古傾向，認爲政治原則只需「申重」聖王之仁義，但《申鑒》中仍有〈時事〉一篇，談論時制之宜；在〈政體〉中，荀悅對於天地人之道的結合，以及「政之大經」，有如下的解說：

> 立天之道曰陰與陽；立地之道曰柔與剛；立人之道曰仁與義。陰陽以統其精氣，剛柔以品其羣形，仁義以經其事業，是爲道也。故凡政之大經，法、教而已。教者，陽之化也；法者，陰之符也。仁也者，慈此者也；義也者，宜此者也；禮也者，履此者也；信也者，守此者也；智也者，知此者也。〔註54〕

「立天之道曰陰與陽」等句，出自《易》傳〈說卦〉，〔註55〕雖然此下的「法教」非出於經典，但「仁義禮智信」作爲儒家之五常，也是漢儒的主張。〔註56〕此段文字，荀悅結合經典及漢儒的說法，以爲一己思想之基礎，並在其間加入一己意見，正可說是「稽先王之制，立當時之事」的表現。

　　另外，荀悅在《漢紀》中也多以經典作爲實際政治的指引，比如說《漢紀・高祖皇帝紀》中，劉邦之父太公的家令對太公說「皇帝雖子，乃人主也；太公雖父，乃人臣也」，荀悅認爲：

> 《孝經》云：「故雖天子，必有尊也，言有父也。」王者必父事三老以示天下，所以明有孝也。無父猶設三老之禮，況其存者乎！孝莫大於嚴父，故后稷配天，尊之至也。禹不先鯀，湯不先契，文王不先不窋。古之道，子尊不加於父母，家令之言於是過矣。〔註57〕

---

〔註54〕　〔漢〕荀悅著，〔明〕黃省曾注，孫啓治校補：《申鑒注校補》，卷1，〈政體〉，頁5。

〔註55〕　〔魏〕王弼、〔晉〕韓伯：《周易王韓注》（台北：大安出版社，1999），〈說卦〉，頁235。

〔註56〕　董仲舒言：「仁誼禮知信五常之道，王者所當修飭也。」見〔漢〕班固著，〔唐〕顏師古注：《漢書》（北京：中華書局，1965），卷56，〈董仲舒傳〉，頁2505。

〔註57〕　〔漢〕荀悅著，張烈點校：《前漢紀》，卷3，〈高祖皇帝紀〉，頁43。

以《孝經》的語句，輔以諸多歷史事實如禹、湯、周文王等例子，判定太公家令的說法不合於古之道，這正是「稽先王之制」，雖不算是「立當時之事」，但從荀悅「申鑒」以指引現實政治、「前惟順」〔註58〕的說法來看，「糾正古事」對於現實政治也會有指引之效，亦是一種致用傾向。

　　既以致用為目的，就必須要考慮實際的狀況，不能盲從經典。於是，與致用傾向互為表裡的是，荀悅雖重經典、重古道，但並不是盲目地遵循教條，而有探索經典文字背後的道德原則之意，《申鑒・雜言上》：

> 使遽者揖讓百拜，非禮也；憂者弦歌鼓瑟，非樂也。禮者，敬而已矣；樂者，和而已矣。匹夫匹婦，處畎畝之中，必禮樂存焉爾。
> 〔註59〕

「揖讓百拜」、「弦歌鼓瑟」分別是禮樂的實際表現，但若強讓急切者、憂傷者行之，就有違其中心概念。道德原則的實際執行，必須視現實狀況而定，並不是在所有的狀況下都有同一標準。因此，荀悅所論的「禮」、「樂」並不是一具體的教條，而是抽象的道德原則。此論顯示了荀悅重視語言背後的概念，而非重視字面、教條化的思想傾向。

　　荀悅不拘束於經典本身，而求背後之道德原則，以求致用的傾向，同樣反映在他對緯書的態度上。《申鑒・俗嫌》：

> 世稱緯書仲尼之作也。臣悅叔父故司空爽辨之，蓋發其偽也。有起於中興之前終張之徒之作乎？或曰：「雜。」曰：「以己雜仲尼乎？以仲尼雜己乎？若彼者以仲尼雜己而已，然則可謂八十一首非仲尼之作矣。」或曰：「燔諸？」曰：「仲尼之作則否，有取焉則可，曷其燔？……」〔註60〕

此條之論題有二：緯書是否孔子所作？若否，應該如何處置緯書？對於前者，荀悅指出其叔父荀爽已辨其偽。就算緯書夾雜孔子之言與後人之言，荀悅也認為，那只是「以仲尼雜己」，並不能算是孔子之言。

　　然而，在荀悅的認知當中，是不是孔子之言，與言論有用與否，是兩個不同的問題。只要能夠有用於世，都應該流傳，換言之，並非只有聖人之言是絕對的真理。此言論與前述荀悅不重視教條的傾向，可謂相互呼應。

---

〔註58〕〔漢〕荀悅著，〔明〕黃省曾注，孫啓治校補：《申鑒注校補》，卷4，〈雜言上〉，頁141。
〔註59〕同前註，頁170。
〔註60〕同前註，卷3，〈俗嫌〉，頁137。

　　在論述荀悅「通」的思想傾向之後，有一論題緊接著出現：如果荀悅思想重視致用，因此沒有教條主義傾向，所根據的是教條背後的道德原則，那麼此「通」的範圍，會不會影響到儒學本身的範圍？

　　「儒學的範圍」，本身就是個難題，尤其漢代儒學。論者以爲，漢代儒學是在儒學的框架下，吸納各家思想而成，已非先秦儒學的全貌。〔註 61〕在荀悅的思想中，大抵服膺漢代儒學，是故顯示出「陽儒陰法」的傾向，比如前述「故凡政之大經，法、教而已」，並將儒家五常作爲「法教」的內涵；另外，荀悅思想也有其偏向道家思想傾向。然而，大致而言，荀悅以「致用」爲目的，卻非如崔寔只求致用，凡能致用者全部接受。崔寔《政論》：

> ……且濟時拯世之術，豈必體堯蹈舜然後乃理哉？期於補綻決壞，枝柱邪傾，隨形裁割，要措斯世於安寧之域而已。故聖人執權，遭時定制，步驟之差，各有云設。〔註62〕

對於崔寔而言，「濟時拯世」之術，是沒有其他規定的，不須非得是某家某派，方能用於世，只要能「措斯世於安寧之域」者皆可用，荀悅則否。《漢紀・孝文皇帝紀下》，荀悅討論稅制及土地制度的評論中，最後這樣說：

> 雖古今異制，損益隨時，然紀綱大略，其致一也。〔註63〕

荀悅認爲，儘管制度常常改變，但還是有「紀綱」與「大略」，並不是恣意地改變。正如前所述，荀悅最基本的立場，還是以經典爲依歸：

> 於是在上者則天之經，因地之義，立度宣教以制其中，施之當時則爲道德，垂之後世則爲典經，皆所以總統綱紀，崇立王業。〔註64〕

將經典與天地之義相連，也就確立了荀悅思想儘管多有損益，仍是以儒學作爲其思想的基底，因此荀悅實在可稱得上是儒者，且是「通儒」。

## （三）荀悅的通儒傾向與荀氏家風的關係

　　荀悅何以會成爲一個以致用爲目的，而不拘泥於經義的通儒？應與荀氏

---

〔註61〕林師聰舜：《西漢前期思想與法家的關係》（台北：大安出版社，1991），頁 225 ～226。

〔註62〕〔漢〕崔寔著，孫啓治校注：《政論校注》（北京：中華書局，2012 年），〈闕題一〉，頁 38。

〔註63〕〔漢〕荀悅著，張烈點校：《前漢紀》，卷 8，〈孝文皇帝紀下〉，頁 115。

〔註64〕同前註，卷 25，〈孝成皇帝紀二〉，頁 437。

家族在清議運動中的位置有關。史載荀悅之祖荀淑「不好章句」,《後漢書・荀淑傳》:

> 荀淑字季和,潁川潁陰人也,荀卿十一世孫也。少有高行,博學而
> 不好章句,多爲俗儒所非,而州里稱其知人。〔註65〕

所謂「博學而不好章句」究竟是對儒學不大瞭解,又或者是有意識地遠離章句之學?從下文「多爲俗儒所非」來看,荀淑似乎對儒學有其見解,因而不按照章句解釋,才會被重視章句的俗儒所攻訐。此處已隱隱顯現出荀淑不遵章句,而以己意解經的傾向。另一方面,荀淑亦是漢末清議中相當重要的人物,《後漢書・荀韓鍾陳列傳》曰:

> ……當世名賢李固、李膺等皆師宗之。……年六十七,建和三年卒,
> 李膺時爲尚書,自表師喪。〔註66〕

能夠讓李固、李膺都自稱「師宗之」,顯見荀淑在士人間已有相當人的名聲。

及至「荀氏八龍」一輩,「儒學」與「清議」,仍然是荀氏家族的主要標籤。荀淑之子荀爽是著名的大儒,「幼而好學,年十二,能通《春秋》、《論語》」,《後漢書・荀爽傳》整理荀爽的著作:

> (荀爽)著《禮》、《易傳》、《詩傳》、《尚書正經》、《春秋條例》,又
> 集漢事成敗可爲鑒戒者,謂之《漢語》。又作《公羊問》及《辯讖》,
> 並它所論敘,題爲《新書》。凡百餘篇,今多所亡缺。〔註67〕

荀爽的著作遍及諸經,可說是相當豐富。這些著作,都是荀爽在被禁錮時所撰述:

> ……遭黨錮,隱於海上,又南遁漢濱,積十餘年,以著述爲事,遂
> 稱爲碩儒。〔註68〕

荀爽在隱居期間,以著述爲事,被當時的人稱爲「碩儒」。除了著作量甚大之外,根據荀悅的說法,荀爽的《易學》在當時流傳頗廣,《漢紀・孝成皇帝紀二》:

> 中興之後,大司農鄭眾、侍中賈逵各爲《春秋左氏傳》作解注。孝
> 桓帝時,故南郡太守馬融著《易解》,頗生異說。及臣悅叔父故司徒

---

〔註65〕〔劉宋〕范曄著,〔唐〕李賢等注:《後漢書》,卷 62,〈荀韓鍾陳列傳〉,頁
2049。
〔註66〕同前註。
〔註67〕同前註,頁 2057。
〔註68〕同前註。

爽著《易傳》，據爻象承應陰陽變化之義，以十篇之文解説經意。由
是兗、豫之言《易》者咸傳荀氏學，而馬氏亦頗行於世。〔註69〕

荀悦指出，荀爽作《易傳》，影響範圍大概在兗州、豫州，與馬融的《易傳》同傳於世，影響不可謂不小。

荀悦將荀爽與馬融並列，可能讓人以爲荀爽與馬融類型相同，都是博通的古文經學者。事實上，荀爽作《易傳》，有其自己的政治理念，尤其是其以升降、當位、失位等方法論《易》，既與鄭玄不同，又有其強烈的政治意識，甚至有「強調革命易代」的觀念，〔註70〕可說是透過注經表達政治理念的清議士人。荀爽思想的傾向，與他當時遭禁錮而「隱於海上」、「南遁漢濱」的遭遇相呼應，荀爽以注經的方式表達對時政的看法，也能夠被稱爲「碩儒」。

除了荀爽以外，八龍一輩的荀氏族人，也有以實際的行動對抗宦官者。史載荀淑兄子荀昱及荀曇運用其權力掃滅地方上的宦官勢力，《後漢書·荀韓鍾陳列傳》：

（荀）淑兄子昱字伯條，曇字元智。昱爲沛相，曇爲廣陵太守。兄
弟皆正身疾惡，志除閹宦。其支黨賓客有在二郡者，纖罪必誅。昱
後共大將軍竇武謀誅中官，與李膺俱死。曇亦禁錮終身。〔註71〕

二人「正身疾惡」、「志除閹宦」，並運用自身的權力掃滅宦官的支黨賓客，荀昱並在第二次黨錮之禍時，參與竇武誅殺宦官的行動，事敗被殺。

荀悦、荀彧以前的荀氏族人，與時勢的牽連甚深，從未於政治局勢中缺席。當時，參與清議的士人，都有其政治目標，用後代的話說，即「澄清天下」，《後漢書·黨錮列傳》言及范滂：

時冀州饑荒，盜賊群起，乃以滂爲清詔使，案察之。滂登車攬轡，
慨然有澄清天下之志。〔註72〕

---

〔註69〕〔漢〕荀悦著，張烈點校：《前漢紀》，卷25，〈孝成皇帝紀二〉，頁438。

〔註70〕陳啓雲指出鄭玄注《易》重視其「不易」的一面，荀爽則注重「變易」的一面。鄭玄重視爻位，顯現一種擁護秩序的主張；荀爽則在〈謙〉、〈復〉、〈離〉諸卦中顯現其重德輕位，甚至「強調革命易代、反抗暴政的觀念」。見陳啓雲：〈荀爽易傳中的革命思想〉，收入《中國古代思想文化的歷史論析》，頁223～254。

〔註71〕〔劉宋〕范曄著，〔唐〕李賢等注：《後漢書》，卷62，〈荀韓鍾陳列傳〉，頁2050。

〔註72〕同前註，卷67，〈黨錮列傳〉，頁2203。

《世說新語》的開篇，亦言陳寔「登車攬轡，有澄清天下之志」，〔註73〕彼時士人，多有此一覺悟。張師蓓蓓《東漢士風及其轉變》一書，已指出當時士大夫之士風在「自覺」的基礎上衍生出來，一心「激濁揚清」，以天下爲己任。〔註74〕閻步克、余英時亦著眼士大夫之「階層」以探討此現象，閻步克《士大夫政治演生史稿》探討士大夫階層的心態，言：

> 士大夫不是那種作爲君主之權力工具的單純的官僚，他們橫互於君主與庶民之間，維繫著相對獨立的「道統」，並構成了以獨特機制約束政統的分力。〔註75〕

此說與錢穆論述的「士族政治勢力之逐步膨脹」、余英時論述的「士大夫之自覺」，誠可相互補充。〔註76〕諸說探討士大夫階層，或探討士大夫心態，都指出當時士爲國爲民的情懷，〔註77〕荀氏既爲領袖之一，荀悅又生逢其時，自不能免於時風之外。〔註78〕

　　到了荀悅一輩的中年時期，荀氏家族的地方根據地已毀於董卓之亂，〔註79〕時局較黨錮之禍時更加混亂，荀彧先投袁紹，再投曹操，在曹操猶豫是否應迎獻帝時，力勸曹操迎帝，〔註80〕並與荀悅俱供職於建安內朝。荀氏一族在東漢末期的經歷與家風，很可能是造成荀悅成爲一位主張致用的「通儒」的原因。

---

〔註73〕〔劉宋〕劉義慶著，〔梁〕劉孝標注，余嘉錫箋疏：《世說新語箋疏》（上海：上海古籍出版社，1993），卷1，〈德行〉，頁1。

〔註74〕張師蓓蓓：《東漢士風及其轉變》，頁82。

〔註75〕閻步克：《士大夫政治演生史稿》（北京：北京大學出版社，1996），頁17。

〔註76〕錢穆：《國史大綱》，〈第三編・第十章・士族的新地位〉頁169～171。余英時：〈漢晉之際士之新自覺與新思潮〉，《中國知識階層史論・古代篇》（台北：聯經，1980），頁206～253。

〔註77〕此外，也有不將士族看得這麼高尚的學者，如川勝義雄認爲清濁之爭是爭奪政治權力的鬥爭。見川勝義雄著、徐谷芃等譯：《六朝貴族制社會研究》，頁18。

〔註78〕程宇宏已指出，荀悅著作中的批判精神，與此時的士大夫精神有關。見程宇宏：《荀悅治道思想研究》，頁299。

〔註79〕〔劉宋〕范曄著，〔唐〕李賢等注：《後漢書》，卷70，〈鄭孔荀列傳〉，頁2281。

〔註80〕同前註，頁2284。

# 第三節 《漢紀》、《申鑒》的撰作時空背景及荀悅與漢獻帝之關係

## （一）《漢紀》、《申鑒》的撰作與曹操的關係

　　關於荀悅撰作環境的特殊性，前人多從曹操與建安朝廷的關係切入立論，簡言之即曹操掌權，造成漢曹對立。這種說法從《後漢紀》發其端緒，《後漢書》繼承之。《後漢紀》卷十：

> （建安十年）八月，侍中荀悅撰政治得失，名曰《申鑑》。既成而奏之曰：「……」上覽而善焉。悅字仲豫，潁川人也。少有才理，兼綜儒史。是時曹公專政，天子端拱而已。上既好文章，頗有才意，以《漢書》爲繁，使悅刪取其要，爲《漢紀》三十篇。〔註81〕

《後漢書·荀悅傳》：

> 時政移曹氏，天子恭己而已。悅志在獻替，而謀無所用，乃作《申鑒》五篇。〔註82〕

袁宏與范曄此說，指出漢廷的實際權力在曹操手中，並未在漢獻帝手中，是故荀悅的建言無法落實，字裡行間並沒有指出荀悅的反曹心態。明代嘉靖年間，黃省曾爲《申鑒》作注，其〈序〉除繼承《後漢書》「謀無所用」的觀點外，亦揣測了荀悅的政治立場：

> 悅恐意蘊終不得披露，遂拾漢故新事，及所欲獻替者，爲《申鑒》五篇以奏。嗚呼！亦徒空言也矣。厥後篡業日開，蘭凋玉玷，麟囚鳳戮，而悅獨晏然保守領以沒者，良以融頻寓書規操，而操軍國之事必籌於彧，由此戾忤而不免也。〔註83〕

黃省曾認爲荀悅忠於漢朝，並已指出之後「篡業日開」，漢廷跟曹操逐漸成爲無法相容的存在。荀悅之所以沒有被殺，是因爲孔融時常忤逆曹操、荀彧則因軍國之事與曹操有齟齬，獨荀悅沒有忤逆曹操，因而存活。黃省曾這段話已經指出漢曹不兩立，而將荀悅與荀彧、孔融相提並論，是將其視作漢之純臣，不與曹操同流。王鏊爲《申鑒注》作序時，更指出荀悅作《申

---

〔註81〕〔晉〕袁宏著，張烈點校：《後漢紀》，卷29，〈孝獻皇帝紀〉，頁565～567。
〔註82〕〔劉宋〕范曄著，〔唐〕李賢等注：《後漢書》，卷62，〈荀韓鍾陳列傳〉，頁2058。
〔註83〕〔明〕黃省曾：〈注申鑒序〉，《申鑒注校補》，頁223。

鑒》可能是「有所感而爲」，黃省曾爲《申鑒》作注也是「有感而爲」：

> 悅每有獻替，而意有未盡，此《申鑒》所爲作者，蓋有志於經世也。
> 然當時政體，顧有大於攬機務，使權不下移者乎？而曾無一言及之，
> 何哉？厥後融以論建漸廣，或以不阿九錫，皆不得其死。悅獨優游
> 以壽終，其亦善處濁世者矣。……悅之書其有所感而爲乎？勉之之
> 注豈亦有感而爲乎？〔註84〕

王鏊指出，荀悅之所以未曾提及權臣攬政的問題，是由於曹操的政治壓力。
這比黃省曾的說法更進一步，直接認爲荀悅效忠漢朝，與曹操不兩立。此外，
王氏推測荀悅與黃省曾都是「有所感」而作書，黃省曾所感者何？喬宇〈跋
申鑒注後〉推測，箇中原因爲權臣「竊弄權柄」：

> 勉之感其（按：指荀悅）所遭，而先帝之時，適有奸臣心迹如操者
> 竊弄權柄，遂憤激爲注此書……。〔註85〕

黃省曾是否因爲嚴嵩把權而注《申鑒》，並非本文要討論的議題。筆者要指出
的是，經過黃省曾及王鏊、喬宇的序跋解釋之後，荀悅與曹操的關係似乎被
比擬爲黃省曾與嚴嵩的關係，荀悅儼然成爲一位受到曹操壓迫的擁漢思想
家，甚至是抗曹思想家。這個命題，是否形成後代學者先入爲主的觀念，不
得而知，但今日學者論荀悅，卻多先將其定位爲一位抗曹思想家，被拿來作
爲證據的，正是王鏊指出的「荀悅沒有論及權臣把政問題」這一點。陳啓雲
就認爲，曹操掌權對於荀悅的撰作造成了不小的壓力，並且在官渡之戰後，
曹操更加跋扈，造成此前的《漢紀》與此後的《申鑒》的批判力度有所差異。
〔註86〕陳氏的判斷可能是從漢曹對立的既定立場而來，但是，細究之下，「荀
悅是抗曹思想家」這個命題似有不合理之處。

　　首先，荀悅並非未曾評論權臣把政的問題。《申鑒・雜言上》言帝王之「內
寇」有五：

> 或問：「天子守在四夷，有諸？」曰：「此外守也。君子之內守在身。……
> 至尊者，攻之者眾焉。故便僻御侍攻人主而奪其財，……左右小臣
> 攻人主而奪其行，不令之臣攻人主而奪其事，是謂內寇。」〔註87〕

---

〔註84〕〔明〕王鏊：〈申鑒注序〉，《申鑒注校補》，頁222。
〔註85〕〔明〕喬宇：〈跋申鑒注後〉，《申鑒注校補》，頁224。
〔註86〕陳啓雲：《荀悅與中古儒學》，頁197。
〔註87〕〔漢〕荀悅著，〔明〕黃省曾注，孫啓治校補：《申鑒注校補》，卷4，〈雜言上〉，
　　　　頁173。

所謂「不令之臣」，雖不一定指涉曹操，但若荀悅眞爲曹操的權勢而噤聲不言，那此條大可不必存在。進一步來說，若荀悅眞畏懼曹操的威勢，荀悅大可不寫專論政治的《申鑒》一書，更大可與王符、仲長統諸人一樣，寫了而不獻上。畢竟當時的曹操的確對士人「議政」頗有意見，如「爲帝陳言時策」的趙彥就被曹操殺害。《後漢書‧皇后紀下》：

> 自帝都許，守位而已，宿衛兵侍，莫非曹氏黨舊姻戚。議郎趙彥嘗爲帝陳言時策，曹操惡而殺之。其餘內外，多見誅戮。操後以事入見殿中，帝不任其憤，因曰：「君若能相輔，則厚；不爾，幸垂恩相舍。」〔註88〕

趙彥被殺之事，陳琳於建安五年初爲袁紹所作的〈討曹檄文〉已見，此事殆在建安五年以前。〔註89〕《後漢書》載趙彥被殺的原因是「爲帝陳言時策」，無論原因是「爲帝陳言時策」本身，或者是所陳之策忤逆曹操，依此二標準，荀悅的《漢紀》與《申鑒》都應與趙彥同罪。「爲帝陳言時策」固不待言，就所陳之策而言，荀悅的思想雖說有若干制衡君權的主張，〔註90〕承認獻帝是天命所歸之天子，還是錯不了的，這點從《漢紀》到《申鑒》並沒有改變，但是，荀悅卻未被曹操殺害。

要解釋此矛盾，唯有回到最原初的命題，即「漢曹對立」的問題。趙翼《廿二史箚記》探討荀彧心態，認爲至少在建安初年，荀彧心中，擁曹與擁漢並不存在太大的衝突。《廿二史箚記‧卷六》，〈荀彧傳〉條：

> 獻帝遭董卓大亂之後，四海鼎沸，強藩悍鎮，四分五裂。彧計諸臣中非操不能削群雄以匡漢室，則不得不歸心於操而爲之盡力，爲操即所以爲漢也。……且是時，操亦未遽有覬覦神器之心也。及功績日高，權勢已極，董昭等欲加以上公九錫，則非復人臣之事。〔註91〕

趙翼指出兩個重點，即建安初期，在荀彧的認知裡，「爲操即所以爲漢也」，以及曹操在建安初期並沒有篡奪的野心。董昭欲勸進曹操受九錫，事在建安十七年（212），直到此年才眞正「非復人臣之事」。在此之前，獻帝與曹操的

〔註88〕〔劉宋〕范曄著，〔唐〕李賢等注：《後漢書》，卷10下，〈皇后紀下〉，頁453。
〔註89〕同前註，卷74上，〈袁紹劉表列傳上〉，頁2396。
〔註90〕荀悅限制君權的主張，詳見本文第4章第2節。
〔註91〕〔清〕趙翼：《廿二史箚記》（上海：上海古籍出版社，2011），卷6，〈三國志〉，頁115。

關係雖然不佳，〔註92〕但似未至全面衝突的地步，當時朝廷士人可能也並未選邊站。建安十三年（208）因事忤逆曹操而爲其所殺的孔融，〔註93〕在建安初期，甚至寫過詩歌讚揚曹操。〈六言詩〉：

> 郭李分爭爲非，遷都長安思歸。瞻望關東可哀，夢想曹公歸來。

〔註94〕

另一首：

> 從洛到許巍巍，曹公輔國無私。〔註95〕

從「夢想曹公歸來」與「曹公輔國無私」之句，可見建安初期，曹操的確被某些士人視爲救星。荀悅也有類似的看法，《漢紀・孝平皇帝紀》：

> 凡《漢紀》十二世，十一帝，通王莽二百四十二年。……建安元年，
> 上巡省幸許昌，以鎮萬國，外命元輔征討不庭，內齊七政允亮聖業，
> 綜練典籍，兼覽傳記。〔註96〕

《漢紀》成於建安五年（200），荀悅將漢獻帝視作天命所歸之主，並將曹操視作國之「元輔」，與孔融所說的「曹公輔國無私」相通。

劉隆有繼承趙翼的說法，認爲二荀正因是曹操的「黨舊」，而被安置在獻帝身邊，荀悅今存的兩部著作中，一直要獻帝「惟大臣是任」，都是因爲「爲操所以爲漢」，二者在當時並不存在衝突。劉隆有推測，二荀兄弟與曹操之間的裂痕來自於建安九年（204），曹操欲復古九州之議。〔註97〕綜合上述說

---

〔註92〕論者以爲，《後漢書》記載建安五年董承、王服、种輯因「受密詔誅殺曹操」之事洩漏而爲曹操所殺，或可視爲建安十年以前漢獻帝不滿曹操的證據，但此事袁宏《後漢紀》卻作董承、王服「謀殺曹操」，究竟獻帝有無牽涉其中，不得而知。見劉隆有：〈「極爲治之體，盡君臣之義」──荀悅史學思想試析〉，《史學史研究》，1983 年第 4 期，頁 31～37，並參〔劉宋〕范曄著，〔唐〕李賢等注：《後漢書》，卷 9，〈孝獻帝紀〉，頁 381、〔晉〕袁宏著，張烈點校：《後漢紀》，卷 29，〈孝獻皇帝紀〉，頁 560。

〔註93〕張師蓓蓓耙梳文獻，認同范曄的說法，即孔融被殺乃因曹操「潛忌正議，慮鯁大業」，而非「浮艷」、「眩世亂俗」。張師蓓蓓：〈孔融新論〉，《魏晉學術人物新研》（台北：大安出版社，2001），頁 3～13。

〔註94〕俞紹初輯校：《孔融集》，收入《建安七子集》（北京：中華書局，2005），頁 4。

〔註95〕同前註。

〔註96〕〔漢〕荀悅著，張烈點校：《前漢紀》，〈漢紀序〉，頁 1。

〔註97〕劉隆有認爲《申鑒》是建安初期寫成，成書年代在《漢紀》之前，二書都在曹操復古九州議前，彼時曹操仍未與士族有重大衝突，仍是漢之純臣，故容易得出此結論。筆者對於《申鑒》成書年代的認知，則參照《後漢紀》的說法，因此存在《申鑒》撰寫心態的問題。劉隆有的見解，參其〈試論荀悅撰

法來看，史載《漢紀》成於建安五年（200），《申鑒》則獻於建安十年（205）八月，荀悅在《漢紀》裡可能宣揚調和漢曹的看法，而在今本《申鑒》中，我們也並未看到荀悅搖身一變，成爲抗曹思想家。〔註98〕荀悅對於曹操的看法，前後可能並沒有太大的不一致，對於此問題，趙翼與劉隆有的看法值得參考。至少，在辨析《漢紀》與《申鑒》的思想時，必須將「荀悅是抗曹思想家」這副有色眼鏡摘除，如此方能使荀悅的思想方向更爲明晰，並且避免落入「先射箭、再畫靶」的謬誤當中。

## （二）《漢紀》、《申鑒》的上書性質與荀悅和獻帝的關係

將漢曹對立的有色眼鏡摘下後，從二書的上書性質，以及荀悅和漢獻帝的關係切入，研究荀悅思想及《漢紀》與《申鑒》的性質，似乎是個可行辦法。《漢紀》、《申鑒》與《潛夫論》、《昌言》以及《政論》、《中論》不同，此二書有直接的獻書對象——漢獻帝。《漢紀》是獻帝命荀悅刪略《漢書》所成；《申鑒》書成後，荀悅也獻上朝廷，「帝覽而善之」，〔註99〕是故，理解此二書的思想，應該將其獻書的對象考量在內。這與「以譏當時失得」並且「不欲章顯其名」〔註100〕的「潛夫之論」不同。荀悅不是潛夫，他在建安內廷的地位相當高，與在野處士地位不同，這兩本書一定會因爲「上書」的性質，考量漢獻帝的處境以及自己的地位，在語句與內容上有所調整、折衷，不應視爲私修史書或一般的子書。

再者，史載荀悅先後任黃門侍郎、秘書監與侍中。黃門侍郎與侍中俱爲內朝官，而當時秘書監的官職特性不明，但也有可能在內朝走動。〔註101〕換

寫《漢紀》的政治目的〉，《河南大學學報（社會科學版）》1985年第1期，頁15～17。

〔註98〕按照張師蓓蓓的說法，孔融在建安九年開始與曹操全面衝突，包括抵制禁酒、譏刺曹操「以妲己賜周公」，以及議舊制定王畿以抵制曹操的復古九州議。荀悅是孔融的同事，合理推斷他知道孔融與曹操的衝突，然而，荀悅與孔融的關係是否友好，不得而知。即使荀悅從弟荀彧反對復古九州議，也無法證明荀悅也與荀彧有相同主張。《申鑒》於建安十年獻上，此時荀悅是否已然看清「漢曹對立」的形勢並且選邊站，或仍然主張調和漢獻帝與曹操的關係，從史料難以推之，恐怕只能耙梳文意，得出一合理的推測。

〔註99〕〔劉宋〕范曄：《後漢書》，卷62，〈荀韓鍾陳列傳〉，頁2062。

〔註100〕同前註，卷49，〈王充王符仲長統列傳〉，頁1630。

〔註101〕此前秘書監屬太常，掌典圖書，應是外朝官。《通典》言「後漢圖書在東觀，桓帝延熹二年，始置秘書監一人，掌典圖書古今文字，考合同異，屬太常，

言之，荀悅有可能跟獻帝十分親近。《後漢書·荀悅傳》記載荀悅當時在朝廷的活動：

> 獻帝頗好文學，悅與彧及少府孔融侍講禁中，旦夕談論。〔註102〕

「侍講」一詞為專有名詞，專指為皇帝、皇太子講解經學。郭永吉指出，兩漢的傅保之官大多由德高望重者出任，除蕭望之以外，並不實際負責皇帝的教育工作。東漢以降，更重視傅保政治上的功能，所謂「古冢宰總己之義」。郭氏並明白指出：「實際上負責皇帝、皇太子經書教育者，主要是侍講，另有執經、侍讀。」〔註103〕

漢獻帝九歲即位，正是皇子受經學教育的黃金時期，但獻帝甫即位半年，便被董卓強行遷徙到長安。此後約莫六年時間，獻帝與大臣們顛沛流離於兩京之間，並未有大臣侍講的記載。「少好俠」、「六郡良家子」出身的董卓，與其部將李傕、郭汜等人，儘管在某些士人的影響之下採取籠絡士人，甚至是恢復太學、試儒生的策略，但在天下擾動的情況下，恐怕並不注重，也未暇注重年幼皇帝的教育問題。

直到建安時期，獻帝所處的環境比較穩定，方見董遇「旦夕侍講」的記載：

> 建安初，王綱小設，郡舉（遇）孝廉，稍遷黃門侍郎。是時，漢帝
> 委政大祖，遇旦夕侍講，為大子所愛信。〔註104〕

此外，《後漢紀》亦記載除荀彧外，另有兩人侍講：

> （建安六年）八月辛卯，侍中郗慮、尚書令荀彧、司隸校尉鍾繇侍
> 講於內。〔註105〕

建安元年（196）時，漢獻帝雖已十六歲，但這方是他自童年以後首次處在較

---

以其掌圖書祕記，故曰祕書。後省。」建安初期的祕書監，不知是否與桓帝設置的祕書監職權相同。曹操後置祕書令，典上書奏事，從此祕書成為內朝官。魏時，薛夏言：「蘭臺為外臺，祕書為內閣」，荀悅所任的祕書監有可能已是內朝官。見〔唐〕杜佑：《通典》（杭州：浙江古籍出版社，1988年影印《萬有文庫》本《十通》），卷26，〈職官八〉，頁典155。

〔註102〕〔劉宋〕范曄著，〔唐〕李賢等注：《後漢書》，卷62，〈荀韓鍾陳列傳〉，頁2058。

〔註103〕郭永吉：《自漢至隋皇帝與皇太子經學教育禮制蠡測》（新竹：清華大學中文研究所博士論文，2005），頁34。

〔註104〕〔晉〕陳壽著，〔劉宋〕裴松之注，盧弼集解：《三國志集解》卷13，〈鍾繇華歆王朗列傳〉裴《注》引《魏略》，頁1262。

〔註105〕〔晉〕袁宏著，張烈點校：《後漢紀》，卷29，〈孝獻皇帝紀〉，頁563。

爲穩定且相對富足的環境，如《魏略》所言的「王綱小設」，整體局勢穩定，才能夠恢復州郡歲舉孝廉，這時才有辦法恢復皇帝的教育。

《魏略》的記載，也提示了我們漢獻帝的生活情況——因爲「委政太祖」，所以董遇「且夕侍講」，《後漢書》也說「時政移曹氏，天子恭己而已」，並記載荀悅、孔融與荀彧「且夕談論」。從此可知，漢獻帝當時並無政事要處理，很可能整天都在進行學術活動，與侍講之臣相處時間很長。《魏略》明言，由於董遇「且夕侍講」，因此「爲天子所愛信」，那麼「且夕談論」的荀悅、孔融，以及不只侍講一次的荀彧，很有可能也「爲天子所愛信」。

郭永吉另指出，「侍講」的教材是經學，〔註106〕《後漢書》也明言，「獻帝頗好文學」，之後才接著說二荀、孔融「侍講禁中」，但是，「且夕談論」似乎暗示此「侍講」的教材不僅限於經學。楊泉《物理論》中記載荀悅與孔融的對話：

> 漢末有管秋陽者，與弟及伴一人避亂俱行。天雨雪，糧絕，謂其弟曰：「今不食伴，則三人俱死。」乃與弟共殺之，得糧。達舍後，遇赦無罪。此人可謂善士乎？孔文舉曰：「管秋陽愛先人之遺體，食伴無嫌也。」荀侍中難曰：「管秋陽貪生殺生，豈不罪邪？」文舉曰：「此伴，非會友也。……今有犬齧一狸，狸齧一鸚鵡，何足怪也？昔重耳戀齊女而欲食狐偃，叔敖怒楚師而欲食伍參，賢哲之忿猶欲啖人，而況遭窮者乎？」〔註107〕

雖然《物理論》並未言明這段對話的發生場合，但由此對話的內容，也許可以推測，此侍講「且夕談論」的內容可能與以往以經學爲主的侍講不盡相同。同時，《後漢書》言及荀悅創作《漢紀》的因由，言：

> 帝好典籍，常以班固《漢書》文繁難省，乃令悅依《左氏傳》體以爲《漢紀》三十篇……。〔註108〕

成書較早的《後漢紀》，對此事則作：

---

〔註106〕郭永吉耙梳史料，指出自西漢自南朝，「一般士子讀完《孝》、《論》，而後大致是《詩》、《書》二經，《易》、《禮》、《春秋》則殿後」，皇子、太子之次序或許與此同。見郭永吉：《自漢至隋皇帝與皇太子經學教育禮制蠡測》，頁102。

〔註107〕〔晉〕楊泉：〈物理論〉，見〔唐〕馬總輯：《意林》，收入《百部叢書集成》（板橋：藝文印書館，1966），卷5，頁20a。

〔註108〕〔劉宋〕范曄：《後漢書》，卷62，〈荀韓鍾陳列傳〉，頁2062。

是時曹公專政，天子端拱而已。上既好文章，頗有才意，以《漢書》
為繁，使悅刪取其要，為《漢紀》三十篇。〔註109〕

獻帝需要簡明、便於省覽的《漢書》簡明本，找的是荀悅，很可能代表著荀悅平時與獻帝談論的話題，本就不限於經學，可能還包含史學在內。《後漢書》言獻帝「好文學」，《後漢紀》則言獻帝「好文章」，很可能代表著這批侍講之臣與漢獻帝進行的學術討論內容不僅限於經學，至少還有史學，也可能有現今意義的文學，結合上述《物理論》來看，甚至有類似魏晉清談的內容。

　　皇帝身邊皆是學者，並且得以「旦夕侍講」，在東漢恐怕並不常見。東漢自和帝以降，「皇統屢絕，權歸女主」，后黨獨大，幼年皇帝能夠依侍者唯有宦官。《後漢書・宦者傳序》言：

和帝即祚幼弱，而竇憲兄弟專總權威，內外臣僚，莫由親接，所與居者，唯閹宦而已。〔註110〕

和帝依靠宦官鄭眾剷除竇氏之後，「君王早崩」、「女主、后黨把政」、「幼帝與宦官剷除后黨」的循環仍然繼續：安帝靠著李閏剷除鄧氏；孫程擁立順帝、剷除閻顯；桓帝與曹節、單超　起剷除梁氏。和帝以後的宦官，既是「手握王爵」，享盡榮華之外，更是「口含天憲」，〔註111〕甚至能為天子決策，至漢靈帝竟有「張常侍是我公，趙常侍是我母」之言，〔註112〕宦官與皇帝的關係非常密切。

　　皇帝的左右充斥著博學的士人，並且與這批侍從之臣「旦夕談論」，這是數代以來難以看見的場面。包含荀悅在內的這批侍講之臣，想必滿懷理想，一心要將皇帝教育成有為之主。這股殷切之情，在《漢紀》與《申鑒》之中，表現得十分明顯，可說是荀悅著作的特點之一。《申鑒・政體》開篇釋題過後，便說：

聖漢統天，惟宗時亮，其功格宇宙。粵有虎臣亂政，時亦惟荒圮湮。茲洪軌儀，鑒於三代之典，王允迪厥德，功業有尚。天道在爾，惟帝茂止，陟降厥膚止，萬國康止。允出茲，斯行遠矣。〔註113〕

〔註109〕〔晉〕袁宏著，張烈點校：《後漢紀》，卷29，〈孝獻皇帝紀〉，頁567。
〔註110〕〔劉宋〕范曄著，〔唐〕李賢等注：《後漢書》，卷78，〈宦者列傳〉，頁2509。
〔註111〕同前註。
〔註112〕同前註，頁2536。
〔註113〕〔漢〕荀悅著，〔明〕黃省曾注，孫啟治校補：《申鑒注校補》，卷1，〈政體〉，頁2。

將漢獻帝看作天道所歸的天下之主，並且勉勵漢獻帝要以三代典章爲執政準
則，努力於帝王事業，對於獻帝的期勉明白可見。再如《漢紀·孝昭皇帝紀》：

> 夫爲善之至易，莫易於人主；立業之至難，莫難於人主；至福之所
> 隆，莫大於人主；至禍之所加，莫深於人主。夫行至易以立至難，
> 便計也；興至福而降至禍，厚實也。其要不遠，在乎所存而已矣。
> 雖在下才，可以庶幾！然跡觀前後，中人左右多不免於亂亡。何則？
> 沈於宴安，誘於諂導，放於情慾，不思之咎也。仁遠乎哉？存之則
> 至。是以昔者明王戰戰兢兢，如履虎尾，勞謙日昃，夙夜不怠，誠
> 達於此理也。〔註114〕

《漢紀·孝哀皇帝紀贊》：

> 世主覽此，足以見成敗之基，收后族之權，清儉愛民，可垂統也。
> 〔註115〕

除了提醒漢獻帝天子地位的特殊性之外，也期待漢獻帝能夠存仁、戰戰兢兢
於國事，而非享樂、放縱於情慾之中。這股對獻帝的殷切期待之情，換個角
度說，也就是清議份子在桓靈時代不爲時用的憤懣之情。荀悅評論《漢紀》
的史事時，偶爾會藉由評論歷史人物向獻帝訴清議份子滿懷忠誠，卻不爲所
用的心情。如〈孝文皇帝紀下〉：

> 荀悅曰：以孝文之明也，本朝之治，百寮之賢，而賈誼見逐，張釋
> 之十年不見省用，馮唐白首屈於郎署，豈不惜哉！……夫知賢之難，
> 用人不易，忠臣自古之難也。雖在明世，且猶若茲，而況亂君闇主
> 者乎！夫忠臣之於其主，猶孝子之於其親，盡心焉，盡力焉。進而
> 喜，非貪位；退而憂，非懷寵。結志於心，慕戀不已，進得及時，
> 樂行其道。……然人主不察，豈不哀哉！及釋之屈而思歸，馮唐困
> 而後達，有可悼也。此忠臣所以泣血，賢俊所以傷心也。〔註116〕

〈孝成皇帝紀二〉：

> 荀悅曰：王商言水不至，非以見智也，非以傷鳳也，欲將忠主安民，
> 事不得已，而鳳以爲慨恨；……皆至於死，眞可痛乎！夫獨智不容
> 於世，獨行不畜於時，是以昔人所以自退也。雖退猶不得自免，是

---

〔註114〕〔漢〕荀悅著，張烈點校：《前漢紀》，卷16，〈孝昭皇帝紀〉，頁287。
〔註115〕同前註，卷29，〈孝哀皇帝紀下〉，頁516。
〔註116〕同前註，卷8，〈孝文皇帝紀下〉，頁119。

以離世深藏，以天之高而不敢舉首，以地之厚而不敢投足。……本
不敢立於人間，況敢立於朝乎！自守猶不免患，況敢守於時乎！無
過猶見誣枉，而況敢有罪乎！閉口而獲誹謗，況敢直言乎！雖隱身
深藏猶不得免，是以甯武子佯愚，接輿爲狂，困之至也。……悲夫！
以六合之大，匹夫之微，而一身無所容焉，豈不哀哉！是以古人畏
患苟免，以計安身，撓直爲曲，斫方爲圓，穢素絲之潔，推亮直之
心。是以羊舌職受盜於王室，蘧伯玉可卷而懷之。以死易生，以存
易亡，難乎哉！〔註117〕

前者言忠臣不爲君主理解之苦，後者的範圍更廣，清高之人不僅不敢立於朝，
甚至於天下之大，無所容身。之所以不煩辭費，長篇節錄，實在因爲《漢紀》
與《申鑒》的文字，大多數是針對各種議題的討論，極少有如此流暢、情緒
如此憤慨的文字。這兩段文字始非泛論，而是荀悅自己生命的感觸，最能呼
應的，就是清議份子心懷款款之忠，卻不爲時所用，甚至被迫害之事。

主張君王應該任用忠臣的另一面，就是君主應貶抑惡臣。荀悅在《漢紀》
與《申鑒》中多次批判宦官，如《漢紀·孝哀皇帝紀上》：

大內寵嬖近阿保御豎之爲亂，自古所患，……孔子曰「惟女子與小人
爲難養」，性不安於道，智不周於物。其所以事上也，唯欲是從，唯
利是務；飾便假之容，供耳目之好；以姑息爲忠，以苟容爲智，以技
巧爲材，以佞諛爲美。而親近於左右，翫習於朝夕，先意承旨，因間
隨隙，以惑人主之心，求贍其私慾，慮不遠圖，不恤大事。〔註118〕

整段文字正是針對「手握王爵、口含天憲」的天子近臣，也就是宦官所發出
的批評。《申鑒·政體》言國家的九種型態，最後二種是：

……小臣爭寵，大臣爭權，此危國之風也。上不訪，下不諫，婦言
用，私政行，此亡國之風也。〔註119〕

所謂「婦言用，私政行」，恐怕就是懲東漢后黨、宦官執政而反映的。

從荀悅與漢獻帝的交情以及其「侍講」身份的角度深入探索，就能夠解
釋《漢紀》與《申鑒》各自的特點。就《漢紀》來說，雖然荀悅自言《漢紀》

〔註117〕〔漢〕荀悅著，張烈點校：《前漢紀》，卷25，〈孝成皇帝紀二〉，頁439～440。
〔註118〕同前註，卷28，〈孝哀皇帝紀上〉，頁493。
〔註119〕〔漢〕荀悅著，〔明〕黃省曾注，孫啓治校補：《申鑒注校補》，卷4，〈雜言
上〉，頁173。

是「國典」，但《漢紀》同時也是荀悅爲了讓漢獻帝易讀而作的「無妨本書，有便於用」的簡明版《漢書》，換言之，是歷史教科書。〔註120〕在使獻帝知史事時，荀悅還必須要透過史事使漢獻帝獲得道德鑒戒，《漢紀·序》言：

> 昔在上聖，唯建皇極，經緯天地，觀象立法，乃作書契，以通宇宙，揚於王庭，厥用大焉。先王以光演大業，肆於時夏，亦惟翼翼，以監厥後，永世作典。夫立典有五志焉：一曰達道義，二曰彰法式，三曰通古今，四曰著功勳，五曰表賢能。於是天人之際、事物之宜，粲然顯著，罔不備矣。〔註121〕

荀悅認爲書契是天道的載體，《漢紀》作爲「典」是貫通天道與人道，功用是「以監厥後」。《申鑒·雜言上》亦云：

> 君子有三鑒，鑒乎前，鑒乎人，鑒乎鏡。前惟順，人惟賢，鏡惟明。
> 夏、商之衰，不鑒於禹、湯也；周、秦之弊，不鑒於羣下也。……
> 〔註122〕

所謂「前惟順」，表示記取史事中的教訓。然而，「事件」本身所展現的「教訓」不會太明朗，於是荀悅便在《漢紀》中針對事件加以評論。這可以解釋陳啓雲所指出的，《漢紀》中的荀悅評論，除了承繼《史記》、《漢書》已有的人物評論、制度評論之外，更開了歷史事件評論的先河。〔註123〕

　　《漢紀》既是一本「無妨本書」的簡明本《漢書》，並作爲漢獻帝的教材，那麼從「史事去取」的模式推測撰史者心理及思想的作法，似乎就有可能造成對作者思想的誤判。

　　至於《申鑒》，則是一本兼具上書性質的子書。《申鑒》的前三篇分別爲〈政體〉、〈時事〉、〈俗嫌〉，依序是討論各式政治架構、當代實際政事，以及民間習俗，自上而下，由抽象到實際，明顯地有其寫作脈絡，並且很有可能是針對漢獻帝而作的。後二篇是分作上下篇的〈雜言〉，而〈雜言上〉的第一條，便是討論「學」的問題：

---

〔註120〕劉隆有認爲《漢紀》的特殊性在於《漢紀》是第一本專爲皇帝需要而撰作的史書，甚至將《漢紀》比擬爲漢獻帝的歷史教本。見劉隆有：〈荀悅鑒戒史觀淺析〉，《中州學刊》1983 年第 5 期，頁 121～124。
〔註121〕〔漢〕荀悅著，張烈點校：《前漢紀》，頁 1。
〔註122〕〔漢〕荀悅著，〔明〕黃省曾注，孫啓治校補：《申鑒注校補》，卷 4，〈雜言上〉，頁 141。
〔註123〕陳啓雲：《荀悅與中古儒學》，頁 144。

或問曰：「君子曷敦夫學？」曰：「生而知之者寡矣，學而知之者眾
矣，悠悠之民，泄泄之士，明明之治，汶汶之亂，皆學廢興之由，
敦之不亦宜乎？」〔註124〕

按：子書以論學開篇是子書常見的作法，《荀子》以〈勸學〉開篇；與荀悅同
時代的徐幹著《中論》，亦以〈治學〉開篇。荀悅的《申鑒》於是看似分作兩
部分，前半部是要給獻帝的政治意見，〈雜言〉才是自己身為學者，欲傳於後
世的子書。另有一說，此書之所以獻給漢獻帝，可能也暗示了「且夕談論」
中含有〈雜言〉中所談論的議題。〔註125〕

# 小　結

　　本章從外部因素，探討荀悅所面臨的問題、荀悅的思想傾向、荀悅的政
治立場，並重探《漢紀》、《申鑒》的性質。

　　東漢自中期以降，外戚時常奪取權力。本文以竇憲、梁冀為例，指出其
時外戚掌握任官權力，甚至使得朝廷官員「背王室，向私門」的情形。東漢
中期以後，漢朝廷一直處在戚宦交爭的狀況之中，直至桓帝依靠五侯之力誅
殺梁冀後，宦官勢力始獨盛，仗恃皇帝的信任胡作非為、搜刮民財。靈帝朝，
貴為天子，富有四海的靈帝甚至與宦官一起大撈油水，其所為「導行費」、賣
官等事，嚴重衝擊民生；所任非人，使得國家政事無法妥善處理；更重要的
是，使得既有的任官制度無法執行，使得朝廷失去士人的支持。清議運動時，
士人的互相標榜，已展現出一種對漢朝廷的離心傾向，漢朝廷的濫權行為，
使之逐漸失去權力。黃巾亂後，民變多起，劉焉改置州牧的建議，更使漢朝
失去地方的控制權，形成州牧割據局面。

　　在此紛亂時代中的荀氏家族，不僅參與了清議運動，更是清議運動的要
角。荀淑與荀氏八龍，都是富有盛名的名士，荀曇與荀昱在就任地方守令時，
強力打壓宦官的支黨賓客，荀爽亦在被禁錮期間，以注經的方式傳達一己的
政治理念。在此家風之下，亦受到禁錮的荀悅，雖然服膺經典，卻非固守章
句之學，而是追求經典文字背後的道德原則，以期能為世所用。

〔註124〕〔漢〕荀悅著，〔明〕黃省曾注，孫啟治校補：《申鑒注校補》，卷 4，〈雜言
　　　　上〉，頁 140。
〔註125〕劉隆有認為，「《申鑒》五篇，即是這『旦夕談論』的集結。」見劉隆有：〈荀
　　　　悅鑒戒史觀淺析〉，頁 121。

　　自黃巾之亂爆發至董卓入京，不過五年時間，漢朝廷快速崩潰，名存實亡，各地勢力各自爲政，天下全無秩序。建安年間，儘管天下仍未安定，荀悅卻終於以曹操黨舊姻戚的關係，進入朝廷任職，擔任侍講之臣。其時荀悅致力於與荀彧、孔融「侍講禁中，旦夕談論」，題材不限於經學，與獻帝進行學術討論。在獻帝的要求下，荀悅刪減《漢書》成編年體之《漢紀》，作爲漢獻帝的歷史教本，一方面使獻帝熟知史事，另一方面也以評論方式，使獻帝知其中之史鑒。此外，荀悅亦撰作《申鑒》獻上，荀悅既有經世之志，在其二書之中，也可見荀悅對於東漢朝廷衰敗的反省。

　　承前所述，立於建安朝廷的荀悅所要面對的問題，不僅是天下沒有秩序、漢獻帝沒有實權，地方勢力各自爲政的問題。其所面對的遠因，也包含桓靈之際朝廷權力被濫用的問題。本章敘述荀悅面臨的問題、思想傾向，及其著作的性質之後，次章起將探討荀悅面對上述問題的解決方法。

# 第三章 荀悅擁護漢廷的立場及重建秩序之主張

　　前　章，本文探討荀悅思想的產生背景，本章始論荀悅思想內涵，並聚焦於荀悅之天命觀、擁護漢廷的立場，及重建秩序的主張。荀悅以「典」字宣稱漢朝仍擁有天命，並藉「天人三勢說」，一方面確立天命的存有，二方面也給予人事空間。由於宣稱漢朝仍有天命，故荀悅透過《漢紀》的評論，表達一系列尊君的主張；由於給予人事空間，故荀悅亦有一系列重建秩序的方法，此方法以「本乎真實」為核心概念，並以「法教」為手段。

## 第一節　荀悅的天命觀

### （一）「天命論」作為一種治術

　　武帝時期，董仲舒將陰陽、五行學說融匯於儒學之內，創造了聯繫天道、人道的治道體系。一方面，董仲舒透過三統說建構了漢帝國的合理性，《春秋繁露·三代改制質文》：

　　　王者必受命而後王，王者必改正朔，易服色，制禮樂，一統於天下，
　　　所以明易姓非繼人，通以己受之於天也。〔註1〕

明言「王者必受命而後王」，既承認了漢帝國的合理性，同時將「王者」的合

---

〔註1〕　〔漢〕董仲舒著，蘇輿注：《春秋繁露義證》（北京：中華書局，1992），卷7，
　　　　〈三代改制質文〉，頁185。

理性歸於「天」。此外，透過「人副天數」，創造了「天人相感」的條件，最後將災異歸因於君王的行爲。《春秋繁露·王道》言：

> 元者，始也，言本正也。道，王道也。王者，人之始也。王正則元氣和順、風雨時、景星見、黃龍下。王不正則上變天，賊氣并見。

〔註2〕

董仲舒此言，連結天象與在位者的行爲，藉以對君王產生約束力。《春秋繁露·必仁且智》說得更清楚：

> 天地之物，有不常之變者，謂之異，小者謂之災，災常先至，而異乃隨之，災者，天之譴也，異者，天之威也，譴之而不知，乃畏之以威，……凡災異之本，盡生於國家之失，國家之失乃始萌芽，而天出災害以譴告之；譴告之，而不知變，乃見怪異以驚駭之；驚駭之，尚不知畏恐，其殃咎乃至。以此見天意之仁，而不欲陷人也。……故見天意者之於災異也，畏之而不惡也，以爲天欲振吾過，救吾失，故以此報我也。春秋之法，上變古易常，應是而有天災者，謂幸國。……莊王所以禱而請也，聖主賢君尚樂受忠臣之諫，而況受天譴也。〔註3〕

災異是天對君王發出的譴告，並且會一次嚴重過一次。董仲舒最後說，「聖主尚樂受忠臣之諫，而況受天譴也」，隱隱有將天譴當作拘束下愚人君的最後手段。林師聰舜認爲，董仲舒在天人感應的基礎上大談災異，是「希望藉此把國君的行爲納入君道之中」，因此「災異之說，既論證了君權的神聖性，亦期待能發揮規範君權的作用。」換言之，這套以天人感應、災異說爲中心的天命論，體現的就是漢儒的理想：既能夠論證帝國的合理性、穩定帝國的體制，又能夠限制君權，使之符合儒家的政治理想。〔註4〕

由此角度觀之，前述的架構可說是經過知識份子精心設計的「治術」。那麼，這套治術是如何對其上的上位者，以及其下的被統治者產生影響？箇中的關鍵，其實在於此套治術的信仰性質。此套治術的最終理據都是只能據經驗法則類推，而無法實際驗證的「天道」，這意味著，這一套思想雖看似有理

---

〔註2〕 〔漢〕董仲舒著，蘇輿注：《春秋繁露義證》，卷4，〈王道〉，頁100～101。
〔註3〕 同前註，卷8，〈必仁且智〉，頁259～262。
〔註4〕 林師聰舜，〈帝國意識型態的建立——董仲舒的儒學〉，《漢代儒學別裁》（台北：國立台灣大學出版中心，2013），頁165。

據，其實並沒有真實的理據，能夠產生影響，憑藉的是君主及被統治者的信念。

　　然而，與其說對這套體系的信念穩固漢帝國，不如說兩者相互鞏固：帝國需要靠著信仰的力量維護一己之權威，信仰本身也靠著帝國本身的提倡而得以發揮影響力。也就是說，這套透過信仰力量發揮效用的治術，會隨著帝國的影響力下降而減弱。因此，一個帝國在其全盛時期，宣稱自己擁有天命，沒有人有力量能夠反對。但是，當此帝國的國勢衰退，失去控制的力量或者失去民心，本是帝國治術的天命論，就會變成其他政治勢力的武器。畢竟「信仰」本身是中立的，本就不專為漢家服務。時勢至此，若有人要「宣稱」其擁有天命，考驗只在於能不能被廣泛地接受，因此，「得天命」的癥結點就在於誰掌握了「宣稱」的權力，也就是誰的力量比較大、誰比較得民心。《三國志・武帝紀》裴《注》引張璠《漢紀》言太史令王立「以曹代漢」的言論：

> 立又謂宗正劉艾曰：「前太白守天關，與熒惑會，金火交會，革命之象也。漢祚終矣，晉、魏必有興者。」立後數言于帝曰：「天命有去就，五行不常盛，代火者土也，承漢者魏也，能安天下者，曹姓也，唯委任曹氏而已。」公聞之，使人語立曰：「知公忠于朝廷，然天道深遠，幸勿多言。」〔註5〕

王立此言究竟是出自對天命論的信仰，又或者有其他考量，史書無載，但史載王立觀天象而推論「漢祚終矣」，卻將結論導向「承漢者魏也」、「委任曹氏」，證明了天命論的中立性。

　　《後漢書・皇甫嵩傳》記載閻忠說皇甫嵩自立的言論：

> 今主上勢弱于劉、項，將軍權重于淮陰，指撝足以振風雲，叱吒可以興雷電。……征冀方之士，動七州之眾，羽檄先馳于前，大軍響振於後，……功業已就，天下已順，然後請呼上帝，示以天命，混齊六合，南面稱制，移寶器於將興，推亡漢於已墜，實神機之至會，風發之良時也。〔註6〕

當維繫信仰的強制力量崩潰之後，依靠的只有軍事力量。得天下者得天命，

---

〔註5〕　〔晉〕陳壽著，〔劉宋〕裴松之注，盧弼集解：《三國志集解》，卷1，〈武帝紀〉裴《注》引張璠《漢紀》，頁57。

〔註6〕　〔劉宋〕范曄著，〔唐〕李賢等注：《後漢書》，卷71，〈皇甫嵩朱儁列傳〉，頁2303。

以軍事力量得天下之後，信仰就成爲工具。閻忠此處明顯是將「請呼上帝、示以天命」看作是「功業已就、天下已順」之後的統治手段，可說是呼應「天命論作爲治術」的說法。

　　另一個例子，是黃巾軍宣稱「黃天當立」的口號。《後漢書・皇甫嵩傳》：

> 初，鉅鹿張角自稱「大賢良師」，……角因遣弟子八人使於四方，以善道教化天下，轉相誑惑。十餘年閒，眾徒數十萬，連結郡國，自青、徐、幽、冀、荊、楊、兗、豫八州之人，莫不畢應。……訛言「蒼天已死，黃天當立，歲在甲子，天下大吉。」〔註7〕

張角所策動的黃巾之亂，主打的口號就是代表漢代火德的「蒼天」已經死去，按照五行相生理論，應是土德——即「黃天」——要上位的時候了。熟諳天命論的士人，對手握重兵的軍人推銷這套治術；原本支撐著帝國的天命論體系，一變而成爲黃巾軍的叛變理論基礎，這兩個例子可以說明，東漢末期，天命論的信仰層面已經崩解無存。

　　另一個例子，就是仲長統論證從帝國興起到滅亡的言論。《後漢書・仲長統傳》載《昌言・理亂篇》言：

> 豪傑之當天命者，未始有天下之分者也。無天下之分，故戰爭者競起焉。於斯之時，並僞假天威，矯據方國，擁甲兵與我角才智，程勇力與我競雌雄，……角知者皆窮，角力者皆負，形不堪復伉，執不足復校，乃始羈首係頸，就我之銜紲耳……。及繼體之時，民心定矣。普天之下，賴我而得生育，由我而得富貴，安居樂業，長養子孫，天下晏然，皆歸心於我矣。豪傑之心既絕，士民之志已定，貴有常家，尊在一人。當此之時，雖下愚之才居之，猶能使恩同天地，威侔鬼神。〔註8〕

仲長統認爲，每個豪傑都宣稱自己擁有天命，這些宣稱自己擁有天命的豪傑們，只是「僞假天威」，只能透過角力鬥智取得天下。換言之，「天命」的擁有最後終究只是成王敗寇而已。同時，透過天命論這套治術，在承平之世，就算是下愚君主，也能透過天命論，「恩同天地，威侔鬼神」。從此言論可見，

---

〔註7〕　〔劉宋〕范曄著，〔唐〕李賢等注：《後漢書》，卷71，〈皇甫嵩朱儁列傳〉，頁2299。
〔註8〕　〔魏〕仲長統著，孫啓治校注：《昌言校注》（北京：中華書局，2012），〈理亂〉，頁257。

當時知識份子對於天命論的本質與運作方式相當地清楚，而看透了本質之後，恐怕便不會「信仰」這套理論，至少在閻忠與仲長統的言論之中，我們可以看見，天命論已經成為一種手段，後面的信仰成分已消失無蹤。

若本文推論不誤，接下來的問題就是，建安年間立於朝的荀悅，在如此時風中，他對天命及災異有何看法？是與時俗同風，不信天命，又或者有不同的立場？

## （二）「典」字所宣示的漢朝正統

荀悅對於漢朝正統的護衛立場，從《申鑒》、《漢紀》的開篇便十分清楚。《漢紀》開篇自述創作動機後，便言：

> 漢興，繼堯之冑，承周之運，接秦之弊。漢祖初定天下，則從火德，斬蛇著符，旗幟尚赤，自然之應，得天統矣。其後張蒼謂漢為水德，而賈誼、公孫弘以為土德，及至劉向父子，乃推五行之運，以子承母，始自伏羲，以迄於漢，宜為火德。……〔註9〕

將劉邦得天下與堯、周連在一起，並且以五行理論，指出漢為火德。此下，更引用劉向父子關於五行的思想，解釋「漢為火德」的原因，整個論證相當清楚。相較之下，《申鑒》的論述就沒那麼清晰，而是直接宣稱漢帝國「統天」。《申鑒‧政體》：

> 聖漢統天，惟宗時亮，其功格宇宙。……鑒於三代之典，王允迪厥德，功業有尚。天道在爾，惟帝茂止，陟降厥止，萬國康止。允出茲，斯行遠矣。〔註10〕

> 天作道，皇作極，臣作輔，民作基。〔註11〕

在《申鑒》的兩段文字裡，荀悅並沒有討論為什麼在東漢末經歷過這麼多挑戰後，「聖漢」仍可以「統天」，「聖漢統天」似乎被當作理所當然的命題。因此，上述《漢紀》的說法也只是宣稱。

荀悅另一個論證漢朝承天命的方式是透過「典」字連結天道與人道。在《漢紀》的「荀悅曰」中，有一句時常出現、值得注意的話，即「非典也」。

---

〔註9〕　〔漢〕荀悅著，張烈點校：《前漢紀》，卷1，〈高祖皇帝紀〉，頁1～2。

〔註10〕　〔漢〕荀悅著，〔明〕黃省曾注，孫啟治校補：《申鑒注校補》，卷1，〈政體〉，頁2。

〔註11〕　同前註，卷1，〈政體〉，頁8。

如武帝先擢公孫弘爲丞相，爲符合漢家之法，再封公孫弘爲侯，荀悅認爲：

> 丞相始拜而封，非典也。夫封必以功，不聞以位。……〔註12〕

又如《漢紀・孝哀皇帝紀上》，荀悅議三公、州牧制度事：

> 丞相三公之官，而數變易，非典也。……〔註13〕

> 州牧數變易，非典也。……〔註14〕

除了「非典也」之外，也有相近的句子，如「常典」、「非常典」：

> 問德刑並用。「常典也。或先或後，時宜。……」〔註15〕

> 荀悅曰：「夫赦者，權時之宜，非常典也。……」〔註16〕

此「典」顯然是一施政的具體方針、原則，這是荀悅著作《漢紀》的重要部分。《漢紀》之序言內簡介《漢紀》采擷《漢書》的內容，其中一項便是「法式之典」：

> 悅于是約集舊書，撮序表、志總爲帝紀，通比其事，列繫年月。其
> 祖宗功勳、先帝事業、國家綱紀、天地災異、功臣名賢、奇策善言、
> 殊德異行、法式之典，凡在漢書者，本末體殊，大略粗舉；……
>
> 〔註17〕

在《申鑒》中，「典」字共出現十六次。從「典」字的使用可以看出，荀悅的「典」，有時是「經」的同義詞：

> 夫道之本，仁義而已矣。五典以經之，群籍以緯之。〔註18〕

> 聖漢統天，惟宗時亮，其功格宇宙。粵有虎臣亂政，時亦惟荒圯湮。
>
> 〔註19〕

> 茲洪軌儀，鑒於三代之典。王允迪厥德，功業有尚。〔註20〕

> 或問守。曰：「聖典而已矣。若夫百家者，是謂無守。……」〔註21〕

〔註12〕〔漢〕荀悅著，張烈點校：《前漢紀》，卷12，〈孝武皇帝紀三〉，頁199。

〔註13〕同前註，卷28，〈孝哀皇帝紀上〉，頁491。

〔註14〕同前註，頁492。

〔註15〕〔漢〕荀悅著，〔明〕黃省曾注，孫啓治校補：《申鑒注校補》，卷2，〈時事〉，頁70。

〔註16〕〔漢〕荀悅著，張烈點校：《前漢紀》，卷22，〈孝元皇帝紀中〉，頁388。

〔註17〕同前註，頁1。

〔註18〕〔漢〕荀悅著，〔明〕黃省曾注，孫啓治校補：《申鑒注校補》，卷1，〈政體〉，頁1。

〔註19〕同前註，卷1，〈政體〉，頁2。

〔註20〕同前註。

荀悅重視經典的原因，是因為經典記載了聖王之道，即「仁義」。然而，在荀悅的解釋中，此「仁義」是為政的方法與態度：

> 夫道之本，仁義而已矣。五典以經之，群籍以緯之，……立天之道，曰陰與陽；立地之道，曰柔與剛；立人之道，曰仁與義。……故凡政之大經，法、教而已。教者，陽之化也；法者，陰之符也。仁也者，慈此者也；義也者，宜此者也；……〔註22〕

經典所載明的是「仁義」，所謂「仁也者，慈此者也」意為「以慈行法教者，稱之為仁」，荀悅將儒家之五常，解釋為實行法教的方法與態度。〔註23〕經典所載的仁義，因而與修身方式較無關，而是以法教為政的原則，於是經典成為了現實政治的指導書。荀悅在《申鑒》中也不只一次強調這點：

> 正身惟常，任賢惟固，恤民惟勤，明制惟典。〔註24〕

> 在上者不受虛言、不聽浮術、不采華名、不興偏事，言必有用，術必有典。〔註25〕

既然經典是政治制度的指標，那麼經典的合理性從何而來？《漢紀・孝成皇帝紀二》中，荀悅抄撮《漢書》之〈儒林傳〉、〈藝文志〉，言：

> ……陰陽之節在於四時五行，仁義之大體在於三綱六紀。上下咸序，五品有章；淫則荒越，民失其性。於是在上者則天之經，因地之義，立度宣教以制其中，施之當時則為道德，垂之後世則為典經，皆所以總統綱紀，崇立王業。及至末俗，異端並生，諸子造誼，以亂大倫，於是微言絕，群議繆焉。〔註26〕

經典是在上位者斟酌天道而成的，價值的根源既然是天道，其內容自然有其合理性。然而，值得注意的是，這段文字中，從天道到經典之間的中介──天道的感受者、經典的書寫者，是「在上者」。

　　三代「有德者必有位」，在上位者具有完美德行，政治上的聖王與道德上

---

〔註21〕〔漢〕荀悅著，〔明〕黃省曾注，孫啟治校補：《申鑒注校補》，卷5，〈雜言下〉，頁192。

〔註22〕同前註，卷1，〈政體〉，頁5。

〔註23〕此說詳本章第4節。

〔註24〕同前註，卷1，〈政體〉，頁8。

〔註25〕〔漢〕荀悅著，〔明〕黃省曾注，孫啟治校補：《申鑒注校補》，卷3，〈俗嫌〉，頁137～138。

〔註26〕〔漢〕荀悅著，張烈點校：《前漢紀》，卷25，〈孝成皇帝紀二〉，頁437。

的聖人同義。然而，時移世易，漢代的君王是否仍具備立經典的道德條件？
細考《漢紀》他處，「典」的撰作者，並非全是聖人，漢家祖宗亦在列。如《漢
紀‧孝成皇帝紀一》，荀悅論立太子事，言：

> 悅曰：聖人立制，必有所定，所以防忿爭，一統序也。春秋之義，
> 立嫡以長，立子以貴，是以言嫡無二也，貴有常也。以弟及兄，則
> 貴有常矣。兄弟之子非一也，不可以爲典，雖立其長，猶非正也。

〔註27〕

另外，劉邦立白馬盟誓，約定「非劉氏不王，非有功不侯」，荀悅言：

> 高皇帝刑白馬而盟，曰「非劉氏不王，非有功不侯，不如約者，當
> 天下共擊之。」是教下犯上而興兵亂之階也。若後人不修，是盟約
> 不行也。書曰：法惟上行，不惟下行，若以爲典，未可通也。

〔註28〕

前者，荀悅引述《春秋》討論立儲問題，認爲立兄弟之子「不可以爲典」；後
者，荀悅認爲劉邦若以白馬盟誓爲典，「未可通也」。從此可見，荀悅所謂「典」
的範圍是超乎五經之外的。漢朝政府所傳下的一切，也能稱作「典」，能夠傳
乎萬世，擁有跟經典一樣的效力。另，《漢紀》開篇言其撰作的性質：

> 昔在上聖，唯建皇極，經緯天地，觀象立法，乃作書契，以通宇宙，
> 揚于王庭，厥用大焉。先王以光演大業，肆於時夏，亦唯翼翼，以
> 監厥後，永世作典。夫立典有五志焉：一曰達道義，二曰彰法式，
> 三曰通古今，四曰著功勳，五曰表賢能。於是天人之際、事物之宜，
> 粲然顯著，罔不能備矣。……是以聖上穆然，惟文之卹，瞻前顧後，
> 是紹是維。臣悅職監祕書，攝官承之，祗奉明詔，竊惟其宜。謹約
> 撰舊書，通而序之，總爲帝紀，……〔註29〕

聖王才有將人道連結於天道，「觀象立法」、「立典」的權力。「典」的作用在
於「以監厥後」，不僅止於記錄事實，更是作爲後代的借鑒，看重的是其內的
道德意涵，因此，「達道義」與「彰法式」都在「通古今」之前。道德意涵的
本源是天道，而此天道是「聖上」才能「是紹是維」的。從其後言《漢紀》，
以及荀悅整體的態度來看，荀悅應認爲《漢紀》也是一部「典」。本段文字最

〔註27〕〔漢〕荀悅著，張烈點校：《前漢紀》，卷27，〈孝成皇帝紀四〉，頁477。
〔註28〕同前註，卷9，〈孝景皇帝紀〉，頁148。
〔註29〕同前註，卷1，〈高祖皇帝紀一〉頁1。

後說自己「闡綜大猷，命立國典」，這個造作「典」的權力，是「奉明詔」，亦即皇帝交給他的。

唯有聖人才能看透天人之際，故只有聖人才擁有編纂歷史、經典的權力。荀悅認為漢代皇帝有「作典」的權力，將史書抬升到與經典相同的位置，於是漢代皇帝也成為聖人的一份子，這也包括了命荀悅作「典」的漢獻帝。因此，透過「典」字的使用，荀悅將漢代君主也列進了能夠知天命的聖王名單之中。

既然漢獻帝擁有天命，那麼荀悅接著就是要宣稱漢朝政府得天命，且無可動搖。《漢紀·孝平皇帝紀》收錄班彪〈王命論〉，以明漢之天命，及其不可撼動的性質：

> 是故劉氏承堯之後，氏族之世，著於《春秋》。唐據火德，而漢運紹之，始起豐、沛，神母夜號，以彰赤帝之符。由是言之，帝王福祚，必有明聖顯應之德，豐功厚利積累之業，然後精誠通於神明，流澤加於生民，故為神明所福饗，天下所歸往，未見亡命功德不紀而能崛起於此者也。世俗見高祖起於布衣，不達其故，以為適遭暴亂，得奮其劍，遊說之士比於逐鹿，捷者幸而得之，不知神器有命，不可以智力求之。悲夫！此世俗所以多亂臣賊子也。〔註30〕

班彪〈王命論〉指出，劉氏之所以統一天下，是由於其德行高尚而「精誠通於神明」，得到了天命認可。一方面須具備條件，但具備條件之後卻不一定得到認可，說到底，「神器有命，不可以智力求之」，天下不是努力就可得到的。

班彪此論所針對的，是隗囂「昔秦失其鹿，劉季逐而羈之，時人復知漢乎」〔註31〕的回應，時已入東漢，荀悅作《漢紀》，儘管下及王莽時代，但這件事並不在其範圍之內。會將此論寫入《漢紀》的原因，是以班彪對西漢末至東漢初群雄並起的評論，套至東漢末年州牧割據的亂局。〔註32〕荀悅於《漢紀·高祖皇帝紀四》之「贊」中，也有相同的說法：

> 高祖起於布衣之中，奮劍而取天下。……非雄俊之才，寬明之略，歷數所授，神祇所相，安能致功如此！夫帝王之作，必有神人之助，非德無以建業，非命無以定眾，或以文昭，或以武興，或以聖立，

〔註30〕〔漢〕荀悅著，張烈點校：《前漢紀》，卷30，〈孝平皇帝紀〉，頁543。

〔註31〕〔劉宋〕范曄著，〔唐〕李賢等注：《後漢書》，卷40上，〈班彪列傳〉上，頁1324。

〔註32〕劉隆有：〈試論荀悅撰寫《漢紀》的政治目的〉，頁16。

或以人崇，焚魚斬蛇，異功同符，豈非精靈之感哉！《書》曰：「天工人其代之。」《易》曰：「湯、武革命，順乎天而應乎人。」其斯之謂乎！

與班彪相同，荀悅亦指出「非德無以建業，非命所以定眾」，欲王天下者，必須努力修德，但修德只是條件之一，還有不可測知之「命」的影響。荀悅寫作此贊，再引班彪〈王命論〉，言劉邦之得天命，與班彪當年作〈王命論〉的目的相同，一方面強調「德」的重要，另一方面強調「神器有命」，而劉邦與漢朝正得此「命」。班彪與荀悅各自處在群雄並起的時代，如此論述，等同宣稱漢仍有天命，天命並未移轉，地方勢力的力量再強，也須認清天命「不可以智力求之」的道理。

# 第二節　「天人三勢說」與荀悅的災異觀

## （一）天人三勢說

前一部份，筆者透過對荀悅使用「典」字的分析，指出荀悅宣稱漢得天命。但，值得注意的是，荀悅雖然如此主張，但並未積極地論證「漢得天命」背後的理論基礎，因此，荀悅的動作只能是一種「宣稱」。

除了宣稱「漢得天命」以外，荀悅認爲，天命是難以揣測的，並且難以被影響的。《漢紀・高后紀》載荀悅論「天人三勢」之說，結語云：

凡三光精氣變異，此皆陰陽之精也。其本在地，而上發於天也。……《詩》云：「上天之載，無聲無臭。」其詳難得而聞矣，豈不然乎！災祥之報，或應或否。故稱《洪範》咎徵，則有堯、湯水旱之災；稱消災復異，則有周宣《雲漢》「寧莫我聽」，稱《易》「積善有慶」，則有顏、冉夭疾之凶。善惡之效，事物之類，變化萬端，不可齊一，是以視聽者惑焉。……大數之極雖不變，然人事之變者亦眾矣。……故氣類有動而未應，應而未終，終而有變，遲速深淺，變化錯於其中矣。是故參差難得而均矣。天地人物之理，莫不同之。凡三勢之數，深不可識，……〔註33〕

荀悅指出「（天人）三勢之數，深不可識」，並指出「氣類」可能出現「有動

---

〔註33〕〔漢〕荀悅著，張烈點校：《前漢紀》，卷6，〈高后紀〉，頁85。

而未應，應而未終」的情況，顯示了天人之間某種程度上的斷裂。此斷裂主要來自於人無法全然認識天道，自然更加無法全然影響天道。然而，荀悅還是肯定天人之間可以有某種程度上的「相感」，如《申鑒‧俗嫌》：

> 或問祈請可否。曰：「氣物應感則可，性命自然則否。」〔註34〕

「氣物應感則可，性命自然則否」顯示人影響天的範圍有限。所謂「氣物應感則可」，除了說明荀悅認爲人可以影響天，但「可」字僅表示「可能」、「可以」，相對冷淡，似乎並不重視這件事。〈俗嫌〉另有一段談論人影響天的文字：

> 或曰：「祈請者誠以接神，自然應也。故精以底之，犧牲玉帛，以昭祈請，吉朔以通之。」「禮云禮云，玉帛云乎哉？請云祈云，酒膳云乎哉？非其禮則或愆，非其請則不應。」〔註35〕

對於人透過儀式而「接神」，荀悅認爲必須要「合禮」且「合請」。「合禮」可能在糾正淫祀問題，至於「合請」，則可能是規範祭祀者的地位，或者認爲前述的「性命自然」不能成爲祈請的主題。值得注意的是，此條的發問者認爲「誠以接神」，一定可以得到「應」。荀悅的回答只是縮限祈請的範圍，並沒有回應「應」的後續。

荀悅不只限制人們祈請的範圍，他對於天命之「應」，也認爲有某種限制。《申鑒‧俗嫌》：

> 或問日時羣忌。曰：「此天地之數，非吉凶所生也。東方主生，死者不鮮……甲子昧爽，殷滅周興；咸陽之地，秦亡漢隆。」〔註36〕

時辰、地點對於人的影響，荀悅認爲都是無稽之談。沒有特別哪個時辰、哪個地點會對人造成影響。在同個地點，不同的人會有不同的結果，以殷周，秦漢對舉，可見荀悅認爲，會造成影響的是德行，不是時間、地點。《申鑒‧俗嫌》：

> 「五三之位，周應也。龍虎之會，晉祥也。」曰：「官府設陳，富貴者值之，布衣寓焉，不符其爵也。獄犴若居，有罪者觸之，貞良入焉，不受其罰也。」〔註37〕

---

〔註34〕〔漢〕荀悅著，〔明〕黃省曾注，孫啓治校補：《申鑒注校補》，卷3，〈俗嫌〉，頁119。
〔註35〕同前註，頁117。
〔註36〕同前註，頁111。
〔註37〕同前註，頁113。

「五三之位，周應也」典出《春秋緯‧元命苞》；「龍虎之會，晉祥也」典出《國語‧晉語二》，「五三之位」與「龍虎之會」俱指星辰的位置，這兩件事都指出星辰會預言國家的興亡，冥冥之中，結果自已註定。荀悅則反駁，即使天象顯現出了任何預兆，人也必須以德行配合，否則並不會應驗。這正呼應前一節荀悅引班彪〈王命論〉以及作《漢紀‧高祖皇帝紀》之「贊」的主張：欲得天下，德與天命，缺一不可。〔註38〕

　　包括了「日時羣忌」與「五三之位、龍虎之會」兩項原命題，顯示了一種機械化的命定論：出現了什麼預兆，就會導致某種結果。荀悅反對這種明顯而單調的天人關係，認爲人事與天命雖然可能有相互影響，但並不是絕對有影響，這就是荀悅的「天人三勢說」：

> 夫事物之性，有自然而成者，有待人事而成者，有失人事不成者，有雖加人事終身不可成者，是謂三勢。凡此三勢，物無不然。以小知大，近取諸身。譬之疾病，有不治而自瘥者，有治之則瘥者，有不治則不瘥者，有雖治而終身不可愈者，豈非類乎？……故孔子曰「死生有命」，又曰「不得其死」，然又曰「幸而免」。死生有命，其正理也；不得其死，未可以死而死；幸而免者，可以死而不死。凡此皆性命三勢之理。〔註39〕

這段文字，在《申鑒》中有簡短版本：

> 或問天命人事。曰：有三品焉。上下不移。其中則人事存焉爾。命相近也。事相遠也。則吉凶殊也。故曰窮理盡性以至於命。〔註40〕

《申鑒》的文句明確表明，「三勢」是「天命」與「人事」之間的關係。所謂「三勢」指的是事務的三種狀態，即倚靠天命決定的「自然而成」之事、「雖加人事終不可成」之事，以及「倚靠人事而成，不得人事則不成」之事。荀悅認爲「三勢」是一不變的原則，可以套用到所有事務上，荀悅舉了三個例子，從個人到國家，再到天人之際，分別是治病、教化，以及「災祥之應」。一切都有其天命，無關人事者自不待言，全靠天命決定，然而，這並不代表「得人事則成，不得人事則不成」之事，就全然無關天命。按照荀悅前述以

---

〔註38〕說詳本章第1節。
〔註39〕〔漢〕荀悅著，張烈點校：《前漢紀》，卷6，〈高后紀〉，頁85。
〔註40〕〔漢〕荀悅著，〔明〕黃省曾注，孫啓治校補：《申鑒注校補》，卷5，〈雜言下〉，頁198。

「德」與「天命」的解釋，就算已盡人事，也須配合天命，並不是人的行為便能決定一切。

　　三勢之說，主要是針對幾種對天人關係的錯誤解讀來的：

　　　　……今人見有不移者，因曰人事無所能移；見有可移者，因曰無天命；見天人之殊遠者，因曰人事不相干；知神氣流通者，人共事而同業。此皆守其一端，而不究終始……。〔註41〕

按「知神氣流通者，人共事而同業」與原文語句不類，可能為衍文或有脫字，暫且不論，另三種情形都是「守其一端」，荀悅認為天命與人事同等重要。在此說法之中，「天命」成為人事的框架，也就是人事的上限。

　　如此講法可說是兩全其美，一方面持續肯定天命的重要性，另一方面抬升了人事的重要性。〔註42〕這兩者在當時，都有其積極的現實意義，尤其是天命的限制性，就直接呼應了本文前段所引的班彪《王命論》：

　　　　世俗見高祖起於布衣，不達其故，以為適遭暴亂，得奮其劍，謷說之士比於逐鹿，捷者幸而得之，不知神器有命，不可以智力求之。悲夫！此世俗所以多亂臣賊子也。……夫饑饉流離，單寒道路，思一桮禍之襲，擔石之畜，所願不過一金，終於轉死溝壑。何則？貧窮亦有命也。況乎天子之位，四海之富，神明之祚，可得而妄處哉？故雖遭罹阨會，竊其權柄，勇如信、布，強如梁、籍，成如王莽，然卒就鼎鑊，伏斧鑕，烹煮分裂，……〔註43〕

上至劉邦所得之天命，下至貧窮，都是「命」影響的範疇，而任何違逆「天命」的作為，即使有強大的力量，終將歸於失敗。

　　荀悅一方面透過宣稱的方式，宣示了漢朝仍然擁有正統，另一方面劃分天命與人事所影響的範圍，藉以維持天命及人事各自的運作空間。在天命方面，漢朝擁有天命一事，是「智力所不能及也」；而在人事方面，「三勢說」為人造成努力的必要性。若不透過努力，是無法達成「命」的，是故此段落最後，荀悅引《說卦》言「窮理盡性，以至於命」，《申鑒》中也屢次言及「命」：

　　　　或問性命。曰：「生之謂性也，形神是也；所以立生終生者之謂命也。

---

〔註41〕〔漢〕荀悅著，張烈點校：《前漢紀》，卷6，〈高后紀〉，頁86。
〔註42〕程宇宏對於「三勢說」中天命與人事的看法是：「所謂『天命待人事而成』的過程，就是一個預定而潛存的「天命」通過人的主觀努力獲得實現的過程，這樣的說法重心在於論證天命的存有。」程宇宏：《荀悅治道思想研究》，頁98。
〔註43〕〔漢〕荀悅著，張烈點校：《前漢紀》，卷30，〈孝平皇帝紀〉，頁543。

> 吉凶是也。夫生我之制，性命存焉爾，君子循其性以輔其命。休斯
> 承，否斯守，無務焉，無怨焉。……」〔註44〕

按照荀悅的說法，「生之謂性」，則性代表著人的形體及精神；「所以立生終生
者之謂命」，則此「命」既是人能夠立於世、行於世的前提，既是無限可能性
的來源，同時也是限制，「命」可能會有吉凶，但本身並不是吉凶。〔註45〕從
前提與限制的面向講「命」，則「命」彷彿一條已然被決定的道路，雖然人有
時無法領悟，但終究會看清自己爲「命」所推行。在這種情況下，人要做的，
就是看清自己的命，並且以自己本有之形體及精神，一邊遵循「命」所帶來
的規範，一邊開創更多可能性。

「天命」與「人事」的關係，表面上來看甚難調和：命定論沒有人事
發揮的空間，人自然無須努力；「一切取決於人事」的觀點卻會造成人不安
其份，正是漢末群雄爭霸的原因。荀悅將人事涵攝於天命之內，既以「不
待人事而成」、「雖加人事終不可成」的天命強制力保證了漢朝的正統，同
時也透過「待人事而成」的命題將人事與天命連結起來。「循其性以輔其
命」，則是在命的規範下積極追求人事的思想，如果考慮《漢紀》與《申鑒》
的上書性質，這段話自然是對著漢獻帝所說的，此思想便成爲建安朝廷積
極作爲的理論基礎。

前已述及，《後漢紀》以降的史書，認爲《申鑒》的著作目的在於「志在
獻替」，《申鑒》也是一本政書。《申鑒》首篇〈政體〉，所闡述都是君主立政
的大原則：

> 天作道，皇作極，臣作輔，民作基。惟先詰王之政，一曰承天，二
> 曰正身，三曰任賢，四曰恤民，五曰明制，六曰立業。承天惟允，
> 正身惟常，任賢惟固，恤民惟勤，明制惟典，立業惟敦，是謂政體
> 也。〔註46〕

---

〔註44〕 〔漢〕荀悅著，〔明〕黃省曾注，孫啓治校補：《申鑒注校補》，卷5，〈雜言下〉，
頁195。

〔註45〕 龔建平解析荀悅的「命」、「運」、「數」、「遇」，認爲四者是「天之顯現」，並
言：「荀悅從重視人事開始，逐步清醒意識到人事活動必須通過客觀方面的
『命』、『運』、『數』、『遇』等天的顯現，才能實現出來。」見龔建平：〈荀悅
天人觀釋義〉，《西安交通大學學報（社會科學版）》2011年第31卷第3期，
頁5～11。

〔註46〕 〔漢〕荀悅著，〔明〕黃省曾注，孫啓治校補：《申鑒注校補》，卷1，〈政體〉，
頁8。

為政之體在於王者承天之道，作為人民的準則，並且建立、遵循一整套制度，要做的事情包括了「任賢」、「恤民」、「明制」、「立業」，顯現荀悦政治思想的積極之處。另一處，荀悦說：

> 君子之所以動天地、應神明、正萬物，而成王治者，必本乎真實而已。故在上者審則儀道以定好惡，善惡要於功罪，毀譽效於準驗，……
> 諫謁無所聽，財賂無所用，則民志平矣。是謂正俗。〔註47〕

「動天地、應神明」，是「本乎真實」的結果。「本乎真實」作為一正確的治理原則，本是君王該做的，若做得好的話，自然會「動天地、應神明」。此論一方面點出了人事與天的關係，另一方面也相當注重人事。從另一個角度來看，「注重人事」也是「天命」的一部分。《申鑒・雜言上》言：

> 人主承天命以養民者也，民存則社稷存，民亡則社稷亡，故重民者，
> 所以重社稷而承天命也。〔註48〕

荀悦直接指出「養民」是君主天命的一部分，顯示積極主動地跟隨天命，也是天命規範的一部分。所謂「循其性以輔其命」，既規定了人必須積極主動，也規範了人努力的範圍。

若將「天人三勢」之說與《漢紀》、《申鑒》的進言對象合在一起看，則天人三勢一方面保證了漢政府的正當性，另一方面也透過「天命」規範君主的行為，另一方面又強調人事，給予君主行事的空間。尤其對於沒有實權，也不為天下認可的建安朝廷，有著積極意義。

## （二）荀悦的災異觀

上文討論天人三勢的議題，筆者認為荀悦對於「天命」與「人事」的思想都有其特性，並且相當突出人事的重要性，但並未觸及荀悦的災異觀。論者以為，荀悦對於「災異」非常重視。劉隆有指出，荀悦《漢紀》雖是刪削《漢書》而成，但「記災祥及其附會和陰德報應、相命、望氣、卜筮之靈，竟有四百多處，兩萬多字，佔去全書文字九分之一。」〔註49〕根據劉隆有的

---

〔註47〕〔漢〕荀悦著，〔明〕黃省曾注，孫啓治校補：《申鑒注校補》，卷1，〈政體〉，頁15。

〔註48〕同前註，卷5，〈雜言下〉，頁194。

〔註49〕劉隆有：〈試論荀悦《漢紀》中的天命論思想〉，《西南師範學院學報》1984年第2期，頁111。

統計，《漢紀》所載的災異共有三百多次，並且《漢紀》中多次引用劉向、京房對於災異的說法。比如說，《漢紀·孝成皇帝紀一》載建始元年八月，「有兩月相承，晨在東方」，荀悅便引京房《易傳》解釋：

> 京房《易傳》曰：君弱而婦人彊，爲陰所乘，則兩月並出。〔註50〕

此處將兩月並出視作天譴告人君之災異。《漢紀·孝哀皇帝紀》載哀帝建平三年，「零陵大樹偃仆」與「大魚出於東萊」事，荀悅引京房《易傳》曰：

> 后妃專權，厥妖木臥復立；棄正作淫，厥妖木斷復續；海出巨魚，邪人進，賢人疏。〔註51〕

將樹木自立故處、海出巨魚等怪事以時事解釋，由此見，荀悅似乎非常重視災異。另外，《漢紀·孝武皇帝紀四》中，荀悅有一段評論，很能說明其災異觀：

> 《易》稱「有天道焉，有地道焉。有人道焉」，各當其理而不相亂也。過則有故，氣變而然也。若夫大石自立，僵柳復起，此形神之異也。男子化爲女，死人復生，此含氣之異也。鬼神髣髴在於人間言語音聲，此精神之異也。夫豈形神之怪異哉？各以類感，因應而然。善則爲瑞，惡則爲異；瑞則生吉，惡則生禍。精氣之際。自然之符也。故逆天之理，則神失其節。而妖神妄興；逆地之理，則形失其節，而妖形妄生；逆中和之理，則含血失其節，而妖物妄生。此其大旨也。〔註52〕

荀悅此論揭櫫災異的原理，不僅來自於「天人」相感，能夠感應的包括「形神」、「含氣」與其他不可名狀之物，甚至會出現「妖神」、「妖形」之類的異常現象。

然而，與重視災異的《漢紀》不同，《申鑒》一書，對天命以及預兆展現出的態度較爲理性。比如說，〈俗嫌〉講到「卜筮」：

> 或問卜筮。曰：「德斯益，否斯損。」曰：「何謂也？」「吉而濟，凶而救之謂益；吉而恃，凶而怠之謂損。」〔註53〕

儘管「卜筮」與災異並不是同個等級的預示，然而，既然荀悅沒有反對卜筮的預示，應該承認卜筮有其準確性。荀悅的回答，跳脫了吉凶之外，認爲「卜」

---

〔註50〕〔漢〕荀悅著，張烈點校：《前漢紀》，卷24，〈孝成皇帝紀一〉，頁415。
〔註51〕同前註，卷28，〈孝哀皇帝紀〉，頁497。
〔註52〕同前註，卷13，〈孝武皇帝紀四〉，頁227。
〔註53〕〔漢〕荀悅著，〔明〕黃省曾注，孫啓治校補：《申鑒注校補》，卷3，〈俗嫌〉，頁111。

的結果並不是眞正的吉凶，只是事務接下來的狀態，眞正的吉凶取決於人迎接事務的心態。再，荀悅討論皇帝后妃之幸或災的關係：

> 寵妻愛妾，幸矣；其爲災也，深矣。「災與幸，同乎？」曰：「得則慶，否則災。戚氏不幸不入豕，趙昭儀不幸不失命，……，非災而何？若愼夫人之知，班婕妤之賢，明德皇后之德，邵矣哉！」〔註54〕

此條討論的雖是人事，但從中，我們卻可以看到荀悅對於「幸」、「災」關係的看法。「災與幸，同乎」，問的是災與幸是否爲一體之兩面，並且二者可能有前後承繼的關係，頗有「禍兮福之所倚，福兮禍之所伏」的意味。荀悅的回答相當果斷，認爲有德者得幸，並不會因之成災，「福兮禍所伏」只會發生在沒有德行的人身上。

　　觀《申鑒》的首篇〈政體〉，荀悅僅將「天」作爲人事理論之基礎，如「立天之道，曰陰與陽；立地之道，曰柔與剛；立人之道，曰仁與義」，〔註55〕並沒有人篇幅地探討天道或災異。〔註56〕並且，若荀悅對於禍福、卜筮都採取有德則無咎的概念，爲什麼荀悅要用如此龐大的篇幅，詳細地紀錄看似迷信的災異？

　　此問題或許須從荀悅的歷史編纂心態解釋。《申鑒·時事》建議獻帝恢復史官制度，言：

> 古者天子諸侯，有事必告于廟。朝有二史，左史記言，右史記動；動爲《春秋》，言爲《尚書》；君舉必記，臧否成敗，無不存焉。下及士庶，等各有異，咸在載籍，……善人勸焉，淫人懼焉。故先王重之，以嗣賞罰，以輔法教，……事不書詭，常爲善惡則書，言行足以爲法式則書，立功事則書，兵戎動眾則書，四夷朝獻則書，皇后、貴人、太子拜立則書，公主、大臣拜免則書，福淫禍亂則書，祥瑞災異則書。先帝故事有起居其注，日用動靜之節必書焉。宜復其式，內史掌之，以紀內事。〔註57〕

---

〔註54〕〔漢〕荀悅著，〔明〕黃省曾注，孫啓治校補：《申鑒注校補》，卷4，〈雜言上〉，頁167。

〔註55〕同前註，卷1，〈政體〉，頁5。

〔註56〕劉隆有已經注意到了《申鑒》「表現出鮮明的唯物主義傾向」，並且「沒有對『天』作過多的神秘渲染」，並且指出，《申鑒》與《漢紀》對天人關係的態度大不相同。劉隆有：〈試論荀悅《漢紀》中的天命論思想〉，《西南師範學院學報》，頁111。

〔註57〕〔漢〕荀悅著，〔明〕黃省曾注，孫啓治校補：《申鑒注校補》，卷2，〈時事〉，頁105～106。

由引文知，荀悅認爲「史」的主要目的是「以輔法教」，一方面作爲「臧否成敗」的參考，另一方面也當成治理工具，使之成爲「賞罰」的一部份。既言「君舉必記」，則當然包括皇帝，在此情況之下，「祥瑞災異」的記載自然是被當成「君舉」之「應」，應當被記錄下來。

　　除了「應當被記錄」故多錄災異之外，荀悅亦主張君主須明白災異，更重要的是，要做出相應的調整。〈時事〉有一段文字討論「天人之應」與「史」的關係：

> 天人之應，所由來漸矣。故履霜堅冰，非一時也，仲尼之禱，非一朝也。且日食行事，或稠或曠，一年二交，非其常也。《洪範傳》云：「六沴作見。」若是王都未見之，無聞焉爾。官脩其方，而先王之禮，保章、視祲，安宅敘降，必書雲物，爲備故也。太史上事無隱焉，勿寢可也。〔註58〕

此條「且日食行事」後之語句，意義稍明，荀悅此條言太史之工作。〔註59〕「日食行事，或稠或曠，一年二交，非其常也」是指如果一年發生兩次日食，實在太多，並不是正常現象。

　　發生災異，君王應有何作爲？按照《洪範五行傳》「若六沴作見，若是共禦，帝用不差，神則不怒，五福乃降，用章于下」的說法，君王應該要「恭禦」，修正自己的行爲，如此「五福乃降」。因此，在王都所未見的災異，太史令須將其記載下來，並且向君主報告，因爲根據「先王之禮」，保章氏、視祲等掌星辰、雲氣、天象的官職，本就要詳細地記錄一切，所謂「爲備」。〔註60〕荀悅此處一方面認爲應該把災異記錄下來，以供君主參考，另一部分強調君主以行動回應災異。

　　在上述的語句當中，有一句話特別值得我們注意，即「爲備」。前已述

---

〔註58〕按此條晦澀難解，疑有誤脫。筆者以爲，推敲文意，「且日時行事」之前語句似爲一條，「且」爲衍文，「日時行事」此後之事爲一條，惟如此便與〈時事〉篇前之目錄不合。姑備一說，以俟後者。

〔註59〕《續漢書・百官志》載漢代太史令之工作：「掌天時、星曆。凡歲將終，奏新年曆。凡國祭祀、喪、娶之事，掌奏良日及時節禁忌。凡國有瑞應、災異，掌記之。」《續漢書・百官志》，收入《後漢書》，志第25，頁3572。

〔註60〕《周禮・春官・保章氏》：「保章氏掌天星，以志星辰日月之變動，以觀天下之遷，辨其吉凶。」〈視祲〉：「掌十輝之法，以觀妖祥，辨吉凶。」見李學勤主編：《周禮注疏・春官宗伯》（台北：台灣古籍出版公司，2001），卷26，〈保章氏〉，頁827、卷25，〈視祲〉，頁772。

及，《漢紀》是漢獻帝令身爲「侍講之臣」的荀悅編撰的「省約易習，無妨本書，有便於用」〔註61〕的簡明編年版《漢書》。荀悅亦在《漢紀》結尾自言，「其稱論者，臣悅所論，粗表其大事，以參得失，以廣視聽也」，〔註62〕荀悅此言雖然指其「論」而言，但劉隆有已指出，《漢紀》的撰作是針對漢獻帝的需要而寫，「介紹皇帝學習爲政的各種基本知識」。因此《漢紀》的史事不限於西漢，亦有班彪〈王命論〉，亦有賈誼〈過秦論〉，整本《漢紀》都有「廣視聽」的性質。〔註63〕《漢紀》認爲君王見到災異之後的反應應是「見之而悟」：

> ……政失於此，則變見於彼，由影之象形，響之應聲。是以明王見
> 之而悟，勑身正己，省其咎，謝其過，則禍除而福生，自然之應也。……
> 〔註64〕

「見之而悟」表示君王須對災異所代表的含意有所瞭解，才能有相應的作爲，是故荀悅在《漢紀》中以大量篇幅記載災異，既承上述，就歷史編纂來說須「爲備」；另一方面，對漢獻帝來說，他也要瞭解如何解讀災異，方能以行事回應。

　　結合前述的「爲備」及此處的「廣視聽」，以及荀悅重視人事的傾向，可以推測，荀悅在《漢紀》中記錄災異，並不是出於迷信，反而是其重視人事的體現，《申鑒》注重人事的態度才是荀悅對待災異的眞正態度。因此，《漢紀》與《申鑒》對待災異的態度，並不是全然矛盾的。

　　荀悅認爲災異能爲君主之鑒戒，這並不是特殊的想法。漢代言天人之應者，大都以災異作爲君王之「儆」，皮錫瑞《經學歷史》言：

> 漢有一種天人之學而齊學尤盛。《伏傳》五行，《齊詩》五際，《公羊
> 春秋》多言災異，皆齊學也。……當時儒者以爲人主至尊，無所畏
> 憚，借天象以示儆，庶使其君有失德者猶知恐懼修省。此《春秋》
> 以元統天、以天統君之義，亦《易》神道設教之旨。漢儒藉此以匡
> 正其主。〔註65〕

---

〔註61〕　〔漢〕荀悅著，張烈點校：《前漢紀》，頁2。
〔註62〕　同前註，卷30，〈孝平皇帝紀〉，頁547。
〔註63〕　劉隆有：〈荀悅鑒戒史觀淺析〉，《中州學刊》1983年第2期，頁122。
〔註64〕　〔漢〕荀悅著，張烈點校：《前漢紀》，卷6，〈高后紀〉，頁85。
〔註65〕　〔清〕皮錫瑞撰，周予同注釋：《經學歷史》，〈經學極盛時代〉，頁106。

皮錫瑞指出，災異之說，主要是儒者認爲人主在天人架構之下，權力太大，
故藉著同在天人架構之內的災異「匡正其主」。儒士希望君主實踐的具體行
爲，正如《春秋繁露》所言：

> 因惡夫推災異之象於前，然後圖安危禍亂於後者，非《春秋》之所
> 甚貴也。然而《春秋》舉之以爲一端者，亦欲其省天譴而畏天威，
> 內動於心志，外見於事情，修身審己，明善心以反道者也，豈非貴
> 微重始、愼終推效者哉！〔註66〕

董仲舒表明，《春秋》所表現的災異觀，主要在於「省天譴而畏天威」，並且
能夠以「修身審己，明善心以反道」等行動回應，而不是詳推災異而強明天
命。雖然荀悅《漢紀》所載之災異與《漢書·五行志》對災異的解釋，不得
不說流於瑣碎，但其欲令漢獻帝「廣視聽」、「明天道」，並且「修身審己」的
立場，還是非常明顯的。〔註67〕

對災異「修身審己，明善心以反道」的具體行爲，也就是前述的「重人
事」傾向。《漢紀·高后紀》論「三勢」的篇章中，荀悅這樣說：

> 故堯、湯水旱者，天數也；《洪範》咎徵，人事也。魯僖澍雨，乃可
> 救之應也；周宣旱應，難變之勢也；顏、冉之凶，性命之本也。
> 〔註68〕

發生在堯、商湯時代的水、旱災，是人力無可爲的，但《洪範》所言的災異，
就不是「雖加人事終不可成者」，而是施之人事可以改變的了。是故，前述《漢
紀·孝武皇帝紀四》的荀悅論，最後言「故通於道，正身以應萬物，則精神
形氣各返其本矣。」〔註69〕《漢紀·高后紀》荀悅之論，也言：

> 凡三光精氣變異，此皆陰陽之精也。其本在地，而上發於天也。政
> 失於此，則變見於彼，由影之象形，響之應聲。是以明王見之而悟，
> 勑身正己，省其咎，謝其過，則禍除而福生，自然之應也。〔註70〕

---

〔註66〕〔漢〕董仲舒著，蘇輿注：《春秋繁露義證》，卷6，〈二端〉，頁156。
〔註67〕黃啟書引游自勇的說法，認爲《漢書·五行志》是班固透過撰述，幫助皇帝
感悟天道。筆者認爲，此種心態，亦展現在荀悅身上。黃啟書：〈《漢書·五
行志》之創制及其相關問題〉，《台大中文學報》，第40期（2013年3月），頁
185～191。
〔註68〕〔漢〕荀悅著，張烈點校：《前漢紀》，卷6，〈高后紀〉，頁86。
〔註69〕同前註，卷13，〈孝武皇帝紀四〉，頁227。
〔註70〕〔漢〕荀悅著，張烈點校：《前漢紀》，卷6，〈高后紀〉，頁86。

荀悅承認天人感應，所謂「本在地，上發於天」，但最重要的是，災異是天命給君王的警示，並不是眞正的災禍，重點在於王能不能「見之而悟」，並且「敕身正己」。《申鑒・雜言上》：

> 雲從于龍，風從於虎，鳳儀於韶，麟集于孔，應也。出於此，應於彼，善則祥，祥則福；否則眚，眚則咎，故君子應之。〔註71〕

此條，就將荀悅災異觀所偏重的面向說得很清楚了，在荀悅的思想中，人事能夠動天地，也就是禍福取自於人事，仍然是以人事爲本的。

既言「以人事爲本」，那麼荀悅重視人事的思想，與仲長統「人事爲本，天道爲末」的思想，似乎有可比之處。劉隆有曾指出，以荀悅的博學多才，「他在漢紀中完全可以得出和仲長統近似的結論。」〔註72〕此說很有道理，荀悅的天人思想與仲長統有相似之處。

仲長統所謂「人事爲本，天道爲末」的思想，並非完全地否定天道，而只是將天道視作「末事」，而突出「人事」的重要性：

> 昔高祖誅秦、項，而陟天子之位；光武討篡臣，而復已亡之漢，皆受命之聖主也。……二主數子之所以震威四海，布德生民，建功立業，流名百世者，唯人事之盡耳，無天道之學焉。然則王天下、作大臣者，不待於知天道矣。所貴乎用天之道者，則指星辰以授民事，順四時而興功業，其大略也。吉凶之祥，又何取焉？故知天道而無人略者，是巫醫卜祝之伍，下愚不齒之民也。信天道而背人事者，是昏亂迷惑之主，覆國亡家之臣也。〔註73〕

仲長統認爲，「知天道」並非取天下、治天下的必要條件，甚至極端地說「天道」可取之處唯有星辰、四時對於人民生產的影響。仲長統承認劉邦、劉秀是「受命之聖主」，但那也是在他們「誅秦項」、「討叛臣」，也就是下文「唯人事之盡」以後的事。換言之，「聖主」之「受命」也就跟閻忠所說的一樣，是「功業已就，天下已順，然後請呼上帝，示以天命」的結果，是出於治術角度的宣告。仲長統在上述引文之下，有另一段引文：

> 問者曰：「治天下者，壹之乎人事，抑亦有取諸天道也？」曰：「所

〔註71〕〔漢〕荀悅著，〔明〕黃省曾注，孫啓治校補：《申鑒注校補》，卷4，〈雜言上〉，頁176。
〔註72〕劉隆有，〈試論荀悅《漢紀》中的天命論思想〉，《西南師範學院學報（哲學社會科學版）》1984年第2期，頁115。
〔註73〕〔魏〕仲長統著，孫啓治校注：《昌言校注》，〈闕題九〉，頁388。

取於天道者，謂四時之宜也；所壹於人事者，謂治亂之實也。」「《周
禮》之馮相保章，其無所用耶？」曰：「大備於天人之道耳，是非治
天下之本也，是非理生民之要也。」……王者官人無私，唯賢是親，
勤恤政事，屢省功臣。賞錫期於功勞，刑罰歸乎罪惡。政平民安，
各得其所，則天地將自從我而正矣，休祥將自應我而集矣，惡物將
自舍我而亡矣。求其不然，乃不可得也。王者所官者，非親屬則寵
幸也；所愛者，非美色則巧佞也。以同異爲善惡，以喜怒爲賞罰，……
雖五方之兆，不失四時之禮，斷獄之政，不違冬日之期，著龜積於
廟門之中，犧牲群於麗碑之間，馮相坐台上而不下，祝史伏壇旁而
不去，猶無益於敗亡也。從此言之，人事爲本，天道爲末，不其然
與？」〔註74〕

仲長統此段話將其「人事爲本，天道爲末」的思想說得更清楚。仲長統並不
是全然不信災異與祥瑞，而是認爲人事重要得多，治國看重的是「勤恤政事」，
並且建立公正的風氣，而不是馮相與保章的祈福。這段話的用詞，與荀悅思
想有高度的重疊。首先，仲長統指出「馮相」、「保章」的存在是「大備於天
人之道」，並不是全然否定、一掃而空，這一點，荀悅《申鑒·時事》亦言「先
王之禮，保章、視祲，安宅敘降，必書雲物，爲備故也。」同樣肯定保章、
視祲的功能。

　　前已述及，荀悅著重人事，但也不是完全否認天道，認爲太史「上事無
隱」，保章等要「爲備」，與仲長統不一樣的是，荀悅仍然主張君主要明白災
異的意義，並且「應之」。但，正如本文指出的，荀悅對於吉凶的態度，並不
是絕對的，而是視人後續之行動而定。如《申鑒·俗嫌》所言的「吉而濟，
凶而救之謂益；吉而恃，凶而怠之謂損。」〔註75〕如果有德，那麼無論卜筮
之吉凶，結果都會是好的，反之亦然。這也正顯現出了「人事爲本，天道爲
末」的傾向，從這點上來看，荀悅跟仲長統甚相近，只是沒有仲長統那麼極
端。

　　正如劉氏所說，按照荀悅重人事的理路，強調人事對得天下、治天下的
重要性，再往下推衍，應該會導出仲長統「人事爲本，天道爲末」的觀念。

〔註74〕〔魏〕仲長統著，孫啓治校注：《昌言校注》，〈闕題九〉，頁392～393。
〔註75〕〔漢〕荀悅著，〔明〕黃省曾注，孫啓治校補：《申鑒注校補》，卷3，〈俗嫌〉，
　　　　頁111。

但是，荀悅另一方面卻仍強力地宣稱漢朝政府的天命。不得不說，這的確是荀悅思想的矛盾之處，但，從此也可見荀悅思想的用心所在。正如前述，荀悅透過了天命與人事的關係，一方面保證漢朝的政權合理性，另一方面保證了人事能動性，並且大幅加高了人事的重要性。

# 第三節　荀悅思想重視君權的面向

本章第一節，筆者透過荀悅使用「典」字的分析，指出荀悅認爲漢朝得天命。然而，此「得天命」有其治術的意義，簡而言之，即是透過宣示漢朝廷擁有天命，企圖穩定政權。第二節，筆者分析荀悅的「天人三勢」學說，並且認爲這是一種因時折衷的架構，一方面透過不可改變的強制性天命限制了人事的極限，但卻也巧妙地保證了人事的能動性。本文透過對荀悅災異觀的分析，認爲荀悅以災異爲人君的警戒，並且重點在於，重視人君的行爲。

宣稱漢朝擁有天命即是擁護體制，在此狀況下，帝國的權威不可以受到撼動。在荀悅思想中，相應的觀念，有荀悅引《公羊》的「居正」原則，以及引《左傳》的「唯器與名不可以假人」的論點，亦有引《公羊》的「王者無外」的主張，頗能說明荀悅尊君的立場，下文分段言之。

## （一）「居正」

《漢紀》卷十載武帝建元二年置茂陵，並徙郡國豪傑於茂陵事，附帶提及武帝殺郭解事。事後，荀悅有一篇長達千字的評論：

> 世有三遊，德之賊也。……立氣勢，作威福，結私交以立強於世者，謂之遊俠。飾辨辭，設詐謀，馳逐於天下以要時勢者，謂之遊說。色取仁以合時，好連黨類，立虛譽以爲權利者，謂之遊行。此三遊者，亂之所由生也。傷道害德，敗法惑世，……〔註76〕

這段議論文字，與《漢紀》本文的褒貶有一段差距。《漢紀》的記載，剪裁自《漢書》，雖然說郭解「藏匿亡命，攻剽作姦，不可勝數」，但更多的篇幅是記載郭解「折節恭約，厚施而薄望」，並記載郭解的名望：「諸公聞之，皆多賢解」。〔註77〕郭解之客爲解殺人，是郭解被族的原因，《漢紀》承《漢書》，

---

〔註76〕〔漢〕荀悅著，張烈點校：《前漢紀》，卷10，〈孝武皇帝紀一〉，頁158～159。
〔註77〕〔漢〕荀悅著，張烈點校：《前漢紀》，卷10，〈孝武皇帝紀一〉，頁157。

寫「解實不知」，對照公孫弘所說的「雖不知，甚於知」，實有爲郭解叫屈的意味在焉。但，荀悅的議論，對於遊俠的批判力度，比起不全站在漢朝廷一邊的《史記》，甚至維護威權的《漢書》，都要大得多。對政權不友善的《史記》固不待言，班固雖然對遊俠、養士之風提出批評，對於郭解，卻也承認其有絕異之姿，對於其下場，流露出惋惜之意：

> ……觀其溫良泛愛，振窮周急，謙退不伐，亦皆有絕異之姿。惜乎，不入於道德，苟放縱於末流，殺身亡宗，非不幸也。〔註78〕

無論班固個人對郭解寄予同情的立場從何而來，荀悅都顯然並未繼承這點。荀悅的議論中並未提及郭解個人，而是直接討論「三遊」：

> 遊俠之本，生於武毅不撓，久要不忘平生之言，見危授命，以救時難而濟同類。以正行之者，謂之武毅；其失之甚者，至於爲盜賊也。遊說之本生於使乎四方，不辱君命，出境有可以安社稷，利國家則專對解結，辭之繹矣，民之慕矣。以正行之者，謂之辨智；其失之甚者，主於爲詐給徒眾矣。遊行之本，生於道德仁義，汎愛容眾，以文會友，和而不同，進德及時，樂行其道，以立功業於世。以正行之者，謂之君子；其失之甚者，至於因事害私爲姦軌矣。其相去殊遠，豈不哀哉！〔註79〕

言下之意，郭解正是「失之甚者」、「至於爲盜賊」之人，談論之間並未對郭解寄予任何同情。類似的狀況，也出現在《漢紀·高祖皇帝紀》評論貫高之事。〈高祖記〉載貫高謀逆之事：

> 趙相貫高逆謀發覺，同謀者趙午等十餘人皆自刎死。高曰：「若皆死，誰當明王不反？」乃就檻車，送詣長安，言王不知，考治身無完者，終不復言。上曰：「壯士哉！」令人私問之，高曰：「人情豈不各愛其親戚乎？今吾三族皆以論死，豈以王易吾親戚哉！」具以情對，上乃詔赦趙王。嘉貫高之節，乃赦之。高曰：「所不死者，欲明王不反。今王已出，吾責塞矣。且人臣有篡弒之名，將何面目復事上哉！」乃仰天絕吭而死。〔註80〕

貫高謀逆的原因，乃是「皇帝遇王無禮」。此事本載於《史記》，《漢書》、《漢

---

紀》承之。筆者之所以不嫌辭費，不加剪裁，乃因此文之文氣承繼《史》、《漢》，有讚許貫高之忠的意思在焉，《史記》於此事後曰「當此之時，名聞天下」，就算沒有這句話，這件事本身被書於史冊當中，某種程度也代表著史官的讚揚之意。然而，荀悅的評論則是：

> 貫高首為亂謀，殺主之賊，雖能證明其王，小亮不塞大逆，私行不
> 贖公罪，春秋之義大居正，罪無赦可也。……〔註81〕

即使貫高的行為不啻是盡忠，那也只是「小亮」、「私行」，絕不能抵消「大逆」與「公罪」。小大對舉，意味著君臣關係也有小大之分，對張敖的忠心只是「小亮」，就算最後貫高也承認劉邦是「主」，言談間也有悔意，但只要抵觸「正」，即使有小亮、私行，也一律法辦。甚至，荀悅對因此事而被廢為宣平侯的張敖也有相同意見：

> 趙王掩高之逆心，失「將而必誅」之義，使高得行其謀，不亦殆乎！
> 無藩國之義，減死可也，侯之，過歟！〔註82〕

貫高弒主未遂，自然有罪，時為趙王的張敖明知貫高欲殺劉邦，按照《春秋公羊傳》「君親無將，將而必誅」的原則，張敖應殺貫高，張敖卻未處理。荀悅認為，張敖「失藩國之義」，最多只能減死一等。《史記》與《漢書》將此事寫於史冊內的動機可能不盡相同，但無論如何，所描述的貫高都是一忠義之士。荀悅此論，則是把貫高謀逆事當作負面教材，認為劉邦處理失當——按照「居正」的原則，貫高、張敖都罪無可赦。

　　「居正」原是《春秋公羊傳》對宋宣公、宋繆公、宣公之子與夷及宋莊公之間的傳承問題提出的原則。宋宣公指定其弟繆公繼位，而非其子與夷。繆公感之，為傳位給與夷，繼位後逐走自己的兒子莊公馮及左師勃，最後造成華督弒殤公與夷，立莊公馮。《春秋公羊傳》所謂的「居正」，原指君位間的傳承應建立並遵守一不容質疑與改變的規範，畢竟繼承一事牽涉國家未來的命運，不可依一己愛好，或其他的價值而選擇。《春秋公羊傳》言：「故君子大居正，宋之禍宣公為之也。」何休將「居正」總結為「修法守正」，《春秋繁露・玉英》則進一步解釋須「正」的範圍：

---

〔註81〕張烈點校作「春秋之大義，居正罪無赦」，今依《資治通鑑》，作「春秋之義大居正，罪無赦可也。」《春秋公羊傳・隱公三年》曰：「故君子大居正。」何休注：「明修法守正，最計之要者。」見〔漢〕荀悅著，張烈點校：《前漢紀》，卷4，〈高祖皇帝紀〉，頁49。

〔註82〕〔漢〕荀悅著，張烈點校：《前漢紀》，卷4，〈高祖皇帝紀〉，頁49。

是故《春秋》之道，以元之深，正天之端，以天之端，正王之政，
以王之政，正諸侯之即位，以諸侯之即位，正竟內之治，五者俱正，
而化大行。〔註83〕

在「正王之政」、「正諸侯之即位」的前提下，不僅不能依一己愛好任意選擇，
也不可因其他道德原則而選擇。宋國三公之間的傳位，看似一椿有美德之事，
但《春秋繁露》說繆公「非其位而即之，《春秋》危之」，由於沒有遵守傳位
的原則，故長久來看，卻成了禍患之源。

荀悅此處引「春秋之義大居正」，即有「修法守正」的意涵。即使貫高與
郭解有其節，甚至以道德的眼光，貫高爲忠，郭解爲義，但只要抵觸「正」
的原則，便是「罪無赦」。從此可以看見荀悅對於皇帝的權力有多麼重視，儘
管這兩件事看似只關二人生死，並且有可赦的空間。

如果何休「修法守正」的解釋合理，那麼「居正」原則就被分作兩部分，
一爲「修法」，代表重視制度，此部分將於下一節討論；二爲「守正」，涵義
比較多一些。筆者認爲，在荀悅思想中，有兩種傾向可與此「守正」呼應，
其一是尊君主張；其二是民間價值觀問題，也將於下節討論。〔註84〕

## （二）尊君的「小大之辨」

荀悅既宣稱漢朝有天命，那麼他的思想重視天子權威，不容許任何人侵
犯，也是理所當然之事。貫高之事，荀悅言「小亮不塞大逆、私行不贖公罪」，
認爲弒主之罪無可赦，並以「小亮」、「大逆」對舉，凸顯出漢天子才是天下
之主。

荀悅「小亮不塞大逆」之言，雖然是針對史事所下的評論，但衡諸時事，
也可能是針對時風所說的。當時天下處於分裂狀態，州牧擁兵自重，故士人
各爲其主。且看韓嵩的例子，《三國志》卷二十六〈魏書・董二袁劉傳〉注引
《傅子》：

初表謂嵩曰：「今天下大亂，未知所定，曹公擁天子都許，君爲我觀
其釁。」嵩對曰：「聖達節，次守節。嵩，守節者也。夫事君爲君，
君臣名定，以死守之；今策名委質，唯將軍所命，雖赴湯蹈火，死
無辭也。……設計未定，嵩使京師，天子假嵩一官，則天子之臣，

---

〔註83〕〔漢〕董仲舒著，蘇輿注：《春秋繁露義證》，卷3，〈玉英〉，頁54。
〔註84〕說詳本章第4節。

而將軍之故吏耳。在君爲君，則嵩守天子之命，義不得復爲將軍死
也。唯將軍重思，無負嵩。」表遂使之，果如所言，天子拜嵩侍中，
遷零陵太守，還稱朝廷、曹公之德也。表以爲懷貳，大會寮屬數百
人，陳兵見嵩，盛怒，持節將斬之，數曰：「韓嵩敢懷貳邪！」
〔註85〕

劉表時任鎮南將軍、荊州牧，韓嵩本爲天子陪臣，並且韓嵩明白表示，若遣
其出使，天子又授予韓嵩官職，韓嵩就必須要效忠漢廷。韓嵩的說法毫無問
題，但此說無法說服劉表，劉表仍認爲韓嵩「懷有二心」，表示在劉表心裡，
認爲韓嵩只應該忠於自己，眼中毫無漢獻帝的存在。韓嵩之例爲服膺新主，
其時另有臧洪的例子，是欲爲舊主盡忠。

太祖圍張超于雍丘，超言：「唯恃臧洪，當來救吾。」眾人以爲袁、
曹方睦，而洪爲紹所表用，必不敗好招禍，遠來赴此。超曰：「子源，
天下義士，終不背本者，但恐見禁制，不相及逮斗。」洪聞之，果
徒跣號泣，並勒所領兵，又從紹請兵馬，求欲救超，而紹終不聽許。
超遂族滅。洪由是怨紹，絕不與通。……紹見洪書，知無降意，增
兵急攻。……洪據地瞋目曰：「諸袁事漢，四世五公，可謂受恩。今
王室衰弱，無扶翼之意，欲因際會，希冀非望，多殺忠良以立姦威。
洪親見呼張陳留爲兄，則洪府君亦宜爲弟，同共勠力，爲國除害，
何爲擁眾觀人屠滅！〔註86〕

臧洪初任太守張超功曹，後因緣際會，投入袁紹麾下。張超有難，臧洪亟欲
救之，袁紹不許，臧洪從此與袁紹決裂。對於臧洪來說，此狀況面臨兩難，
唯能在舊主之命與新主之利中擇一，張超認爲臧洪是「天下義士」，則此「義」
的對象是向著舊主的。在此情況之中，雖然臧洪最後斥責袁紹時，似有爲漢
除天下害之意，但用沮授的話說，「今朝廷播越，宗廟殘毀，觀諸州郡，雖外
託義兵，內實相圖」，〔註87〕此「義」實與漢獻帝無關，並非眞正的大義。

上述二例，同樣展現出時人對新、舊主之間的不同態度，韓嵩忠於新主，

〔註85〕〔晉〕陳壽著，〔劉宋〕裴松之注，盧弼集解：《三國志集解》，卷6，〈魏書·
董卓二袁劉表傳〉注引《傅子》，頁758。
〔註86〕同前註，卷7，〈魏書·呂布張邈臧洪傳〉，頁804。
〔註87〕〔劉宋〕范曄著，〔唐〕李賢等注：《後漢書》，卷74上，〈袁紹劉表列傳〉，
頁2382。

臧洪爲舊主盡忠。然而，荀悅對於「忠」的小大對舉，揭示了「盡忠」一事本不存在著選擇，陪臣對於其主可以盡忠，但絕不可違背更高層次，也就是對漢天子之忠，荀悅透過史事評論，正在召喚天下人對漢獻帝的忠誠。

## （三）「唯器與名不可以假人」

荀悅對貫高的評論，明白地表示了天子的權威不容侵犯。另一處，荀悅也有近似的宣稱，只不過此次侵犯天子權威在於無形之間。《漢紀·孝景皇帝紀》載景帝三年，吳楚之亂平，汝南王劉非有軍功，徙封江都王，並賜天子旌旗，荀悅對此的意見是：

> 江都王賜天子旌旗，過矣。夫唯盛德元功有天子之勳，乃受異物，則周公其人也。凡功者，有賞而已。孔子曰：「必也正名乎！」唯器與名不可以假人，人君之所司也。夫名設於外，實應於內；事制於始，志成於終。故王者慎之。〔註88〕

「唯器與名不可以假人」出自《左傳·成公二年》，其時衛國與齊國戰，衛國石成子有功，衛欲賞之以邑，石成子希望衛國賞以「曲縣」、「繁纓」，衛君同意。〔註89〕「曲縣」、「繁纓」都是諸侯之禮，《周禮·春官·小胥》言「正樂縣之位，王宮縣，諸侯軒縣，卿大夫判縣，士特縣，辨其聲」，鄭眾謂「軒縣三面，其形曲」，曲縣即軒縣，爲諸侯之禮。〔註90〕「繁纓」亦爲王與諸侯之禮，〔註91〕衛侯就這樣賞給了石成子，讓石成子享有了與自己相同的禮儀。《左傳》記載孔子對此事的意見：

> 惜也！不如多與之邑。唯器與名，不可以假人，君之所司也。名以出信，信以守器，器以藏禮，禮以行義，義以生利，利以平民，政之大節也。若以假人，與人政也。政亡，則國家從之，弗可止也已。

〔註92〕

---

〔註88〕 「唯器與名不可以假人，人君之所司也」出自《左傳》，亦爲「孔子曰」的一部份，應有引號，此處按張烈點校呈現。〔漢〕荀悅著，張烈點校：《前漢紀》，卷9，〈孝景皇帝紀〉，頁140～141。

〔註89〕 李學勤主編：《春秋左傳注疏》（台北：台灣古籍，2002），卷25，〈成公二年〉，頁794。

〔註90〕 李學勤主編：《周禮注疏》（台北：台灣古籍，2002），卷23，〈春官宗伯·小胥〉，頁712。

〔註91〕 李學勤主編：《春秋左傳注疏》，卷25，〈成公二年〉，頁794。

〔註92〕 同前註，頁795。

杜預釋「器」為「車服」；「名」為「爵號」。〔註93〕《左傳》此言，將「名」、「器」在統治上的意涵說得十分清楚，「名」與「器」是不可分開的，掌握了名與器就掌握了其內涵，也就是掌握權力，而權力正是上位者之所以成為上位者的原因。石成子得到了衛君的禮儀，在內涵上，等同得到了衛君的權力，也能夠行使其權力於民。荀悅將《左傳》的話濃縮成了「名設於外，實應於內」，並且說「事制於始，志成於終」，荀悅認為，對於覬覦天子之位的人而言，篡逆之事以得其器與名之事開始；甚至可以說，即使起先沒有篡逆之「志」，得到器與名，即得到「實」之後，最終亦將生篡逆之心意，不可謂不嚴重。

荀悅雖引《左傳》而言，但石成子與江都王的情形並不一樣。石成子是以卿大夫身份得諸侯之器，江都王得天子旌旗，則是諸侯得天子之器。荀悅並未點明的，是《左傳》最後提示的失去器與名的最終結果，就是「政亡，則國家從之」，就這點來看，江都王事件遠比石成子事件嚴重。從此論可知，荀悅深知「名實相應」對於政治的影響，並且極言天子的權力不可分享給外人。

如果假人以器與名如此嚴重，理當禁絕。然而，前述荀悅言論卻有一例外，即「盛德元功有天子之勳者」，荀悅並指明「周公其人也」，形同為此有嚴重後果的事開了後門。若我們認為荀悅意有所指，則周公何指？衡諸時局，恐怕是曹操。《後漢書・楊彪傳》載曹操欲殺楊彪事，孔融就以周公喻曹操：

> 時袁術僭亂，操託彪與術婚姻，誣以欲圖廢置，奏收下獄，劾以大逆。將作大匠孔融聞之，不及朝服，往見操曰：「楊公四世清德，海內所瞻。……」操曰：「此國家之意。」融曰：「假使成王殺召公，周公可得言不知邪？」〔註94〕

按袁術僭稱天子，事在建安二年（197），其時孔融此言將曹操比為「周公」。不僅孔融，連曹操本人，也以周公自比，〈短歌行〉云：「山不厭高，海不厭深。周公吐哺，天下歸心。」〔註95〕建安十五年（210）底所作的〈十二月己亥令〉亦言：

---

〔註93〕　李學勤主編：《春秋左傳注疏》，卷25，〈成公二年〉，頁795。
〔註94〕　〔劉宋〕范曄著，〔唐〕李賢等注：《後漢書》，卷44上，〈楊震列傳〉附〈楊彪傳〉，頁1788。
〔註95〕　〔漢〕曹操：〈短歌行〉，收入〔宋〕郭茂倩：《樂府詩集》（北京：中華書局，1979），卷30，〈相和歌辭五〉，頁447。

……設使國家無有孤，不知當幾人稱帝，幾人稱王。或者人見孤強
盛，又性不信天命之事，恐私心相評，言有不遜之志，妄相忖度，
每用耿耿。齊桓、晉文所以垂稱至今日者，以其兵勢廣大，猶能奉
事周室也。……孤非徒對諸君説此也，常以語妻妾，皆令深知此意。
孤謂之言：「顧我萬年之後，汝曹皆當出嫁，欲令傳道我心，使他人
皆知之。」孤此言皆肝鬲之要也。所以勤勤懇懇敍心腹者，見周公
有《金縢》之書以自明，恐人不信之故。〔註96〕

〈短歌行〉明白以周公自比；〈十二月己亥令〉則以齊桓公、晉文公「兵勢廣
大，猶能侍奉周室」之言以明己志，最後又自比周公，並言天下不信己。綜
合以上三例推測，從建安初年開始直至建安十五年，曹操之於漢廷的關係，
表面上來看，很可能正是「國之周公」，《漢紀》成於建安五年（200），荀悅
評論中的「周公」，可能正指涉曹操。

荀悅既指出以器與名假人的嚴重性，卻又提及此事的例外，讓我們不得
不猜想，「周公其人也」，是爲曹操打開一道獲得「天子旌旗」的後門。此事
或可印證劉隆有及本文所主張的荀悅的政治態度，以及《漢紀》、《申鑒》之
作，在於調和曹操與獻帝的關係。〔註97〕

荀悅忠於漢室，應無疑義。荀悅此番宣稱，也並未牴觸本文的論點，因
爲，將曹操冠上了「國之周公」的帽子，對曹操而言，恐怕既是一種恭維，
也是一種限制。雖然《白虎通》承認周公「踐祚理政」、「故以王禮葬」，〔註
98〕但觀〈十二月己亥令〉以《金縢》之事明本志，並言「恐天下人不信己」，
則其之所以周公自比，是爲了澄清自己沒有要奪取漢家天下之意，至少表面
上如此。〔註99〕若以此意言之，荀悅透過此條史論，一方面告誡漢獻帝，天

〔註96〕〔晉〕陳壽著，〔劉宋〕裴松之注，盧弼集解：《三國志集解》，卷1，〈魏書・
武帝紀〉注引《魏武故事》，頁132～133。

〔註97〕詳本書第4章第4節及第2章第4節。

〔註98〕〔漢〕班固著，〔清〕陳立疏證：《白虎通疏證》，卷11，〈喪服・論周公以王
禮葬〉，頁532。

〔註99〕可與「周公」對照的是「文王」。《三國志・魏書》卷一〈武帝紀〉裴注引《魏
氏春秋》載夏侯惇謂「天下咸知漢祚已盡」，要曹操「應天順民」，曹操説「若
天命在吾，吾爲周文王矣。」究竟曹操是心態改變，或者是此前以周公自比明
志是做表面功夫，不得而知，但以周文王與周公對比，明顯可見，對曹操而言，
「周公」的頭銜，與其説是恭維、授權，更不如説是枷鎖。〔晉〕陳壽著，〔劉
宋〕裴松之注，盧弼集解：《三國志集解》，卷1，〈魏書・武帝紀〉，頁213。

子不可將器與名予人，另一方面亦爲「國之周公」曹操開了道後門，認可曹操可以得天子之器與名，但也以「周公」的歷史作爲限制曹操。

就「唯器與名不可以假人」這一點，可以互相發明的是荀悅「法惟上行，不惟下行」的主張。《漢紀・孝惠皇帝紀》載荀悅對高祖白馬盟誓的評論：

> 高皇帝刑白馬而盟曰：「非劉氏不王，非有功不侯。不如約者，當天下共擊之。」是教下犯上而興兵亂之階也，若後人不修，是盟約不行也。書曰：「法惟上行，不惟下行。」若以爲典，未可通也。
> 〔註100〕

「法惟上行，不惟下行」出處不詳，但荀悅此論很清楚地指出，執行「法」是人君的權限，而劉邦所立的白馬盟誓，則是會將執行「法」的權力往下交出，造成在下位者有理由犯上。綜觀荀悅「器與名不可以假人」與「法惟上行，不惟下行」的主張可知，荀悅十分看重君主的權力，並且不允許權力被侵奪。

## （四）「王者無外」與「強幹弱枝」

荀悅對於漢朝政府「掌控天下」的議題，也有頗多論述。《漢紀・孝宣皇帝紀四》載甘露三年呼韓邪單于稱臣來朝之事，當時漢廷有針對單于與諸侯王位次的討論：

> 三年春正月，……匈奴呼韓邪單于爲郅支所破，遂稱臣來朝。上議其儀，丞相霸御史大夫定國議，以爲聖主先諸夏而後夷狄，其禮儀宜如諸侯王，位次其下。太子太傅蕭望之議曰：「單于夷狄禮儀，非正朔所加，故稱敵國，宜待以不臣之禮，位在諸侯王上，蠻夷稽首稱藩，中國讓而不臣，此羈縻之義、謙厚之禮也。書曰：『戎狄荒服』，言其來往荒忽無常，如使匈奴後嗣，不闕於朝饗，不爲叛臣，行讓行乎蠻夷，福祚延于無窮，此萬事之長策也。」上令單于在諸侯王上。……贊謁稱藩臣而不名，賜以璽綬、冠帶、衣裳、安車、駟馬、黃金、錦繡、繒絮，使有司導單于先行就邸。〔註101〕

《漢書・蕭望之傳》另載宣帝詔書：

---

〔註100〕　〔漢〕荀悅著，張烈點校：《前漢紀》，卷9，〈孝景皇帝紀〉，頁148。
〔註101〕　〔漢〕荀悅著，張烈點校：《前漢紀》，卷20，〈孝宣皇帝紀四〉，頁356。

> 蓋聞五帝、三王教化所不施，不及以政。今匈奴單于稱北藩，朝正
> 朔，朕之不逮，德不能弘覆。其以客禮待之，令單于位在諸侯王上，
> 贊謁稱臣而不名。〔註102〕

蕭望之認爲，一方面匈奴處於化外，本就非中國所治理；另一方面爲了維護
漢朝與匈奴的友好關係，所謂「接之以禮讓，羈縻不絕」，〔註103〕綜合而言，
應該「讓而不臣」。蕭望之此言，正切合漢儒對此議題的看法。《白虎通‧王
者不臣》目下，有〈三不臣〉章，認爲「二王之後」、「妻之父母」、「夷狄」
爲三不臣：

> 王者所以不臣三，何也？謂二王之後，妻之父母，夷狄也。……夷
> 狄者，與中國絕域異俗，非中和氣所生，非禮義所能化，故不臣也。
> 《春秋傳》曰：「夷狄相誘，君子不疾。」《尚書大傳》曰：「正朔所
> 不加，即君子所不臣也。」〔註104〕

蕭望之的說法，只是尚未言及《白虎通》對於夷狄「非禮義所能化」的理論
基礎，即「非中和氣所生」，與《白虎通》實無不同。《白虎通》經漢章帝稱
制臨決，是「國憲的基礎」，〔註105〕對於此事的解釋應無疑義，荀悅卻對蕭望
之此議大發議論，認爲單于不應該位諸侯王上：

> 「《春秋》之義，王者無外」，欲一於天下也。《書》曰：「西戎即序」，
> 言皆順從其序也。道里遼遠，人物介絕，人事所不至，血氣所不沾，
> 不告諭以文辭。故正朔不及，禮義不加，非尊之也，其勢然也。王
> 者必則天地，天無不覆，地無不載，故盛德之主則亦如之，九州之
> 外謂之蕃國，蠻夷之君列於五服。《詩》云：「自彼氐羌，莫敢不來
> 王。」故要荒之地，必奉王貢。若不供職，則有辭讓、號令加焉，
> 非敵國之謂也。故遠不間親，夷不亂華，輕重有序，賞罰有章，此
> 先王之大禮。……望之欲待以不臣之禮，加之以王公之上，僭度失
> 序，以亂天常，非禮也。若以權時之宜，則異論矣。〔註106〕

荀悅並沒有否認蕭望之及《白虎通》的理論根據，仍舊認爲夷狄之所以「正
朔不加」的原因是「人事不至、血氣不沾」，但他卻直接指出了箇中原因，並

〔註102〕〔漢〕班固著，〔唐〕顏師古注：《漢書》，卷78，〈蕭望之傳〉，頁3282～3283。
〔註103〕同前註，卷94下，〈匈奴傳下〉，頁3834。
〔註104〕〔漢〕班固著，〔清〕陳立疏證：《白虎通疏證》，卷7，〈王者不臣〉，頁318。
〔註105〕林師聰舜：《漢代儒學別裁》，頁214～219。
〔註106〕〔漢〕荀悅著，張烈點校：《前漢紀》，卷20，〈孝宣皇帝紀四〉，頁356～357。

不是尊蠻夷，而是「其勢然也」，一切出於現實的考量。因此，就原則上來說，在正常狀況下，匈奴應該被列於五服之中，並且須向漢朝朝貢，意即，匈奴是臣屬於漢朝的，匈奴不臣的狀況，只是「權時之宜」。因此，漢朝與匈奴之間並不是「位敵」的「敵國」關係，〔註107〕漢廷最後將單于位次諸侯王上，漢宣帝並下詔稱自己「朕之不逮，德不能弘覆」，這些行為都是不恰當的。

　　荀悅對匈奴秉持著「王者無外」的態度，認為漢天子是天下的王者，匈奴可以在「化外」，但並非就此處於天下秩序之外。對處於要荒之地的蠻夷如此，荀悅對於諸侯，會加強對諸侯的掌控力量，也就不足為奇了。《漢紀·孝哀皇帝紀》與《申鑒·時事》中，同時記有荀悅對於地方監察制度的想法，其義以《漢紀》為長，茲錄於下：

　　　　州牧數變易，非典也。古者諸侯之國，百里而已。故《易》曰：「震驚百里。」以魯諸侯之國也。夫國小人眾，故易統也。……於是建諸侯之賢者以為牧，故以考績黜陟，不統其政，不御其民，惠無所積，權無所并，故牧伯之位，宜合古也。惟周制為不然，大國不過五百里，而公、侯、伯、子、男以次小焉。今漢廢諸侯之制以為縣治民者，本以強幹弱枝，一統於上，使權柄不分於下也。今之州牧，號為萬里，總郡國，威尊勢重，與古之牧伯同號異勢。當周之末，天下戰國十有餘，而周室寥矣。今牧伯之制，是近於戰國之迹，而無治民之實。刺史令為監御史，出督州郡而還奏事可矣。〔註108〕

荀悅先以《易》為基礎，探討「州牧」的本質，是「考績黜陟」，為監察之職，而沒有實際掌管民政的權力。對於天子而言，在乎的是「統」，即統治、統領，是故言國小人眾為「易統」，並言漢家作郡縣是為「強幹弱枝，一統於上，使權柄不分於下」。在「易統」的需求下，必須使地方政治勢力小，並且「惠無所積，權無所并」，是故應該將「號為萬里，總郡國，威尊勢重」的州牧取消，並連州刺史一併取消，只留下監察御史。

　　靈帝中平五年（188）改刺史為州牧，本來就是出於地方擴權的考量。《後漢書·劉焉傳》：

〔註107〕韋昭注《國語·周語中》「敵國賓至，關尹以告」之「敵國」為「位敵」，即位階平等的國家。〔周〕左丘明著，〔吳〕韋昭注：《國語》（上海：上海古籍出版社，1978），卷二，〈周語中〉，頁72。

〔註108〕其中，「而無治民之實」一句難以解通，應依《申鑒》改作「而無益於治民之實」。〔漢〕荀悅著，張烈點校：《前漢紀》，卷28，〈孝哀皇帝紀上〉，頁492。

> 時靈帝政化衰缺，四方兵寇，焉以爲刺史威輕，既不能禁，且用非
> 其人，輒增暴亂，乃建議改置牧伯，鎮安方夏，清選重臣，以居其
> 任。……州任之重，自此而始。〔註109〕

從刺史改爲州牧，本是爲了應付四方兵寇而產生的制度，但這一擴權，導致
了直到《漢紀》、《申鑒》的寫作時代，地方權力仍然不歸天子所有。《後漢書》
說袁紹滅公孫瓚後，「既並四州之地，眾數十萬，而驕心轉盛，貢御稀簡」，〔註
110〕根本是獨立狀態。荀悦提議廢止州牧，其維護天子權力的心態顯然可見。

# 第四節　荀悦的「政體」思想

## （一）重視制度的傾向

　　《申鑒》一書以〈政體〉開篇，其組織架構甚清楚，首段先以「聖漢統
天」開篇，直至「王允迪厥德，功業有尚」，簡單聯繫天人，確立了漢朝、漢
獻帝得天統。第二段立刻言「立天之道曰陰與陽，立地之道曰柔與剛，立人
之道曰仁與義」，直言「政之大經」，並又言「政體」。〔註111〕首篇言〈政體〉，
次篇言〈時事〉，自本而末，有其脈絡。就此篇章安排，可看出荀悦建立一政
治架構的心思。其中，所謂的「政體」，荀悦是這樣說明的：

> 惟先喆王之政，一曰承天，二曰正身，三曰任賢，四曰恤民，五曰
> 明制，六曰立業。承天惟允，正身惟常，任賢惟固，恤民惟勤，明
> 制惟典，立業惟敦，是謂政體也。〔註112〕

此「政體」既可如孫啓治所說的，是一種「爲國之大體」，也就是方法，更可
將其解作「政之大體」，也就是政治的架構。〔註113〕以〈政體〉一篇作爲《申

---

〔註109〕〔劉宋〕范曄著，〔唐〕李賢等注：《後漢書》，卷75，〈劉焉袁術呂布列傳〉，
　　　　　頁2431。
〔註110〕同前註，卷74上，〈袁紹劉表列傳〉，頁2390。
〔註111〕〔漢〕荀悦著，〔明〕黃省曾注，孫啓治校補：《申鑒注校補》，卷1，〈政體〉，
　　　　　頁2～8。
〔註112〕同前註，頁8。
〔註113〕孫啓治《校補》引李賢注《後漢書・孔融傳》「至於國體」的說法，言「體，
　　　　　謂爲國之大體也。」然考諸原書，李賢注作「體謂國家之大體」，較合乎〈孔
　　　　　融傳〉，孫《校補》誤。然而，孫氏的說法也有助於此處的解釋，筆者認爲，
　　　　　「政體」之「體」解作方法或體制，二者皆可通。〔漢〕荀悦著，〔明〕黃省
　　　　　曾注，孫啓治校補：《申鑒注校補》，卷1，〈政體〉，頁8。

鑒》之首，可見荀悅對於「體」一事非常在乎。在此架構中，最能夠與其重視「政之大體」傾向相合的，是他的「明制」主張。

「制」在現存的荀悅著作中，有其重要地位，姑舉數例。《申鑒·政體》言：

> 自天子達於庶人，好惡哀樂，其脩一也；豐約勞佚，各有其制。〔註114〕

《漢紀·孝文皇帝紀上》言：

> 先王立政，以制爲本。三正五行，服色曆數，承天之制，經國序民，
> 列官布職，疆理品類，辨方定物，人倫之度，自上已下，降殺有序。
>
> 〔註115〕

「制」是先王立政之本，其價值內涵來自於「天之制」，而其作用在於「經國序民」，是一整套的規範，而此規範，「明制惟典」，不是在上者依照自己的意思訂出來的，而是一切依循著經典，以及經典所承載的天之道、漢家之法。因此，必須要依照「道義」執行，不能隨意改變，如《漢紀·孝文皇帝紀上》所言：「聖王之制，務在綱紀，明其道義而已」；《申鑒·時事》亦言：

> 或問復仇。「古義也。」曰：「縱復仇可乎？」曰：「不可。」曰：「然
> 則如之何？」曰：「有縱有禁，有生有殺，制之以義，斷之以法，是
> 謂義法並立。」〔註116〕

荀悅雖然認爲復仇一事古已有之，不宜全面禁止，但也不宜放任人民恣意復仇，最好的方法莫過於將復仇一事規範化，即「制之以義，斷之以法」。在「制」的過程當中，是必須以「義」爲準則的。

承前述，荀悅認爲，國家的制度擔負著訂立秩序，能夠「經國序民」的角色，所謂「自上已下，降殺有序」。詳細的功能，荀悅亦有深入的說明：

> 上有常制則政不頗，下有常制則民不二。官無淫度，則事不悖；民
> 無淫制，則業不廢，貴不專寵，富不獨奢，民雖積財，無所用之。
> 故世俗易足而情不濫，姦宄不興，禍亂不作，此先王所以綱紀天下，
> 統成大業，立德興功，爲政之德也。故曰，謹權量，審法度，修廢
> 官，四方之政行矣。〔註117〕

---

〔註114〕〔漢〕荀悅著，〔明〕黃省曾注，孫啓治校補：《申鑒注校補》，卷1，〈政體〉，頁37。

〔註115〕〔漢〕荀悅著，張烈點校：《前漢紀》，卷7，〈孝文皇帝紀上〉，頁97。

〔註116〕〔漢〕荀悅著，〔明〕黃省曾注，孫啓治校補：《申鑒注校補》，卷2，〈時事〉，頁72。

〔註117〕〔漢〕荀悅著，張烈點校：《前漢紀》，卷7，〈孝文皇帝紀上〉，頁98。

「制」的規範層級是從上到下，從官到民，由此可見，所謂「制」的範圍不僅包含「禮別異」，也就是尊卑等級的概念，更有其強制性涵義，令人聯想到「法」的概念。事實上，在荀悅思想中，與「制」相似的概念，不只有「法」。《申鑒‧政體》言：

> 致治之術，先屏四患，乃崇五政。一曰僞，二曰私，三曰放，四曰奢。僞亂俗，私壞法，放越軌，奢敗制。四者不除，則政末由行矣。俗亂則道荒，雖天地不得保其性矣；法壞則世傾，雖人主不得守其度矣；軌越則禮亡，雖聖人不得全其道矣；制敗則欲肆，雖四表不能充其求矣。是謂四患。〔註118〕

所謂「四患」分別是僞、私、放、奢，而其所破壞的，分別是俗、法、軌、制。前四者與後四者之間不是一對一的對應關係，法、軌、制的意義相近，都是制度之意。因此，此上下文乃爲互文，本文眞正的意涵是，僞、私、放、奢四者會影響制度，以及「俗」。

由此可見，「俗」與法、制、軌之間有緊密的關係，並且，荀悅既說「屏四患」，表示荀悅重視因四患而受到損害的法、軌、制與俗，顯現出荀悅「正俗」及「正制」的願望。

## （二）荀悅「政體」的架構及建立方式

荀悅建立的政治架構分作三個部分：

> 致治之術，先屏四患，乃崇五政。……僞亂俗，私壞法，放越軌，奢敗制。四者不除，則政末由行矣。……興農桑以養其生，審好惡以正其俗，宣文教以章其化，立武備以秉其威，明賞罰以統其法。是謂五政。……四患既蠲，五政既立，行之以誠，守之以固，……無爲爲之，使自施之，無事事之，使自交之，……。〔註119〕

首先，第一步是屏四患，其二是崇五政，最後則是建立架構及制度後，便可「無事事之」。言「先屏四患」，表示「四患」是目前已經存在的問題。「屏四患」作爲荀悅建立政治架構三階段中的第一階段，意在建立「建制的基本條件」，即人民對上位者的信任。爲說明其主張，筆者再將其引述如下：

---

〔註118〕〔漢〕荀悅著，〔明〕黃省曾注，孫啓治校補：《申鑒注校補》，卷1，〈政體〉，頁10。

〔註119〕同前註。

> 致治之術，先屏四患，乃崇五政。一曰僞，二曰私，三曰放，四曰
> 奢。僞亂俗，私壞法，放越軌，奢敗制。四者不除，則政末由行矣。
> 俗亂則道荒，雖天地不得保其性矣；法壞則世傾，雖人主不得守其
> 度矣；軌越則禮亡，雖聖人不得全其道矣；制敗則欲肆，雖四表不
> 能充其求矣。是謂四患。〔註120〕

荀悅認爲，四患不除，「政莫由行」，表示此階段並不是行「政」的階段，而
是要革去僞、私、放、奢，使制度能夠執行。此「四患」造成的危害，荀悅
甚常提到，如《漢紀・孝武皇帝紀一》中，荀悅評論「三遊」的成因：

> 上不明，下不正，制度不立，綱紀廢弛，以毀譽爲榮辱，不核其眞；
> 以愛憎爲利害，不論其實；……上下相冒，萬事乖錯。是以言論者
> 計薄厚而吐辭，選舉者度親疏而舉筆，善惡謬於眾聲，功罪亂於王
> 法。然則利不可以義求，害不可以道避也。是以君子犯禮，小人犯
> 法，奔走馳騁，越職僭度，飾華廢實，競趨時利。簡父兄之尊而崇
> 賓客之禮，薄骨肉之恩而篤朋友之愛；忘修身之道而求眾人之譽，
> 割衣食之業以供饗宴之好。芭苴盈於門庭，聘問交於道路，書記繁
> 於公文，私務眾於官事。於是流俗成矣，而正道壞矣。〔註121〕

「不核其眞」、「不論其實」即「僞」，「以愛憎爲利害」、「以毀譽爲榮辱」即
「私」，此二者都是政府自己的行爲。荀悅認爲，「三遊」的形成，甚至是最
後流俗、價值觀的崩壞，是源自於政府先破壞了自己的制度。所謂「制度不
立，綱紀廢弛」，內涵就是不認眞分別「眞實」，只憑著一般流俗的意見，以
及自己的喜好任事。當在上位者不在乎，甚至破壞制度時，其示範作用，最
終會造成「利不可以義求，害不可以道避」的情況。到了如此情形，制度便
開始加速影響民性，最後造成價值觀的扭曲、制度失去公信力，此即「僞亂
俗」、「私壞法」。

　　「上位者」造成俗之敗壞，本就是漢末批判思潮的論題之一。當時的思
想家，多半已經看出俗之敗壞之根本，在於上位者。崔寔亦云：

> 夫人之情，莫不樂富貴榮華，……不厚爲之制度，則皆侯服王食，
> 僭至尊，踰天制矣。是故先王之御世也，必明法度以閑民欲，崇隄

---

〔註120〕〔漢〕荀悅著，〔明〕黃省曾注，孫啓治校補：《申鑒注校補》，卷1，〈政體〉，
　　　　頁9～10。
〔註121〕〔漢〕荀悅著，張烈點校：《前漢紀》，卷10，〈孝武皇帝紀一〉，頁158。

防以禦水害。法度替而民散亂，隄防墮而水泛溢。頃者法度頗不稽古，而舊號網漏吞舟。故庸夫設藻梲之飾，匹豎享方丈之饌。……律令雖有輿服制度，然斷之不自其源，禁之又不密。今使列肆賣侈功，商賈鬻僭服，百工作淫器，民見可欲，不能不買。……故王政一傾，普天率土莫不奢僭者，非家至人告，乃時勢驅之使然。此則天下之患一也。〔註122〕

崔寔認爲時俗奢僭，本就是人情的自然體現，故「厚爲之制度」就顯得重要。然而，當時的情形一方面是制度的問題，即「斷之不自其源」，不禁止商販私作私賣；一方面也是執法的問題，即「禁之不密」。一旦制度與執法有問題，自然「時勢趨之使然」。仲長統對制度與風俗的看法，也差不多：

井田之變，豪人貨殖，館舍布於州郡，田畝連於方國。……榮樂過於封君，執力侔於守令。財賂自營，犯法不坐。刺客死士，爲之投命。……雖亦由網禁疏闊，蓋分田無限使之然也。今欲張太平之紀綱，立至化之基趾，齊民財之豐寡，正風俗之奢儉，非井田實莫由也。〔註123〕

仲長統本段討論地方豪民太過富裕，以至於奢侈犯制之事，認爲主因在於「分田無限」，並未訂出土地持有上限，使得豪民太過富有。此外，仲長統也指出另一原因，即「網禁疏闊」，也就是執法不嚴的問題。仲長統最末說「風俗之奢儉」，則制度與風俗之關係可見一斑。另，仲長統亦言：

漢興以來，相與同爲編户齊民，而以財力相君長者，世無數焉。而清潔之士，徒自苦於茨棘之間，無所益損於風俗也。豪人之室，連棟數百，膏田滿野，奴婢千群，徒附萬計。……此皆公侯之廣樂，君長之厚實也。苟能運智詐者，則得之焉；苟能得之者，人不以爲罪焉。源發而橫流，路開而四通矣。求士之舍榮樂而居窮苦，棄放逸而赴束縛，夫誰肯爲之者邪！……苟目能辯色，耳能辯聲，口能辯味，體能辯寒溫者，將皆以修潔爲諱惡，設智巧以避之焉，況肯有安而樂之者邪？斯下世人主一切之愆也。〔註124〕

此段呼應前段，並且討論風俗的問題。由「網禁疏闊」、「分田無限」，即制度

---

〔註122〕 〔漢〕崔寔著，孫啓治校注：《政論校注》，〈闕題三〉，頁78～80。
〔註123〕 〔魏〕仲長統著，孫啓治校注：《昌言校注》，〈損益〉，頁279～280。
〔註124〕 〔魏〕仲長統著，孫啓治校注：《昌言校注》，〈理亂〉，頁264～265。

上的失序，導致風俗受到影響，即「苟能得之者，人不以爲罪焉」，就算是有志的士人，也無法扭轉。更有甚者，當風俗移易，只會讓士人也一起墮落。

　　從上可知，對於制度以及風俗的關係，當代的思想家們各有論述，且有相同的傾向。然而，其前的王符、崔寔與仲長統的說法，都是指出單一的風俗，並推及制度的影響，如崔寔、仲長統的說法更加集中在「奢僭」，相較之下，荀悅對於制度影響風俗的說法則更爲全面，涵蓋的範圍更廣。並且，崔寔、仲長統認爲時俗之所以受到影響，是因爲法律不夠嚴，或者是禁止的方式不對，荀悅則指出，時俗之所以崩潰，是源於統治者自己破壞了規矩，導致君民失去互信，這才是制度失效的主因。因此，在「立五政」之前，必須先解決此問題。

　　如何解決四患？關鍵在於「僞」的反面，即「本乎眞實」。《申鑒·俗嫌》言：

> 君子所以動天地，應神明，正萬物，而成工治者，必本于眞實而已。故在上者審則儀道，以定好惡。善惡要於功罪，毀譽效於準驗，聽言責事，舉名察實，無或詐僞以蕩衆心。故事無不覈，物無不切，善無不顯，惡無不彰，俗無姦怪，民無淫風。百姓上下睹利害之存乎己也，故肅恭其心，慎脩其行，內不惑惑，外無異望，有罪惡者無徼倖，無罪過者不憂懼，請謁無所聽，財賂無所用，則民志平矣。是謂正俗。〔註125〕

「正俗」的內涵，荀悅認爲一切都只在於「本乎眞實」，在於訂出「名」應有的位置，並且恪守名實相符的原則，只要如此，事物自然各歸本位。細究之，「本乎眞實」有兩個層面，一方面是具體的選官任人標準。〈時事〉云：

> 誰毀誰譽，譽其有試者，萬事之概量也。且茲舉者試其事，處斯職者考其績，賞罰失實，以惡反之，人焉飾哉。……故有事考功，有言考用，動則考行、靜則考守。〔註126〕

「誰毀誰譽，譽其有試者」轉化自《論語》中孔子所說的「吾之於人也，誰毀誰譽？如有所譽者，其有所試矣。」在毀譽之前，必須先有所「試」，以此

---

〔註125〕〔漢〕荀悅著，〔明〕黃省曾注，孫啓治校補：《申鑒注校補》，卷1，〈政體〉，頁15。

〔註126〕〔漢〕荀悅著，〔明〕黃省曾注，孫啓治校補：《申鑒注校補》，卷2，〈時事〉，頁58～59。

作爲毀譽的標準。以「試」使名實相符，荀悅與崔寔、仲長統並沒有太大的差別，都是主張要實際的效用來評斷，而非名聲，此是「本乎眞實」的具體制度層面。

測試過後再行毀譽，即是要以朝廷的力量控制對一個人的評價，原因在於流俗價值觀可能會與統治者利益間不一致。筆者於上一節曾言及的貫高、郭解之事：貫高不僅因其主張敖被辱而欲刺殺劉邦，更堅持不自殺以證明張敖的清白；郭解等遊俠更是「馳騖于閭閻，權行州域，力折公侯。眾庶榮其名跡，覬而慕之。」〔註127〕荀悅評論貫高「小亮不塞大逆，私行不贖公罪」，〔註128〕以及評論三遊「傷道害德，敗法惑世」，〔註129〕著眼點在於「公罪」以及「傷道害德，敗法惑世」。言下之意，此二種「道德」並不是眞正的道德，時俗因其自以爲的「道德」，只能算是時俗自己的「好惡」。荀悅說的「以定好惡」，以及此處說的「譽其有試者」，正是要扭轉時俗之毀譽與價值觀，讓「好惡」與「善惡」回到「功罪」，即對國家有利的層面。

這個層次的「本乎眞實」，顯然是爲了東漢末年察舉制度的流弊而起。最能代表時俗的例子，就是葛洪《抱朴子·審舉》所言的：

> 靈、獻之世，臺閣失選用於上，州郡輕貢舉於下，故時人語曰：「舉秀才，不知書；察孝廉，父別居。寒素清白濁如泥，高第良將怯如雞。」〔註130〕

察舉制度以名聲選士，是故時俗多有故作矯態以取高名者，如黃子艾、晉文經。〔註131〕「名」與「實」之間已然脫節，在上者卻不重新調整「毀譽」的判準以及審察其能力良窳。荀悅「本乎眞實」的此層面，一方面是要以其對國家的價值來訂立「毀譽」的標準，另一方面也要求在上者選官任人時必須遵守名實相符的原則。

前已述及，荀悅認爲時俗的崩壞是因爲在上位者自己先破壞了規定，是故「本乎眞實」的另一層面，必須是由上位者親自體現「好惡」的標準，而不是嘴上說說，如此方能使「民知本」：

〔註127〕〔漢〕班固著，〔唐〕顏師古注：《漢書》，卷92，〈遊俠列傳〉，頁3698。
〔註128〕〔漢〕荀悅著，張烈點校：《前漢紀》，卷4，〈高祖皇帝紀〉，頁49。
〔註129〕同前註，卷10，〈孝武皇帝紀一〉，頁158。
〔註130〕〔晉〕葛洪著，楊明照校箋：《抱朴子外篇校箋》，卷15，〈審舉〉，頁393。
〔註131〕〔劉宋〕范曄著，〔唐〕李賢等注：《後漢書》，卷68，〈郭符許列傳〉，頁2232。

> 好惡之不行，其俗尚矣。……夫心與言，言與事，參相應也。好惡、
> 毀譽、賞罰，參相福也。六者有失，則實亂矣。守實者益榮，求己
> 者益達，處幽者益明，然後民知本矣。〔註132〕

所謂「六者」，即「好惡毀譽賞罰」，此六者中，「好惡」是心之情，「毀譽」是言詞之臧否，「賞罰」則是具體的行為。〔註133〕若此六者處於互相違背的狀態，也就是「好、譽、賞」之間的關係與「惡、毀、罰」之間的關係無法吻合，那麼名實便無法相符。

　　唯一的解決方式，唯有使真正的好人能夠得到襃揚、封賞，即在位者透過行動證明其言、其心，人民方會「知本」，若否，在上位者所宣稱的「好惡」便不被信任。前述的「本乎真實」，最核心的涵義便在此「好惡、毀譽、賞罰」之間互相吻合，唯有在上者心、言、事三者合一，才是真正的「名實相符」，如此才能讓人民看見在上者是認真的，方能信任在上者。東漢末的社會亂象，並非源於缺乏制度，而是上位者從來只是嘴巴上說要執行，做的卻又是另外一回事。於是，「利不可以義求」，即人民無法以「遵循制度」確保自身之利益；最差的狀況，則是「害不可以道避」，人民必須要違反制度，以確保自己的生存。荀悅這種「本乎真實」的範疇，已經超過前述選人任官、訂立善惡標準的具體措施，進入為政方式的層次。再舉一言，說明荀悅「本乎真實」的內涵，《漢紀·孝元皇帝紀中》：

> 孔子曰：「政者，正也。」夫要道之本，正己而已矣。平直真實者，
> 正之主也。故德必核其真，然後授其位；能必核其真，然後授其
> 事；……物必核其真，然後用之；事必核其真，然後修之；一物不
> 稱，則榮辱賞罰，從而繩之。故眾正積於上，萬事實於下，先王之
> 道，如斯而已矣。〔註134〕

荀悅引孔子說的「政者，正也」的說法，引伸出「正己」，作為「核真」的理論基礎。意即，「本乎真實」是為政的基本態度，在上者必須親自實踐，由此呼應前述的「心」、「言」、「事」三者合一。

　　在統治者真正在心態上及作為上「本乎真實」之後，即「民知本」、「民

---

〔註132〕〔漢〕荀悅著，〔明〕黃省曾注，孫啓治校補：《申鑒注校補》，卷1，〈政體〉，頁51。
〔註133〕同前註。
〔註134〕〔漢〕荀悅著，張烈點校：《前漢紀》，卷22，〈孝元皇帝紀中〉，頁387。

志平」。「民志平」的狀態，正與上一部份所述及的「利不可以義求，害不可以道避」相反，此時，國家展現其態度的公正，人民自然不須，也不敢逾越份際，如此人民方能信任在上者，這才完成了荀悅建立政治制度的第一階段。

第二階段，即「立五政」，分別是養生、正俗、章化、秉威，以及統法。此五政當中，荀悅對於「正俗」、「章化」以及「統法」的闡述較多，而章化、統法牽涉到荀悅的法教思想，筆者擬於下部分論述，此處先論其「正俗」主張。《漢紀・孝武皇帝紀一》言：

> 民志既定，於是先之以德義，示之以好惡，奉業勸功，以用本務，不求無益之物，不畜難得之貨，絕靡麗之飾，遏利欲之巧，則淫流之民定矣，而貪穢之俗清矣。息華文，去浮辭，禁偽辨，絕淫智，放百家之紛亂，一聖人之至道，則虛誕之術絕，而道德有所定矣。尊天地而不瀆，敬鬼神而遠之，除小忌，去淫祀，絕奇怪，正人事，則妖偽之言塞，而性命之理得矣。然後百姓上下皆反其本，人人親其親，尊其尊，修其身，守其業。於是養之以仁惠，文之以禮樂，則風俗定而大化成矣。〔註135〕

在「民志定矣」之後，繼續「示之以好惡」，讓人民返回「本」。所謂「本」，即是淳樸的狀態，包括了經濟、文化，以及迷信方面，都要回到「本」。荀悅此處的重點放在三個面向：「淫流之民」、「虛誕之術」、「妖偽之言」，他在《申鑒・時事》也提及此三面向：

> 不求無益之物，不畜難得之貨，節華麗之飾，退利進之路，則民俗清矣。簡小忌，去淫祀，絕奇怪，則妖偽息矣。致精誠，求諸己，正大事，則神明應矣。放邪說，去淫智，抑百家，崇聖典，則道義定矣。去浮華，舉功實，絕末伎，同本務，則事業修矣。
> 〔註136〕

奢靡的時俗，能夠藉由「奉業勸功」的方式根除，而時俗的迷信，以及百家之言，都應回到「本」。這種小國寡民式的，「鎮之以無名之樸」的作法，跟荀悅的理想政治狀態相呼應：

---

〔註135〕〔漢〕荀悅著，張烈點校：《前漢紀》，卷10，〈孝武皇帝紀一〉，頁159。
〔註136〕〔漢〕荀悅著，〔明〕黃省曾注，孫啓治校補：《申鑒注校補》，卷2，〈時事〉，頁56。

四患既蠲，五政既立，行之以誠，守之以固，簡而不怠，疏而不失。
無爲爲之，使自施之；無事事之，使自交之。不肅而成，不嚴而治，
垂拱揖遜，而海內平矣。是謂爲政之方也。〔註137〕

屏四患、立五政之後，整個政治架構建立，此時在上者只要「行之以誠」、「守之以固」，按照制度的脈絡行事，不要再有「僞私放奢」的情形發生，國即可治。

由本文論述可見，荀悅建立政治架構的方式，與其所論及的時俗崩毀的方向性相似，都必須由在位者發動。由最初的「本乎眞實」開始，樹立威信，最後再扭轉時俗。然而，接下來的問題，就是如何從制度正俗？具體的手段爲何？何以可能？這就必須牽涉到荀悅的「法教」思想。

## （三）「法教」的內涵

上一部分，筆者討論荀悅建立政治制度的主張。大抵而言，荀悅對於矯正時俗，是主張從上而下，透過在上者重建制度開始的。然而，此過程並不會一帆風順，雖然荀悅沒有明說，但在此過程中，還是要祭出一些強制性手段。《申鑒‧政體》言：

故在上者審則儀道以定好惡，善惡要於功罪，毀譽效於準驗，……
故事無不覈，物無不切，善無不顯，惡無不彰，俗無姦怪，民無淫
風。百姓上下睹利害之存乎己也，故肅恭其心，愼脩其行，……
〔註138〕

「睹利害之存乎己」，代表在正俗的過程當中，當在上位者建立了權威，並且開始矯正時俗之後，「利可以義求」，「害可以道避」，人民此時便會往「道」、「義」而去。反之，若此時人民仍不行道義，則無法求「利」，甚至會有「害」。害自何來？即是政府的「法」。

筆者認爲，貫串荀悅整個建立政治架構的要素，就是「法教」。「法教」在荀悅的思想是「政之大經」：

故凡政之大經，法、教而已。教者，陽之化也；法者，陰之符也。
仁也者，慈此者也；義也者，宜此者也；禮也者，履此者也；信也

---

〔註137〕〔漢〕荀悅著，〔明〕黃省曾注，孫啓治校補：《申鑒注校補》，卷1，〈政體〉，頁22。
〔註138〕同前註，頁15。

者，守此者也；智也者，知此者也。是故好惡以章之，喜怒以涖之，

哀樂以恤之。……〔註139〕

爲政的最大原則，是法與教。儒家的五常，即仁義禮智信，則是對於法教的正確態度及施行能力。在「政之大經」的規範之下，甚至連人君的情緒必須顧慮法教的施行，其層次甚高。如此來看，法教二者是最重要的手段，無論是在建立政治架構的第一階段，或是第二階段皆然。荀悅言治民的方法：

問善治民者。治其性也。或曰。冶金而流。去火則剛。激水而升。

舍之則降。惡乎治。曰。不去其火則常流。激而不止則常升。故大

冶之爐。可使無剛。則踊水之機。可使無降。善立教者若茲。則終

身治矣。……立法者若茲。則終身不撥矣。……

荀悅認爲治民的主要方法，就是要「不去其火」、「激而不止」，持續地以法教鞭策人民。那麼，「法教」的內涵又是什麼呢？「法」的內涵，見於荀悅論「統法」的章節：

賞罰，政之柄也。明賞必罰，審信慎令。賞以勸善，罰以懲惡。……

在上者能不止下爲善，不縱下爲惡，則國治矣，是謂統法。〔註140〕

荀悅明白指出，「統法」的內涵就是「賞罰」。然而，荀悅的思想中，賞談得少，罰談得多，法有時也就與刑同義。《申鑒・雜言下》：

或曰：「善惡皆性也，則法教何施？」曰：「性雖善，待教而成，性

雖惡，待法而消。唯上智下愚不移，其次善惡交爭，於是教扶其善，

法抑其惡，得施之九品，從教者半，畏刑者四分之三，其不移大數，

九分之一也。……」〔註141〕

前言「法教」，後言教與刑，則法單獨指「刑罰」而不指涉「賞」。由此可見，荀悅「法」的概念，其實是偏向「刑」的。

「法」乃至於「刑」的思想，甚易瞭解，至於「教」的意義，荀悅在「立五政」中，論述「章化」：

君子以情用，小人以刑用，榮辱者，賞罰之精華也。故禮教榮辱以

加君子，化其情也；桎梏鞭扑以加小人，治其形也。君子不犯辱，

---

〔註139〕〔漢〕荀悅著，〔明〕黃省曾注，孫啓治校補：《申鑒注校補》，卷1，〈政體〉，頁5。

〔註140〕同前註，頁21。

〔註141〕同前註，卷5，〈雜言下〉，頁210。

> 況於刑乎？小人不忌刑，況於辱乎？若夫中人之倫，則刑禮兼焉。
> 教化之廢，推中人而墜於小人之域；教化之行，引中人而納於君子
> 之塗，是謂章化。〔註142〕

所謂「章化」，指的是教化的施行。「教化」的內涵，即是榮辱，使民體會榮
辱，就可以自發地勸善，所謂「興行」：

> 問德刑並用，常典也，或先或後，時宜，刑教不行，勢極也。教初
> 必簡，刑始必略，事漸也，教化之隆，莫不興行，然後責備；刑法
> 之定，莫不避罪，然後求密。〔註143〕

《孝經・三才》言「先王見教之可以化民也，是故先之以博愛，而民莫遺其
親；陳之於德義，而民興行。」所謂「興行」指人因受感化而自發地行為，
按照《孝經》的語境，即自發地勸善。以「榮辱」為內涵的「教」，與以「賞
罰」為內涵的「法」，差別在於人民能否自發地勸善。

　　然而，什麼是「勸善」？前已述及，荀悅眼中的「善」，是對國家有利的
行為，並不是以自己的德性發展而來，而是有一個判準，這個判準是絕對的。
從這個角度來講，「興行」與其說是人們自主地追求善，「止於至善」，不如說
是「免於無恥」，教與法的界線十分模糊。《申鑒・時事》：

> 設必違之教，不量民力之未能，是招民於惡也，故謂之傷化；設必
> 犯之法，不度民情之不堪，是陷民於罪也，故謂之害民。〔註144〕

此二句的句型相對，中言「不量民力之未能」與「不度民情之不堪」，句意相
同；「招民於惡」與「陷民於罪」，按照前述荀悅「心言事相應」的說法，有
惡者應受罰，兩者亦呼應，從此而言，在這句中，教與法就算有不同，也差
不到太多：人民無法承受的「教」，將讓人民成為惡人，並且從而受到懲罰。
如此的「教」，其實只是「教條」之意，與「法」相去不遠。

　　作為「政之大經」，此「法教」不是一時之事，而是必須不斷地施行，做
到「不去其火則常流。激而不止則常升」，貫穿荀悅建立政治制度的全部階段。
以法作為統治的主要治理手段，在漢末並不少見。對於「矯正時俗」一事，
荀悅前的崔寔及荀悅後的仲長統，都是主張以嚴刑峻法治理的。崔寔將人民

---

〔註142〕〔漢〕荀悅著，〔明〕黃省曾注，孫啟治校補：《申鑒注校補》，卷1，〈政體〉，
　　　　　頁17～18。
〔註143〕同前註，卷2，〈時事〉，頁70。
〔註144〕同前註。

奢僭、不務本，最後造成普遍貧窮，乃至盜亂叢生的情形，稱為「三患」，而
對此三患的治理方式，則是「深其刑而重其罰」：

> 承三患之弊，繼荒頓之緒，而徒欲修舊修故而無匡改，雖唐、虞復
> 存，無益於治亂也。昔聖王遠慮深思，患民情之難防，憂奢淫之害
> 政，乃塞其源以絕其末，深其刑而重其罰。〔註145〕

對於時俗之弊，崔寔主張「深其刑而重其罰」，用刑罰來防堵人民。荀悅之後
的仲長統也有差不多的看法：

> 德教者，人君之常任也，而刑罰為之佐助焉。……召天地之嘉應、
> 降鬼神之吉靈者，寔德是為，而非刑之攸致也。至於革命之期運，
> 非征伐用兵，則不能定其業；奸宄之成群，非嚴刑峻法，則不能破
> 其黨。時勢不同，所用之數亦宜異也。〔註146〕

崔寔思想偏向法家，有重刑的思想並不意外；仲長統則主張以當時的情形決
定作法，因此亦主張「嚴刑峻法」。

相較之下，荀悅的雖以較傾向「法」涵義的「法教」作為治理手段，但
卻不是放任刑殺，也是要看當時的情況，並不一味求嚴：

> 肉刑古也。或曰：「復之乎？」曰：「古者人民盛焉，今也至寡，整
> 眾以威，撫寡以寬，道也。復刑非務，必也生刑而極死者，復之可
> 也。自古肉刑之除也，斬右趾者死也，惟復肉刑，是謂生死而息民。
> 〔註147〕

與仲長統的觀點不同，荀悅認為當時的情形是「人民至寡」，所以應以「寬」
為原則，在「寬」的原則下，荀悅認為不需恢復肉刑。然而，肉刑是當時熱
議的話題，仲長統《昌言‧損益》對肉刑議題有深刻的見解：

> 肉刑之廢，輕重無品，下死則得髡鉗，下髡鉗則得鞭笞。死者不可
> 復生，而髡者無傷於人。髡笞不足以懲中罪，安得不至於死哉！
> 〔註148〕

肉刑作為一種中間刑，在漢文帝時被廢除。肉刑既廢，輕刑太輕，重刑太重，
官吏為達到懲罰的效果，於是本該被施予中刑者便被施予重刑，即荀悅所說

---

〔註145〕 〔漢〕崔寔著，孫啟治校注：《政論校注》，〈闕題三〉，頁98。
〔註146〕 〔魏〕仲長統著，孫啟治校注：《昌言校注》，〈闕題一〉，頁321。
〔註147〕 〔漢〕荀悅著，〔明〕黃省曾注，孫啟治校補：《申鑒注校補》，卷2，〈時事〉，
頁68。
〔註148〕 〔魏〕仲長統著，孫啟治校注：《昌言校注》，〈損益〉，頁280。

的「斬右趾者死也」。荀悅主張「撫寡以寬」，因而就常理來說，認為不應復肉刑，然而，當時恢復肉刑，比之於沒有肉刑，反而是一種「生死而息民」的「寬」的作法。從荀悅對肉刑的看法可見，即使建安時期是亂世，荀悅也並不主張任刑殺，而是著眼於人民的數量，認為應該「撫寡以寬」。

　　綜合言之，荀悅的「法教」是一必須持續執行的「政之大經」，是維持制度之手段。結合荀悅立制的主張而言，荀悅正是崔寔所謂的「欲修舊修故」的思想家，想要恢復漢朝已有的制度，並且選擇不以太激烈的刑殺態度面對當時的問題，而主張「先建立威信」的方式，慢慢地正俗。當然，「法教」還是其手段，整個過程並不是傳統儒學意義的「化」，但也非如崔寔和仲長統激烈。

# 小　結

　　立於建安朝廷的荀悅，勢必得要面對諸侯割據，建安朝廷不被承認的狀況。荀悅對於此狀況的回應，是透過在《漢紀》中引用〈王命論〉，以及自己作的〈高祖皇帝紀贊〉，宣稱漢朝擁有天命，且此天命「不可以智力求」。但是，若將一切歸諸於天命，便會產生一個問題，即人事沒有發揮的空間，是故荀悅以「天人三勢說」，一方面確認了「命」的地位，另一方面指出君子應「循性輔命」，即以行動承天命。由此，「天人三勢說」便成為了一既承認漢之天命，又肯認人事重要性的框架，建安朝廷既獲得合理性，又獲得能動性。

　　從荀悅對災異的見解可知，荀悅重視人事超過災異。從這點上來看，荀悅的天命論與仲長統「人事為本，天道為末」的思想，有共通之處。劉隆有的見解甚對，荀悅思想重人事的傾向，再推深一些，即可推出「人事為本，天道為末」的立場，但荀悅並未如此，這便造成了荀悅思想的矛盾。何以如此？或許該考量天命論的「治術」角色。

　　隨著東漢崩潰，天下離心，東漢朝廷得天命的思想，已經慢慢被打破，天下陷入群雄逐鹿的狀態，各競其力，欲得其鹿，這正是天下紛亂的主因。荀悅希望透過宣稱的方式，重建東漢朝廷的正統，以此停止世間的紛亂。

　　既宣稱漢朝有天命，荀悅因此也有一系列尊君主張，並且集中於探討君主權力，包括「唯器與名不可以假人」，主張君主不應交出自己的權力，連象徵權力的用具與虛名，都不可以，以免篡奪；「王者無外」的主張，則強調天子對天下的掌控權，其立場甚至較《白虎通》更為激烈。

　　最後，對應荀悅重人事傾向的，是其「政體」思想，即重新建立秩序之方法。在荀悅的政體思想中，最重要的一點，是「本乎眞實」，分爲兩個層面，其一是實際的選人任官制度，其二是朝廷與人民的互信問題。荀悅認爲，唯有從爲政態度到實際制度都本乎眞實，才能夠恢復君民互信，再次建立起政體。

　　政體所賴以建立、維持的手段，則是法教。與主張嚴刑峻法的崔寔不同，荀悅認爲應依照當時狀況而定，於是主張「撫寡以寬」。建安朝廷經歷桓靈末期黃巾之亂，以及州牧互相攻伐之後，剩下的人民很少，荀悅的「撫寡以寬」，形成與崔寔、仲長統不同的主張。

# 第四章　荀悅的君道思想

　　荀悅透過天人三勢的思想，一方面論證了漢朝的天命，又確保人事的能動性及重要性，更以此能動性發展其政體思想，集中權力，以法教為手段，試圖重建秩序。這種作法，引起王夫之的批評：

　　悅之言曰：「教化之廢，推中人而墜於小人之域，教化之行，引中人而納於君子之途」是也。顧其所云正俗者，聽言責事，舉名察實，則固防天下之胥為小人而督之也。故曰申、韓之術也。……漢之亡也，積順、桓、靈帝三君之不道，而天下相效以相怨，非法制督責之所可救，而悅何僅責之於末也！〔註1〕

對照本文對「法教」的解釋，王夫之認為荀悅思想「固防天下之胥為小人而督之」，可說是中肯。然而，王夫之接著卻說，荀悅思想只是「法制督責」人民，卻從未面對上位者的問題，這就與荀悅思想內涵不符。

　　上文已然提及，荀悅認為秩序的崩潰是源自於「上不明，下不正，制度不立，綱紀廢弛」，而荀悅既努力恢復秩序，在理論上就不能不面對問題的根源——君主。因此，荀悅對君主有其期望，亦有其限制，雖然思想並非十足周密而完備，但在某些部分，較諸漢代思想仍有進步。本章以「荀悅的君道思想」為題，包含三節：「荀悅的理想天子觀」、「荀悅思想對君權的限制」，以及「荀悅的權變思想」。

---

〔註1〕〔清〕王夫之：《讀通鑑論》，卷9，〈獻帝〉，第24條。

# 第一節　荀悅的理想天子觀

## （一）君主的原始樣態

從荀悅的天人三勢說以及政體思想中，我們可以看出荀悅爲了恢復秩序，在政治理論上的努力。然而，此理論建立後，必須面對另一個大問題，即從兩漢歷史來看，秩序崩壞的源頭，往往都是君主。觀諸東漢，除了光武、明、章之外，未曾有明君出現。但是，就常理而言，按照常態分布，聖明之君與下愚之主，出現的機率應該是一樣的，爲何在明、章之後，未曾有明君出現？首先，荀悅對人性本身的想法本就是很悲觀的。《申鑒・雜言下》：

> 或曰：「法教得則治，法教失則亂，若無得無失，縱民之情，則治亂其中乎？」曰：「凡陽性升，陰性降，升難而降易。善，陽也，惡，陰也，故善難而惡易。縱民之情，使自由之，則降於下者多矣。」〔註2〕

荀悅以陽升陰降的概念論證民情善難惡易，由此呼應其法教觀，即須常備法教以鞭策之，「不去其火則常流，激而不止則常升」。「善難惡易」這一點，在君主身上也一樣可以看到兩者之間的拉扯。《申鑒・雜言上》：

> 人主之患，常立於二難之間。在上而國家不治，難也；治國家則必勤身苦思，矯情以從道，難也。〔註3〕

荀悅雖言「國家不治」與「矯情從道」皆難，但此二難對於人而言，還是有程度之別。「國家不治」的惡果乍看之下不會立刻發生，「矯情從道」則是當下可感受之情緒，二者擇一，按照荀悅思想中人「趨利避害」的傾向來說，自然選擇「國家不治」。再者，即使是一般人的人性，要「矯情以從道」就夠困難了，偏偏君主所處的環境中，還有種種能使君王沈溺之物。《漢紀・孝昭皇帝紀》：

> 夫爲善之至易，莫易於人主；立業之至難，莫難於人主；至福之所隆，莫大於人主；至禍之所加，莫深於人主。……其要不遠，在乎所存而已矣。雖在下才，可以庶幾！然迹觀前後，中人左右多不免

---

〔註2〕〔漢〕荀悅著，〔明〕黃省曾注，孫啓治校補：《申鑒注校補》，卷5，〈雜言下〉，頁211。

〔註3〕同前註，卷4，〈雜言上〉，頁155。

於亂亡。何則？沉於宴安，誘於謟導，放於情欲，不思之咎也。
〔註4〕

荀悅並沒有判定哪些君主是「中人」，但他認為，有可塑性的中人之君，本就因人性而「善難惡易」，之後更因宮廷的環境而放縱情欲，因而淪落成為下愚君主。在荀悅之後，仲長統也持近似觀點：

> 彼後嗣之愚主，見天下莫敢與之違，自謂若天地之不可亡也，乃奔其私嗜，騁其邪欲，君臣宣淫，上下同惡。……荒廢庶政，棄亡人物，澶漫彌流，無所底極。信任親愛者，盡佞諂容說之人也；寵貴隆豐者，盡後妃姬妾之家也。……。怨毒無聊，禍亂並起，中國擾攘，四夷侵叛，土崩瓦解，一朝而去。……至於運徙勢去，猶不覺悟者，豈非富貴生不仁，沈溺致愚疾邪？〔註5〕

這是仲長統論天下理亂的第三個階段。前兩個階段，分別是群雄以實力爭霸；權威確立後，建立體制，此時若下愚之君居位，國猶可治。但是，最後君主「見天下莫敢與之違」，自以為地位穩若泰山，於是恣意妄為，「荒廢庶政、棄亡人物」，最終失去天下。所謂「富貴生不仁，沈溺致愚疾」，實與荀悅的看法相似。〔註6〕從此角度來看，就算制度完備，而求國久治，實在不可能。

　　既然現實如此，荀悅的政治理論就必須面對人君行為的問題，其解決分作兩個層次，首先是對人君的教育，再者是對人君的限制。

## （二）「示民」、「為民則」：對人君的基本要求

　　既然問題根源在於人君與制度的拉扯，荀悅對人君的基本要求，也就甚明白，即是「維持制度」。制度的維持並不容易，正如前述，人善難惡易，人君更是如此，而在位者的不當行為會對制度造成腐蝕：

> 致治之術，先屏四患，乃崇五政。一曰偽，二曰私，三曰放，四曰奢。偽亂俗，私壞法，放越軌，奢敗制，四者不除，則政末由行矣。俗亂則道荒，雖天地不得保其性矣；法壞則世傾，雖人主不得守其

---

〔註4〕　〔漢〕荀悅著，張烈點校：《前漢紀》，卷16，〈孝昭皇帝紀〉，頁288。

〔註5〕　〔魏〕仲長統撰，孫啓治校注：《昌言校注》，〈理亂〉，頁261。

〔註6〕　值得一提的是，這種論證方式，也就是荀子所說的「性惡」。然而，荀悅卻批駁荀子的性惡說，而主張劉向「性情相應」、「性非獨善，情非獨惡」的看法。筆者認為，荀悅一方面必須解決法教根源問題，是故提倡「民性」；而其從經典中得到的結論，卻又使他無法接受「性惡」的觀點。

度矣；軌越則禮亡，雖聖人不得全其道矣；制敗則欲肆，雖四表不
能充其求矣。是謂四患。〔註7〕

「四患」可能是在統治期間，日積月累地慢慢出現的。正如崔寔所說，「凡天
下之所以不治者，常由世主承平日久，俗漸弊而不寤，政浸衰而不改」，〔註8〕
並不完全是君主的過失。然而，不可否認的是，若「四患」在官僚制度越頂
端的人身上，甚至君主身上出現，對於俗、制、法、軌的衝擊就越大。因此，
除四患的對象，理應包含君主在內，甚至應以君主作爲重要的對象。

本文第三章第四節，論及荀悅兩種「本乎眞實」的主張。比起具體層面，
即主張任人選官的名實相應，統治者透過言行所展現出的心態更爲重要。唯
有將「本乎眞實」的層次提高到爲政基本態度，方可扭轉「利不可以義求，
害不可以道避」的惡劣狀況。〔註9〕這種作法能夠成功，其重點在於統治者自
己展現的示範作用。而在民心穩定之後，這種示範作用仍不能消失，必須繼
續「示之以好惡」：

民志既定，於是先之以德義，示之以好惡，奉業勸功，以用本務。
〔註10〕

向人民展示統治者眞實的好惡之後，再透過法教的威逼能力，才能使人民遵
從。這種示範作用的運作原則，其實就是「己所不欲，勿施於人」的倒反，「將
施於民，先施於己」：

善禁者，先禁其身而後人；不善禁者，先禁人而後身。善禁之至於
不禁，令亦如之。若乃肆情於身而繩欲於眾，行詐於官而矜實於民，
求己之所有餘，奪下之所不足，捨己之所易，責人之所難，怨之本
也。〔註11〕

若要要求人民，必須先求於己，否則沒有人會服氣，即使強制施行，也只會招
來民怨。「示民」包含的範圍除了前述的「本乎眞實」之外，也包括了最基本
的人倫道德，如《漢紀・高祖皇帝紀三》討論劉邦之父太公要否執臣禮的問題：

---

〔註7〕　〔漢〕荀悅著，〔明〕黃省曾注，孫啓治校補：《申鑒注校補》，卷1，〈政體〉，
　　　　頁9～10。

〔註8〕　〔漢〕崔寔著，孫啓治校注：《政論校注》，〈闕題一〉，頁29。

〔註9〕　說詳本文第3章第4節。

〔註10〕　〔漢〕荀悅著，張烈點校：《前漢紀》，卷10，〈孝武皇帝紀一〉，頁158。

〔註11〕　〔漢〕荀悅著，〔明〕黃省曾注，孫啓治校補：《申鑒注校補》，卷1，〈政體〉，
　　　　頁242。

> 孝經云：「故雖天子，必有尊也，言有父也。」王者必父事三老以示
> 天下，所以明有孝也。〔註12〕

另外，呂后命魯元公主之女配惠帝劉盈，荀悅也有意見：

> 夫婦之際，人道之大倫也。詩稱：「刑于寡妻，至于兄弟，以御于家
> 邦。」易稱：「正家道，家道正而天下大定矣。」姊子而爲后，昏於
> 禮而黷於人情，非所以示天下，作民則也。〔註13〕

《申鑒・時事》言：

> 男女正位乎內外，正家而天下定矣。〔註14〕

從「明有孝」到夫婦之際，荀悅認爲都必須在君王身上體現，如此才能作爲
天下之則，「家道正而天下大定」。這說明了君王並不是體制中的例外，作爲
體制的頂點，君王必須作爲表率，因此也被納入了整個體制之中，而這些細
碎的原則，最後直接被荀悅統合爲「正己」這個爲政基本原則：

> 孔子曰：「政者，正也。」夫要道之本，止己而已矣。〔註15〕

「正己」以「示天下」，放在整個天人相連接的政治架構當中，即是《申鑒・
政體》說的「天作道，皇作極」：

> 天作道，皇作極，臣作輔，民作基。惟先哲王之政，一曰承天，二
> 曰正身，三曰任賢，四曰恤民，五曰明制，六曰立業。〔註16〕

「皇作極」一句，孫啓治將「極」解作《尚書・君奭》「作汝民極」之極，即
是準則之意。〔註17〕皇帝作爲人民之準則，直接對應到了下文之「正身」，自
己也不能成爲體制的例外。

---

〔註12〕〔漢〕荀悅著，張烈點校：《前漢紀》，卷3，〈高祖皇帝紀三〉，頁43。

〔註13〕同前註，卷5，〈孝惠皇帝紀〉，頁64。

〔註14〕〔漢〕荀悅著，〔明〕黃省曾注，孫啓治校補：《申鑒注校補》，卷2，〈時事〉，頁92。

〔註15〕〔漢〕荀悅著，張烈點校：《前漢紀》，卷22，〈孝元皇帝紀中〉，頁387。

〔註16〕〔漢〕荀悅著，〔明〕黃省曾注，孫啓治校補：《申鑒注校補》，卷1，〈政體〉，頁8。

〔註17〕屈萬里將「作汝民極」之「極」與〈洪範〉九疇「建用皇極」之「極」同訓。黃省曾亦然，並將「極」依《僞孔傳》解作「中」。屈氏則引《後漢書・樊準傳》與《詩經・殷武》，將「則」與「極」互訓，「極」即爲準則、法則。說詳《申鑒注校補》，頁8、屈萬里：《尚書集釋》（台北：聯經出版社，1983），頁210、118。

## （二）君王修德的方法

荀悅認爲人主應「正己」，而此「正己」的積極面，就是修德。《申鑒‧雜言下》：

> 或曰：「脩行者，不爲人恥諸神明，其至也乎？」曰：「未也。自恥者本也；恥諸神明，其次也；恥諸人，外矣。夫唯外，則慝積於內矣。故君子審乎自恥。」〔註18〕

所謂的「修行」是「自恥」，不是因爲外在的規範造成的「恥」。然而，此「恥」並不會自然而發，必須有引信。《申鑒‧雜言下》：

> 不聞大論則志不弘，不聽至言則心不固。思唐虞於上世，瞻仲尼於中古，而知夫小道者之足羞也；想伯夷於首陽，省四皓於商山，而知夫穢志者之足恥也；存張騫於西極，念蘇武於朔垂，而知懷閭室者之足鄙也。推斯類也，無所不至矣。德比於上，欲比於下。德比於上，故知恥；欲比於下，故知足。恥而知之，則聖賢其可幾；知足而已，則固陋其可安也。……〔註19〕

「大論」、「至言」以及古聖先賢作爲「自恥」引信，即是將這些古聖先賢的事蹟作爲內心的標準，而期待自己做到此標準。久而久之，行爲不合乎內心規範，自然感到羞恥。既然學習的對象是歷史人物，那麼其出發點就是學習知識，這可與荀悅引用的「學」觀念互參：

> 或問曰：「君子曷敦乎學？」曰：「生而知之者寡矣，學而知之者眾矣，悠悠之民，泄泄之士，明明之治，汶汶之亂，皆學廢興之由，敦之不亦宜乎？」〔註20〕

「學」所展現的結果，與國之治亂有關，一方面，君主也須要「聞大論」、「聽至言」，使「志宏」、「心固」；另一方面，君主須學習治國之方法，對於君主來說，這就是必要的修德手段。學習治國方法，則是以史鑒爲主：

> 君子有三鑒，世人，鏡；前惟順，人惟賢，鏡惟明。……故君子惟鑒之務。〔註21〕

---

〔註18〕〔漢〕荀悅著，〔明〕黃省曾注，孫啓治校補：《申鑒注校補》，卷5，〈雜言下〉，頁215。
〔註19〕同前註，頁216～217。
〔註20〕同前註，卷4，〈雜言上〉，頁140。
〔註21〕同前註，頁141。

對於君主來說，必須以「前」與「賢」作爲自己行爲的對照組。「賢」除了可直接作爲君子的借鏡之外，還有另一個重要性，即是作爲「道」與君主的中介。荀悅認爲，道並不是這麼好獲取的：

　　道雖要也，非博無以通矣。博其方，約其說。〔註22〕

荀悅雖說「道之本，仁義而已矣」，〔註23〕道彷彿是一非常簡單的原則，然而，荀悅認爲，要「通」仍然得要「博」。

　　但是，「博」應該不是「通」的唯一條件，君主畢竟不是士人，可能政務繁忙，無法「博」；君主也未經歷過士人所經歷的汰選，能力不一定足夠，是故即使「博」也不一定能「通」。在這種狀況下，賢臣與士人就成爲君主之所以能博通的重要中介。比如說，荀悅本人，以及荀悅所撰寫的《漢紀》、《申鑒》都是以此爲目的而著作的。《申鑒・政體》：

　　夫道之本，仁義而已矣。五典以經之，群籍以緯之，詠之歌之，弦
　　之舞之。前鑒既明，後復申之。故占之聖王，其於仁義也，申重而
　　已。篤序無彊，謂之《申鑒》。〔註24〕

荀悅所作的子書，名爲「申鑒」。這說明了五典、群籍之「鑒」並沒有那麼容易得知，同理可證，君主之「學」也並不是只要君主自己讀書，即可成爲明君。「申鑒」一名與荀悅的上書動作，說明了荀悅認爲士人是引領君主博通的助力。

　　前述「不聞大論則志不弘，不聽至言則心不固」一段引文中，荀悅似乎將修德一事分作非常多面向，但綜合而言，只有兩個方向，其一是增進德行，其二是減少欲望。引文中，修德追求的目標，是史籍上所載的聖賢。一般人距離聖賢何等遙遠！是故修德一事，沒有其極限，必須不斷地實行：

　　或問厲志。曰：「若殷高宗能茸其德，藥瞑眩以瘳疾；衛武箴戒於朝；
　　句踐懸膽於坐，厲矣哉。」〔註25〕

修德須「厲志」，即不斷地鞭策自己而不停止，如句踐臥薪嘗膽，試圖復國，亦如武丁、衛武公持續不斷地納諫。從修養上來說，荀悅認爲必須要以古聖先賢作爲價值判斷的準的，而其可能性，建立在人性之「質」之上。

〔註22〕〔漢〕荀悅著，〔明〕黃省曾注，孫啓治校補：《申鑒注校補》，卷2，〈時事〉，頁106。
〔註23〕同前註，卷1，〈政體〉，頁1。
〔註24〕同前註。
〔註25〕同前註，卷4，〈雜言上〉，頁165。

衣裳，服者不昧於塵塗，愛也。衣裳愛焉，而不愛其容止，外矣；
容止愛焉，而不愛其言行，末矣；言行愛焉，而不愛其明，淺矣。
故君子本神爲貴，神和德平而道通，是爲保眞。人之所以立德者三：
一曰貞，二曰達，三曰志。貞以爲質，達以行之，志以成之，君子
哉。必不得已也，守一於茲，貞其主也。人之所以立檢者四：誠其
心，正其志，實其事，定其分。心誠則神明應之，況於萬民乎？志
正則天地順之，況於萬物乎？事實則功立，分定則不淫。〔註26〕

此段可說是荀悅關於修養方面的總論，從「心誠則神明應之，況於萬民乎」
一句，可知本段雖是泛指一般人的道德方法以外，更是希望君主能夠做到。
荀悅要求在上者「保眞」，即不要違逆本有的善性，即作爲本質的「貞」。以
「貞」爲質，以通達行之，並立志以成事。

除了筆者上述所述及的以外，荀悅對於「修德」所說的，並不是特別清
楚。很可能《申鑒》與《漢紀》本就並未詳述此問題，畢竟史載荀悅另有〈崇
德〉等數十篇已佚失的作品。但是，觀諸荀悅思想偏重的面向，積極主動的
「修德」即其理論，荀悅並沒有太精闢的見解。比起修德，荀悅更關注君主
所處的環境。

## （四）君主用賢及其相關問題

荀悅對於君主之「修德」，有其想法及理想。然而，能夠做到這一步，算
是相對理想的狀態，層次較高。荀悅應該要面對的最重要問題，其實是如何
防止君王出現前述「沈於宴安，誘於謟導，放於情欲」的「不思之咎」。〔註
27〕既然問題出在君王所處的環境，那麼答案即是此情況的反面：

先王之道致訓焉，故亡斯須之間而違道矣。昔有上致聖，由教戒，
因輔弼，欽順四鄰。故檢柙之臣，不虛於側；禮度之典，不曠於目；
先哲之言，不輟於身；非義之道，不宣於心，是邪僻之氣，末由入
也，鑒有間，必有入之者矣。是故僻志萌則僻事作，僻事作則正塞，
正塞則公正亦末由入也矣。〔註28〕

---

〔註26〕　〔漢〕荀悅著，〔明〕黃省曾注，孫啓治校補：《申鑒注校補》，卷5，〈雜言下〉，
　　　　頁182。
〔註27〕　〔漢〕荀悅著，張烈點校：《前漢紀》，卷16，〈孝昭皇帝紀〉，頁288。
〔註28〕　〔漢〕荀悅著，〔明〕黃省曾注，孫啓治校補：《申鑒注校補》，卷4，〈雜言上〉，
　　　　頁143。

「上致聖」的條件是「由教戒」、「因輔弼」，即遵循以往留下來的規範，以及進用並使賢臣輔弼自身。輔弼來自於「檢柙之臣」，教戒來自於「禮度之典」與「先哲之言」，唯有使皇帝的環境充斥著這些有益人事物，一點點空隙都不留，方能阻止「邪僻之氣」的侵入。

「檢柙之臣，不虛於側」是荀悅思想的重點。荀悅十分重視與皇帝相處之人，在篇幅不多的《漢紀》中，他屢屢提到此事，如《漢紀・孝元皇帝紀下》言宣帝用石顯：

> 孝宣皇帝任法審刑，綜核名實，聽斷精明，事業修理，下無隱情，是以功光前世，號爲中宗，……其仁心文德足以爲賢主矣。而佞臣石顯用事，墮其大業，明不照姦，決不斷惡，豈不惜哉！昔齊桓公任管仲以霸，任豎刁以亂，一人之身，唯所措之。〔註29〕

〈孝元皇帝紀中〉評論石顯得元帝信任，權傾朝野：

> 夫佞臣之惑君主也甚矣！故孔子曰「諸佞人」，非但不用而已，乃遠而絕之，隔塞其源，戒之極也。〔註30〕

〈孝哀皇帝紀上〉：

> 夫内寵嬖近阿保御豎之爲亂，自古所患，故（李）尋及之。孔子曰「惟女子與小人爲難養」，性不安於道，智不周於物。其所以事上也，唯欲是從，唯利是務；飾便假之容，供耳目之好；以姑息爲忠，以苟容爲智，以技巧爲材，以佞諛爲美。而親近於左右，翫習於朝夕，先意承旨，因間隨隙，以惑人主之心，求贍其私欲，慮不遠圖，不恤大事。〔註31〕

上述小人處於君主旁的影響有兩種，第一種是由佞臣任事，如石顯，其影響不言可喻，荀悅認爲石顯一個人就破壞了漢宣帝所留下來的基業；第二種則是佞臣影響君主的心志，即所謂「因間隨隙，以惑人主之心」，這可以呼應前一部分所說的「修德」。

何以佞臣受重用，賢臣卻不受重用？荀悅很明白君主的心態，如同前述，君主也是人，而荀悅認爲人性本就趨利避害，相較於忠臣的「違上順道」，君主自然較喜歡「違道順上」的諛臣。《申鑒・雜言上》：

〔註29〕〔漢〕荀悅著，張烈點校：《前漢紀》，卷23，〈孝元皇帝紀下〉，頁406。
〔註30〕同前註，卷22，〈孝元皇帝紀中〉，頁387。
〔註31〕同前註，卷28，〈孝哀皇帝紀上〉，頁493。

> 大臣之患，常立於二罪之間，在職而不盡忠直之道，罪也；盡忠直
> 之道焉，則必矯上拂下，罪也。有罪之罪，邪臣由之；無罪之罪，
> 忠臣置之。〔註32〕

忠臣屢屢矯上拂下，君王自然比較喜歡「違道順上」的臣子。這並不是只有下愚君主才會做的事，忠臣被明君排擯的例子也屢見不鮮。《漢紀・孝文皇帝紀下》：

> 以孝文之明也，本朝之治，百寮之賢，而賈誼見逐，張釋之十年不
> 見省用，馮唐白首屈於郎署，豈不惜哉！夫以絳侯之忠，功存社稷，
> 而猶見疑，不亦痛乎！夫知賢之難，用人不易，忠臣自古之難也。
> 雖在明世，且猶若茲，而況亂君闇主者乎！〔註33〕

荀悅此段以馮唐、張釋之以及周勃三人爲例，就周勃而言，劉邦臨死前已言「安天下者，必勃也」，周勃之忠賢早已證明，其後卻爲文帝所疑，「狼狽失據，塊然囚執，俛首撫襟，屈於獄吏」。由此觀之，賢君並不是賢才得用的保證，此所謂「用人不易，知賢之難」。

就「知賢之難」而言，忠臣與諛臣，實在難以分別。荀悅多次地講述君王判別臣下的方法：

> 察觀其言行，未必合於道而悅于己者，必佞人也；察觀其言行，未
> 必悅于己而合於道者，必正人也，此亦察人情之一端也。〔註34〕

> 違上順道，謂之忠臣；違道順上，謂之諛臣。忠所以爲上也，諛所
> 以自爲也；忠臣安於心，諛臣安於身。故在上者，必察乎違順，審
> 乎所爲，愼乎所安。〔註35〕

對於知賢一事，荀悅在《漢紀》、《申鑒》中口徑都一致。知賢的唯一方法，就是以「道」爲標準，沒有其他途徑。然而，前已述及，君主何以知「道」？是透過「學」以及「鑒」達成的。荀悅此處認爲君主須對「道」有其認識，方能「知賢」，然而，賢臣卻又是君主體認「道」的中介，這便落入了無窮後退的弔詭之中，甚難解釋。

---

〔註32〕 〔漢〕荀悅著，〔明〕黃省曾注，孫啓治校補：《申鑒注校補》，卷4，〈雜言上〉，頁155。

〔註33〕 〔漢〕荀悅著，張烈點校：《前漢紀》，卷8，〈孝文皇帝紀下〉，頁119。

〔註34〕 同前註，卷22，〈孝元皇帝紀中〉，頁387。

〔註35〕 〔漢〕荀悅著，〔明〕黃省曾注，孫啓治校補：《申鑒注校補》，卷4，〈雜言上〉，頁171。

　　除了知賢問題之外，還有一最大的問題，即知賢而不用的問題。荀悅認
爲，解決的方式，是「不任所愛」以及「唯義是從」：

> 先王之道致訓焉，故亡斯須之間而違道矣。昔有上致聖，由教戒，因
> 輔弼，欽順四鄰。故檢柙之臣，不虛於側；……不任所愛謂之公，惟
> 義是從謂之明。齊桓公中材也，末能成功業，由有異焉者矣。妾媵盈
> 宮，非無愛幸也；群臣盈朝，非無親近也，然外則管仲射己，衛姬色
> 妾，非愛也，任之也。然後知非賢不可任，非智不可從也。〔註36〕

荀悅明白地承認，君王是不可能沒有自己的欲望的，然而，並不能因私愛而
任命。齊桓公比起一般君主至少高明兩層次，他一方面知賢，一方面肯於任
賢。荀悅此處點出了兩個任賢的重要原則，「公」與「明」。

　　荀悅此處雖分別以「不任所愛」與「唯義是從」解釋二者。然而，若細
究之，「公」與「明」兩者意義相當接近。「公」與「私」爲相對而言：

> 上有師傅，下有諫臣，人有講業，小則咨詢，不拒直辭，不恥下問，
> 公私不愆，外內不二，是謂有交。〔註37〕

> 問人主。「有公賦無私求，有公用無私費，有公役無私使，有公賜無
> 私惠，有公怒無私怨。……」〔註38〕

> 君子樂天知命故不憂，審物明辨故不惑，定心致公故不懼。〔註39〕

所謂的「公」，都與「私」對舉。作爲名詞，「公」即是公眾事務，而當其作
爲形容詞，即是上段引文中的「不任所愛」。至於「明」，在荀悅思想中，沒
有特殊的相應概念，應該要從「唯義是從」切入。〔註40〕

> 昔者聖王之有天下，非所以自爲，所以爲民也，不得專其權利，與
> 天下同之，唯義而已，無所私焉。〔註41〕

---

〔註36〕〔漢〕荀悅著，〔明〕黃省曾注，孫啓治校補：《申鑒注校補》，卷4，〈雜言上〉，
　　　　頁143。
〔註37〕同前註，卷1，〈政體〉，頁34。
〔註38〕同前註，頁39。
〔註39〕同前註，卷5，〈雜言下〉，頁194。
〔註40〕對於荀悅「義」字的使用方式，程宇宏有詳盡研究。程氏將「義」分作「道
　　　　義」與「公義」，前者指儒家的道德準則，後者指爲政的道德價值取向，並另
　　　　指出「公義」與「私」的相對關係。然而，由於荀悅的「義」並未專指，因
　　　　此結論並不明朗，本文此處只將荀悅「義」與「公」相近之處擷取出來。前
　　　　說詳程宇宏《荀悅治道思想研究》，頁196～214。
〔註41〕〔漢〕荀悅著，張烈點校：《前漢紀》，卷5，〈孝惠皇帝紀〉，頁72。

故食祿之家，不與下民爭利。所以屬其公義，塞其私心。〔註42〕

故曰：有六主焉，有王主，有治王，……克己恕躬，好問力行，動以從義，不以縱情，是謂治主；……〔註43〕

是以君子以道折中，不肆心則不縱體焉，惟義而後已。〔註44〕

將「義」與「縱情」、「肆心」、「縱體」連在一起，荀悦意在對舉公義與私人情欲的相對關係。因此，「公」、「明」、「義」三者的關係實在難以分割，綜合言之，荀悦希望人君心中有一理想的道德價值，並且執行，而非順從一己私欲。於是，重「義」的意義，即是希望人君能夠壓抑「欲」：

人主之患，常立於二難之間，在上而國家不治，難也；治國家則必勤身苦思，矯情以從道，難也。〔註45〕

或問：人君人臣之戒。曰：「莫匪戒也。」請問其要。曰：「君戒專欲，臣戒專利。」〔註46〕

或問曰難行。曰：「若高祖聽戍卒不懷居，遷萬乘不俟終日；孝文帝不愛千里馬；慎夫人衣不曳地；光武手不持珠玉，可謂難矣。抑情絕欲不如是，能成功業者鮮矣。〔註47〕

「勤身苦思」與「矯情從道」對舉，我們即可解釋本節剛開篇所言的「沉於宴安，誘於諂導，放於情欲，不思之咎也」。所謂「思」，即是「矯情從道」，說得更極端一些，即是「抑情絕欲」。抑情絕欲，並且「矯情從道」，是荀悦對君主最大的要求。從爲政到任人，荀悦都希望君主保有這個理念。以此理念爲任人原則，即是以「道」爲價值判準，而不任用私人。

但是，「任人」一事，並不是只有「知賢」與「任賢」那麼簡單。《申鑒·政體》：

惟恤十難以任賢能。一曰不知，二曰不進，三曰不任，四曰不終，五曰以小怨棄大德，六曰以小過黜大功，七曰以小失掩大美，八曰以奸訐傷忠正，九曰以邪說亂正度，十曰以讒嫉廢賢能。是謂十難。

---

〔註42〕〔漢〕荀悦著，張烈點校：《前漢紀》，卷5，〈孝惠皇帝紀〉，頁74。

〔註43〕同前註，卷16，〈孝昭皇帝紀〉，頁287～288。

〔註44〕同前註，卷28，〈孝哀皇帝紀上〉，頁493。

〔註45〕〔漢〕荀悦著，〔明〕黃省曾注，孫啓治校補：《申鑒注校補》，卷4，〈雜言上〉，頁155。

〔註46〕同前註，卷4，〈雜言上〉，頁173。

〔註47〕同前註，卷4，〈雜言上〉，頁163。

十難不除，則賢臣不用；用臣不賢，則國非其國也。〔註48〕

由此來看，知賢儘管難，卻只是第一道門檻。「任」也不是最後的門檻，最後的門檻應是此後的一系列繁雜政治問題，包括私人恩怨、小過、小失，以及奸訐、邪說等等。荀悅指出了這些問題，但是並沒有申述這些問題的解決方法。

此外，「任賢」一事也不如荀悅所說的那麼簡單，畢竟人的內在、外在與行事，很可能是搭不上的：

> 或問：「知人自知孰難？」曰：「自知者，求諸內而近者也；知人者，求諸外而遠者也，知人難哉。若極其數也，明，有內以識，有外以暗；全有內以隱，有外以顯。然則知人自知，人則可以自知，未可以知人也。」〔註49〕

「明有內以識，有外以暗；或有內以隱，有外以顯」，十分難解。黃省曾並未詳注，孫啟治則將此句解釋為「蓋言人之內心與外表不一」，即人的行為與其意志可能不相符應，因此不能完全藉由行事來評判。這段文字，很顯然與荀悅對於「任賢」一事的積極態度不同，但荀悅對於箇中矛盾，並無詳細闡釋。

綜觀荀悅的任賢思想，其實存在著若干問題，比如說「修德」與「任賢」有雞生蛋、蛋生雞的問題；荀悅一方面主張君主有道便能知賢，卻又說「未可以知人」。然而，若不細究理論周密與否的問題，荀悅的意圖及主張甚明白，即人君須透過修德、任賢，一方面治理國家，另一方面亦藉由周圍充斥著賢臣，使自己不致墮落。

# 第二節　荀悅思想對人君的限制與警戒

## （一）「典」與「道」的規範面向

荀悅既強硬地透過天命論，論證漢朝的政府的合理性，再全引〈王命論〉

---

〔註48〕〔漢〕荀悅著，〔明〕黃省曾注，孫啟治校補：《申鑒注校補》，卷1，〈政體〉，頁25。

〔註49〕荀悅對君王「猜忌」的結構性因素十分瞭解，明白這一切並不是「忠」與「不忠」的問題。以前述周勃為例，荀悅極言周勃的「款款之忠」，然而從此段文字來看，文帝會猜忌「習兵」，並曾「縮皇帝璽，將兵於北軍」的擁立大臣周勃，也是理所當然。荀悅不是不懂，但結構性問題無法解決，他唯一能做的就是呼籲皇帝能夠真正辨別忠臣。書同前註，卷5，〈雜言下〉，頁188。

警告欲革命者，又強調人事的重要，則天下已歸漢有，君主將天下視爲自己
所有之物，也是情理中事。儘管荀悅認爲人君應修德，也須「由教戒，因輔
弼」，但遇上無道之君，荀悅思想又該有什麼樣的應對方法？

　　首先，荀悅賦予了「典」字二重涵義，一是經典，即「道」之來源，二
是「漢家之法」。透過「典」字，此二者合一，某部分論證了漢政權的正當性。
〔註50〕在「典」將天命從古之聖王，連結到先王，再連結到當下的君王的同
時，「典」也因其「道之載體」的性質，理論上成爲了凌駕於君權之上的權威，
也就成爲了人君必須要遵循的規範。《申鑒・政體》言：

> 夫道之本，仁義而已矣。五典以經之，群籍以緯之，詠之歌之，弦
> 之舞之。前鑒既明，後復申之。故古之聖王，其於仁義也，中重而
> 已。篤序無彊，謂之《申鑒》。〔註51〕

道之本是「仁義」，而「五典、群籍」則是載體，古代聖王對於「仁義」——
也就是道之本——只是重複申述，並沒有額外的發明，這個說法其實暗示了
「治國之道只有一種，人君不應另闢蹊徑」，而「申鑒」一名，也就是荀悅在
爲獻帝說明經典中隱晦之「道」，並且希望人君遵循。既然「典」與「道」同
時代表了政權的合理性，也代表對政權的規範，荀悅自然有理由規範君主必
須要遵循「道」與「義」，《申鑒・雜言上》：

> 先王之道致訓焉，故亡斯須之間而違道矣。〔註52〕

同篇：

> 或曰：「在上有屈乎？」曰：「在上者以義申，以義屈。高祖雖能申
> 威於秦、項，而屈於商山四公；光武能申於莽，而屈於強項令；明
> 帝能申令於天下，而屈於鍾離尚書。若秦二世之申欲，而非笑唐虞，
> 若定陶傅太后之申意，而怨於鄭，是謂不屈；不然，則趙氏不亡，
> 而秦無怨尤。故人主以義申，以義屈，……」〔註53〕

在上者不應認爲自己掌握天下，就一切依照自己的意志行事，必須要因爲「義」
而有所「屈」、「伸」。

---

〔註50〕見本書第 3 章第 1 節。
〔註51〕〔漢〕荀悅著，〔明〕黃省曾注，孫啓治校補：《申鑒注校補》，卷 1，〈政體〉，
　　　　頁 1。
〔註52〕同前註，卷 4，〈雜言上〉，頁 143。
〔註53〕同前註，頁 160。

## （二）君民的「相報之義」

與「道」、「義」可呼應的是，荀悅以另「天命」來規範君主「養民」。《申鑒·雜言上》：

> 或曰：「愛民如子，仁之至乎？」曰：「未也。」曰：「愛民如身，仁之至乎？」曰：「未也。湯禱桑林，邾遷于繹，景祠于旱，可謂愛民矣。」曰：「何重民而輕身也？」曰：「人主承天命以養民者也，民存則社稷存，民亡則社稷亡，故重民者，所以重社稷而承天命也。」〔註54〕

所謂「承天命」的內涵，就是「養民」、「重民」。將「天命」與「養民」掛勾，並且指出「民亡則社稷亡」，一方面直接要求人君重視人民，二方面也將不重視人民的後果提出，作爲警戒。這種直接將「民」與「社稷」連結的作法，稍有別於於漢儒「以天命畏之」，而是訴諸更簡單的邏輯，即「報」。《申鑒·政體》：

> 或曰：「聖王以天下爲樂？」曰：「否。聖王以天下爲憂，天下以聖王爲樂。凡主以天下爲樂，天下以凡主爲憂。聖王屈己以申天下之樂，凡主申己以屈天下之憂。申天下之樂，故樂亦報之：屈天下之憂，故憂亦及之：天下之道也。」〔註55〕

同篇：

> 君以至美之道道民，民以至美之物養君，君降其惠，民升其功，此無往不復，相報之義也。〔註56〕

「以天下爲憂樂」並非荀悅孤明先發，董仲舒於對策時已轉化孟子的說法，言「堯受命，以天下爲憂，而未以位爲樂也」，〔註57〕但此後所言的「相報之義」，即是荀悅的特殊之處。雖然荀悅所說的「相報之義」，完全是正面的，但從前引文所言的民與社稷的關係來看，這種「上下相報」的概念，應該是正反兩方向皆有的。「相報」建立了君主與人民之間的直接關係，使得「制裁」

---

〔註54〕〔漢〕荀悅著，〔明〕黃省曾注，孫啓治校補：《申鑒注校補》，卷4，〈雜言上〉，頁148。
〔註55〕同前註，卷1，〈政體〉，頁46～47。
〔註56〕同前註，頁38。
〔註57〕此語轉化自《孟子·滕文公下》：「當堯之時，天下猶未平，洪水橫流，氾濫於天下。……獸蹄鳥跡之道，交於中國。堯獨憂之，舉舜而敷治焉。」〔漢〕班固，〔唐〕顏師古注：《漢書》，卷56，〈董仲舒傳〉，頁2508。

變得比災異更直接。其實，將「相報」之義作爲君王的警戒，背後的理路，也即是君王「趨利避害」的人性：

> 封建諸侯，各世其位，欲使親民如子，愛國如家，於是爲置賢卿大
> 夫，考績黜陟，使有分土而無分民，而王者總其一統，以御其政。
> 故有暴禮於其國者，則民叛於下，王誅加於上。是以計利慮害，勸
> 賞畏威，各兢其力，而無亂心。〔註58〕

荀悅指出，能夠使諸侯認份、用心對待人民，「各兢其力」的方式，完全只是訴諸「計利慮害」心態的「賞」與「威」。諸侯如此，君王，甚至「明王」亦然：

> ……然迹觀前後，中人左右多不免於亂亡。何則？沈於宴安，誘於
> 諂導，放於情欲，不思之咎也。仁遠乎哉？存之則至。是以昔者明
> 王戰戰兢兢，如履虎尾，勞謙日昃，夙夜不怠，誠達於此理也。
> 〔註59〕

放縱情欲的下場，就是「亂亡」，明王之所以能成爲明王，只是因爲害怕亂亡而努力治國罷了，背後的邏輯就是「相報」，而非畏天命。這種說法，可與崔寔《政論》相呼應：

> 夫民善之則畜，惡之則讎，讎滿天下，可不懼哉？是以有國有家者，
> 甚畏其民，既畏其怨，又畏其罰，故養之如傷病，愛之如赤子，兢
> 兢業業，懼以終始，恐失羣臣之和，以墮先王之軌也。〔註60〕

崔寔認爲，諸侯與君王必須要敬畏人民，因爲人民隨時可以推翻政權。所謂的理想君主，只是出自於「畏民」的心態。荀悅與崔寔看似相同，但其實仍有些微差異：荀悅仍然將「天命」掛在「養民」之上，將「養民」作爲「天命」的內容。

## （三）諸侯之「夾輔」

荀悅既然主張政治與政策須以「道」爲依歸，卻又某種程度上取消了天命論的信仰成分，強調人事的重要性，那就必須面對緊接而來的一個問題：不夠實際的「道」與「典」無法有效地威嚇人君，這正是東漢的問題所在。

---

〔註58〕 〔漢〕荀悅著，張烈點校：《前漢紀》，卷5，〈孝惠皇帝紀〉，頁72～73。
〔註59〕 同前註，卷16，〈孝昭皇帝紀〉，頁288。
〔註60〕 〔漢〕崔寔著，孫啓治校注：《政論校注》，〈闕題六〉，頁71。

從東漢的紊亂政局來看，董仲舒「屈君以伸天」的理念可說是失敗了，此時再取消天命的信仰成分，則人君超然於制度之外，即使有種種限制如上一部分所說，卻並不會被制裁，因此，「人主失道，則天下遍被其害；百姓一亂，則魚爛土崩，莫之匡救」〔註61〕也就成了必然的結局。

　　面對這種情形，荀悅便在其政治體制之中，加入了能夠限制君權的主張。而此主張，是透過「夾輔」，形成一限制君權的架構。《漢紀・孝惠皇帝紀》：

> 諸侯之制，所由來尚矣。……昔者聖王之有天下，非所以自為，所以為民也，不得專其權利，與天下同之，唯義而已，無所私焉。封建諸侯，各世其位，欲使親民如子，愛國如家，於是為置賢卿大夫，考績黜陟，使有分土而無分民，而王者總其一統，以御其政。故有暴禮於其國者，則民叛於下，王誅加於上。是以計利慮害，勸賞畏威，各兢其力，而無亂心。及至天子失道，諸侯正之；王室微弱，則大國輔之；雖無道，不得虐於天下。賢人君子，有所周流，上下左右，皆相夾輔，凡此所以輔相天地之宜，以左右民者也。故民主兩利，上下俱便，是則先王之所以能永有其世也。〔註62〕

荀悅以「為民」為大前提，認為君王及諸侯都必須以「義」為準則，並且「無所私」。在「義」與「無所私」的理想狀態下，諸侯協助天子治民，王者則是「總其一統」。〔註63〕然而，當特別情形出現時，即君王或諸侯有一方失道，另一方便必須有所動作。諸侯「有暴禮於其國」時，「王誅加於上」，甚好理解，值得注意的是，荀悅卻也說出「民叛於下」。〔註64〕在君王失道、王室微弱時，諸侯必須「正之」、大國必須「輔之」，荀悅認為，基於「輔相天地之宜」，這種「夾輔」是應該的。

　　「夾輔王室」在《左傳》中有兩條相關的記載。魯僖公四年，齊伐楚，管仲引用召康公的話，合理化齊伐楚的理由：

> 管仲對曰：「昔召康公命我先君大公曰：『五侯九伯，女實征之，以夾輔周室。』」〔註65〕

---

〔註61〕〔漢〕荀悅著，張烈點校：《前漢紀》，卷5，〈孝惠皇帝紀〉，頁73。
〔註62〕同前註，頁72～73。
〔註63〕在理想狀態下，荀悅主張維護君王的權威，見第3章第3節。
〔註64〕所謂「民叛於下」可有兩種解釋：一種是實然，即行暴禮於其國的諸侯，民必叛於下，是依照常理的推斷；另一種，則可能是認可「民叛於下」的行為。此處所指涉的，應該是實然狀況。
〔註65〕李學勤主編：《春秋左傳正義》，收入《十三經注疏》，卷12，頁377。

魯宣公十二年，晉伐鄭，也出現差不多的情形：

> 隨季對曰：「昔平王命我先君文侯曰：『與鄭夾輔周室，毋廢王命！』
> 今鄭不率，寡君使羣臣問諸鄭，豈敢辱候人？」〔註66〕

管仲認爲，齊國征伐之權來自於周召公對太公望說的「夾輔周室」，因而可責
楚不入苞茅；隨季也認爲，晉國與鄭國共受王命「夾輔周室」，而鄭國現在不
遵循此制，所以帶著軍隊責問鄭國。從此來看，不管晉與齊的眞正目的爲何，
至少以「自行征伐之權」的方式「夾輔」王室，是被認可的。這樣看來，「夾
輔」一事，其來有自。東漢初期，群臣上書希望光武帝立諸侯，也使用「夾
輔」一詞：

> ……高密侯禹、太常登等奏議曰：「古者封建諸侯，以藩屏京師。周
> 封八百，同姓諸姬並爲建國，夾輔王室，尊事天子，享國永長，爲
> 後世法。……高祖聖德，光有天下，亦務親親，封立兄弟諸子，不
> 違舊章。……宜因盛夏吉時，定號位，以廣藩輔，明親親，尊宗廟，
> 重社稷，應古合舊，厭塞眾心。……」制曰：「可。」〔註67〕

此奏將「夾輔」定義得比較清楚：諸侯的作用在於「藩屏京師」、「尊事天
子」，即是一方面負擔守衛工作，另一方面聽命於天子。此主張的著眼點，
在於可能出現的「王室微弱」，而諸侯血統與王室相近，便會選擇輔佐王室
而非犯上作亂。〔註68〕召公對太公望說「夾輔周室」時，成王在位；晉鄭
二國「夾輔周室」時，正值平王遷都，影響力大不如前之際。此二例正符
合荀悅「王室微弱」的說明，但是，荀悅卻加上了「天子失道」的情形，
並主張「諸侯正之」。

　　諸侯如何「正之」？從下文「雖無道，不得虐於天下」來看，應該是
強力地進諫，甚至是代替國君行政，無論是何者，想必都是有違天子的意
願，而侵犯了天子應有的權威。前已述及，荀悅主張「唯器與名不可以假
人」，認爲天子應嚴守分際，不讓權力外流，在這種設想下，荀悅主張廢州
牧，恢復監察御史制度以「強幹弱枝」，都很合乎邏輯。但是，君主手握大

---

〔註66〕 李學勤主編：《春秋左傳正義》，收入《十三經注疏》，卷23，頁743。
〔註67〕 〔劉宋〕范曄著，〔唐〕李賢等注：《後漢書》，卷1下，〈光武帝紀下〉，頁65。
〔註68〕 諸侯制在荀悅的論述中也有些微的改變。荀悅認爲諸侯之所以認眞地治民，
　　　　是因爲害怕懲罰。從這點上來看，諸侯跟州牧、刺史，並沒有什麼不一樣。
　　　　既然如此，何以不提高州牧刺史的權力就好，爲什麼要主張強幹弱枝？這恐
　　　　怕是荀悅思想自相矛盾處。

權的弊病，荀悅也看得很清楚，如果缺乏了「夾輔」，也就是制衡，結果就
會與秦朝相同：

> ……至其末流，諸侯強大，更相侵伐，周室卑微，禍亂用作。秦承
> 其弊，不能正其制以求其中，而遂廢諸侯，改爲郡縣，以一威權，
> 以專天下。其意主以自爲，非以爲民，深淺之慮，德量之殊，豈不
> 遠哉！故秦得擅其海內之勢，無所拘忌，肆行奢淫，暴虐天下，然
> 十四年而滅亡。故人主失道，則天下遍被其害；百姓一亂，則魚爛
> 土崩，莫之匡救。……漢興，承周秦之弊，故兼而用之。六王、七
> 國之難作者，誠失之於強大，非諸侯治國之咎。其後遂皆郡縣治民，
> 而絕諸侯之權矣，當時之制，未必百王之法也。〔註69〕

當國君「一威權」、「專天下」，掌握所有權力，並且威福自專，「非以爲民」
時，便「無所拘忌」，再沒有能夠限制的可能。於是，若無制衡，人主是否有
道就會直接決定了天下的秩序。在此狀況下，荀悅即使知道諸侯造成漢初亂
事，也只用「誠失之於強大」一語帶過，沒有更深入的討論，也沒有解決「諸
侯正之」、「大國輔之」與「強幹弱枝」之間的矛盾，使草草卜了結論。或許，
權衡利弊，諸侯制所帶來的弊病，是可以被控制的，較諸權力無限的無道之
君，荀悅或許認爲前者的危害較小。

## （四）君臣關係及臣對君的限制

除了「諸侯正之，大國輔之」以外，荀悅所說的「賢人君子，有所周流，
上下左右，皆相夾輔」還可與其對君臣關係的闡釋呼應。上一節筆者已論及，
荀悅認爲，「因輔弼」，即群臣的輔佐，是君主修德的重要因素，君王的左右
必須充滿賢臣，讓「邪僻之氣末由入」。然而，這當然不是臣子的唯一作用，
賢臣的政治作用，是「輔」：

> 天作道，皇作極，臣作輔，民作基。〔註70〕

> 天下國家一體也，君爲元首，臣爲股肱，民爲手足。〔註71〕

「股肱」與「輔」，是臣子的功能，臣子也當然是受命於君主的，但在整個政

---

〔註69〕〔漢〕荀悅著，張烈點校：《前漢紀》，卷5，〈孝惠皇帝紀〉，頁73。
〔註70〕〔漢〕荀悅著，〔明〕黃省曾注，孫啓治校補：《申鑒注校補》，卷1，〈政體〉，
　　　　頁8。
〔註71〕同前註，頁37。

治架構上，就重要性來說，臣與君同等重要，可以被放在同一個位置上：

> 或問：「致治之要，君乎？」曰：「兩立哉，非天地不生物，非君臣
> 不成治，首之者天地也，統之者君臣也哉。……〔註72〕

「致治」一事當然不可能只靠君主一人完成，但此處荀悅所說「統之者君臣」，是將臣子放到與君主對等的地位。對照董仲舒《春秋繁露》所說：

> 是故《春秋》君不名惡，臣不名善，善皆歸於君，惡皆歸於臣。臣
> 之義比於地，故爲人臣者，視地之事天也。〔註73〕

以及《白虎通》的相似概念：

> 地之承天，猶妻之事夫，臣之事君也，謂其位卑。〔註74〕

> 子順父、臣順君、妻順夫何法？法地順天也。〔註75〕

《春秋繁露》與《白虎通》都明白說出臣之位卑，於是「臣順君」，是理所當然。在政治架構上來看，君尊臣卑，理所當然。但，荀悅不曾以這個角度評論君臣關係，而是著眼於君臣在政治架構中的功能，從此著眼點來說，君臣是相等重要的，因此位置是平行的：

> 或有君而無臣，或有臣而無君，同善則治，同惡則亂，雜則交爭，
> 故明主慎所用也。〔註76〕

有賢君無賢臣，與有賢臣無賢君，二者的效果是相同的，二者的角色功能雖異，但是同等重要。從這個角度切入，君臣其實就不存在「尊」與「卑」的問題。較諸《白虎通》及《春秋繁露》，荀悅隱隱地在提升臣子在政治中的重要性。

　　再者，前已述及，君主須「以義伸，以義屈」。人君既然以「道」爲最高的價值判準，人臣與人君的關係，自然也須以「道」爲依歸：

> 違上順道謂之忠臣；違道順上謂之諛臣。〔註77〕

---

〔註72〕〔漢〕荀悅著，〔明〕黃省曾注，孫啓治校補：《申鑒注校補》，卷4，〈雜言上〉，頁142～143。

〔註73〕〔漢〕董仲舒著，蘇輿注：《春秋繁露義證》，卷11，〈陽尊陰卑〉，頁325～326。

〔註74〕〔漢〕班固著，〔清〕陳立疏證：《白虎通疏證》，卷3，〈五行〉，頁166。

〔註75〕同前註，頁194。

〔註76〕〔漢〕荀悅著，張烈點校：《前漢紀》，卷16，〈孝昭皇帝紀〉，頁289。

〔註77〕〔漢〕荀悅著，〔明〕黃省曾注，孫啓治校補：《申鑒注校補》，卷4，〈雜言上〉，頁171。

對於一個臣子的評價，必須要依照其行爲是否合乎客觀的道來判斷，而不是君主的私意，因此，臣子「愛上」與「忠」是不同的概念。漢成帝劉驁死時，與劉驁有深厚感情的富平侯張放「思慕哭泣而卒」，荀悅的評論是：

> 荀悅曰：放非不愛上，忠不存焉。故愛而不忠，仁之賊也。〔註78〕

如此可見，「愛上」不是「忠」。所謂「忠不存焉」，按照荀悅的說法，是因爲張放「不奉法度」，儘管成帝與張放感情甚好，按照荀悅「違道順上」的標準，也不能說是忠臣。「忠」與否，與跟君主的感情無關，只與道有關。如此，則臣子不再是君主之附庸，因雙方都應該是依循著「道」而行的。另一個例子就是前已提及的「在上者以義伸，以義屈」：

> 或曰：「在上有屈乎？」曰：「在上者以義申，以義屈。高祖雖能申威於秦、項，而屈於商山四公；光武能申於莽，而屈於強項令，……」
> 〔註79〕

在「義」這個標準底下，君主並非享有絕對的權威，而是因「義」有所屈伸，換個角度說，在這種理想狀態下，國家的運行，應該是君臣上下都是依照按照「道」而行，並能穩定地合作：

> 君臣親而有禮，百僚和而不同，讓而不爭，勤而不怨，無事惟職是司，此治國之風也。〔註80〕

這種探討君臣關係的角度，比諸董仲舒與《白虎通》的說法，更接近先秦儒家理想中的「君待臣以禮，臣事君以忠」觀念。

既然君臣能夠處在對等的狀態，並且在「有臣無君」，「有君無臣」的狀態下會「交爭」，並且此「交爭」顯然是合理的，那麼，「違上順道」之臣恐怕也就是君主的實際限制之一。接著的問題就是，臣子能夠對無道之君做出最極限的限制行爲是什麼？最極端的例子也許是霍光。《漢紀》記載昌邑王劉賀爲霍光所廢，荀悅的評論是：

> 昌邑之廢，豈不哀哉！《書》曰：「殷王紂自絕於天」，《易》曰「斯其所取災」，言自取之也。故曰有六主焉：有王主，有治主，有存主，有衰主，有危主，有亡主。……〔註81〕

---

〔註78〕〔漢〕荀悅著，張烈點校：《前漢紀》，卷27，〈孝成皇帝紀四〉，頁480～481。
〔註79〕〔漢〕荀悅著，〔明〕黃省曾注，孫啓治校補：《申鑒注校補》，卷4，〈雜言上〉，頁171。
〔註80〕同前註，卷1，〈政體〉，頁26～27。
〔註81〕〔漢〕荀悅著，張烈點校：《前漢紀》，卷16，〈孝昭皇帝紀〉，頁287～288。

將劉賀比作殷紂，並言其「自絕於天」、「斯其所取災」，認爲劉賀是因爲自己荒誕的行爲而被廢，並不冤枉。劉賀被廢之事，是自伊尹廢太甲之後，第一次由臣下廢主，可謂大事，故當霍光召丞相已下群臣會議未央宮，討論廢劉賀之事，「群臣皆失色，莫敢對者」。〔註82〕此事後代已有定論，班固評論霍光「處廢置之際，臨大節而不可奪，遂匡國家，安社稷」，相當肯定霍光廢帝的作爲，甚至言「雖周公、阿衡，何以加此」，對霍光評價極高。〔註83〕

　　荀悅此處認爲劉賀「自取之」，言下之意，霍光的行爲就是「違上順道」，廢劉賀是一「有臣無君」的「交爭」結果。因此，霍光廢劉賀一事，隱隱體現了荀悅將臣子作爲君主之限制的思想。之所以說「隱隱」，是因爲霍光廢劉賀一事，荀悅的評論並不是直接讚美霍光的行爲，並且，此事也與荀悅的思想不大連貫。雖然此事班固已有定論，荀悅只是照錄，但以荀悅「唯器與名不可以假人」及「法惟上行，不惟下行」的邏輯來看，即使劉賀無道應廢，也不應由霍光倡議。畢竟，此例一開，後代欲操縱廢立之臣，皆有口實，如董卓欲廢少帝劉辯時，即以伊尹、霍光自居：

　　　　（卓）因集議廢立。百僚大會，卓乃奮首而言曰：「……皇帝暗弱，
　　　　不可以奉宗廟，爲天下主。今欲依伊尹、霍光故事，更立陳留王，
　　　　何如？」公卿以下莫敢對。卓又抗言曰：「昔霍光定策，延年按劍。
　　　　有敢沮大議，皆以軍法從之。」坐者震動。〔註84〕

此番情景，正發生在《漢紀》撰作時間前十年，並與霍光廢劉賀一事全然相同，可謂殷鑑不遠。荀悅若以人臣廢立之事作爲制裁無道之君的作法，可能會引發更嚴重的後果。此事的重點不在當時人對此事的看法如何，而是此事會造成什麼樣的後果。霍光廢劉賀，顯然爲董卓廢劉辯開了先例，荀悅應該要有所表示。

　　於是，荀悅對此事的評論，集中在劉賀的「自取」，並順著此事判分「君道」的好壞，即「六主」。荀悅對於六主造成的結果，有如下的評論：

　　　　王主能致興平；治主能行其政；存主能保其國；衰主遭無難則庶幾
　　　　得全，有難則殆；危主遇無難則幸而免，有難則亡；亡主必亡而已

〔註82〕〔漢〕荀悅著，張烈點校：《前漢紀》，卷16，〈孝昭皇帝紀〉，頁287。
〔註83〕〔漢〕班固著，〔唐〕顏師古注：《漢書》，卷68，〈霍光金日磾傳〉，頁2967。
〔註84〕〔劉宋〕范曄著，〔唐〕李賢等注：《後漢書》，卷72，〈董卓列傳〉，頁2324。

矣。……故遵亡主之行而求存主之福，行危主之政而求治主之業，

蹈衰主之跡而求王主之功，不可得也。〔註85〕

荀悅在其評論中，並沒有明白地指出無道之君將爲臣所廢。無道之君如危主、亡主，失去帝位都是因朝代滅亡，直接失去天下。並且，荀悅以一段語重心長的話勉勵人主：

夫爲善之至易，莫易於人主；立業之至難，莫難於人主；至福之所

隆，莫大於人主；至禍之所加，莫深於人主。夫行至易以立至難，

便計也；興至福而降至禍，厚實也。其要不遠，在乎所存而已矣。

雖在下才，可以庶幾！〔註86〕

這段話，很明顯地是在對漢獻帝說的。荀悅極力闡述人主對自身及國家的命運擁有相當大的掌控能力，是故，荀悅這一整段評論並沒有正面呼應《漢紀》正文關於「廢立」的部分，而是將討論的焦點轉移到另一個方向，即「失天下」以及「君道」。可以說，荀悅站在中立的立場，通過存其事而又不評論的方式，既不爲廢立之事大聲背書，又保有了人臣操廢立之權對君王的嚇阻作用及實質作用，在歷史上，君主因無道廢立之事曾經發生，荀悅也並不打算將其禁絕。〔註87〕因此，荀悅透過了對君臣關係的明說暗示，爲君王設下了另一道限制。

# 第三節　荀悅的權變思想

## （一）兩種「權變」：「損益」與「權宜之計」

崔寔、荀悅，以及仲長統，這些東漢末思想家，在面對東漢末的亂世時，

---

〔註85〕〔漢〕荀悅著，張烈點校：《前漢紀》，卷16，〈孝昭皇帝紀〉，頁288。

〔註86〕同前註，頁288。

〔註87〕然而，荀悅未評論霍光廢立之事，卻在其思想內部留下了一個問題。如本文第三章第三節所提及，知識份子甚至曹操本人，都是以「周公」的地位看待曹操，而荀悅認爲周公可以是「器與名不可以假人」的例外，可受天子旌旗。恰巧，武帝臨終前也託霍光以「周公之事」。將周公、霍光連成一線，則在荀悅政治思想中，允許一可受天子旌旗甚至可爲廢立之事的權臣存在；再將周公、霍光、曹操連成一線，儘管廢立之事有「天子失道」的條件，絕非常制，但，不在言詞中責備霍光，等同默許曹操在非常之時行廢立之事。然而，這可能僅是荀悅思想內部的漏洞，不代表荀悅認真地如此認爲，考諸荀悅其他思想，亦恐不合。此番矛盾，列於註腳，姑備一說。

都提出了改革的方法，無一不談改變。推其初衷，都是要面對當時的政治問題，希望能夠「補綻決壞」。崔寔《政論》說得很清楚：

> ……且濟時拯世之術，豈必體堯蹈舜然後乃理哉？期於補綻決壞，
> 枝柱邪傾，隨形裁割，要措斯世於安寧之域而已。故聖人執權，遭
> 時定制，步驟之差，各有云設。不彊人以不能，背急切而慕所聞也。
> 〔註88〕

爲了解決現實政治的問題，並且在「不彊人以不能」的務實前提下，崔寔以「聖人執權，遭時定制」作爲制度變革的理論依據，主張只要有用於世的政策，即可使用，不必拘泥於「體堯蹈舜」。並且，這種改變一方面絕對必要，另一方面，這種變動並非只是制度上的變動，而是王道與霸道，即政治理念層次的變動：

> 昔孔子作《春秋》，褒齊桓，懿晉文，歎管仲之功。夫豈不美文、武
> 之道哉？誠達權救敝之理也。故聖人能與世推移，而俗士苦不知變，
> 以爲結繩之約，可復理亂秦之緒，《干戚》之舞，足以解平城之圍。
> 〔註89〕

崔寔認爲，《春秋》讚美齊桓公、晉文公，《論語》讚美管仲輔佐桓公而「霸諸侯，一匡天下」，〔註90〕當然不表示孔子不重視聖王之道，只是考量當下的情況，必須要「達權」以「救弊」。從前述對「體堯蹈舜」的否定，到此處藉孔子之言對齊桓公、晉文公以及管仲的讚美，崔寔的目的在於帶出其「參以霸政」的主張：

> 量力度德，《春秋》之義。今既不能純法八代，故宜參以霸政，則宜
> 重賞深罰以御之，明著法術以檢之。〔註91〕

「達權救弊」的具體行爲，是要「參以霸政」。換個方向來說，崔寔的權變理論，是爲自己的霸政思想辯護。此外，「今既不能純法八代」之「今」，並不是實指當下社會的情況，而是「古」的對比，指的是無論如何，都已無法純法八代，因此，崔寔之「權」並不只是對應東漢中後期政治社會亂象的權宜之計，而是永久的改制，最終目標只有一個，就是「措斯世於安寧之域」。若

---

〔註88〕 〔漢〕崔寔著，孫啓治校注：《政論校注》，〈闕題一〉，頁38。
〔註89〕 同前註，頁62。
〔註90〕 〔宋〕朱熹：《論語集注》，收入《四書集注》（台北：大安出版社，1994），卷7，〈憲問〉，頁213。
〔註91〕 〔漢〕崔寔著，孫啓治校注：〈闕題二〉，《政論校注》，頁57。

以社會安寧爲唯一標準，則此「權」就沒有既定立場，也沒有底限，可以完全地背離儒家傳統。

相較之下，仲長統則是將「常道」與「權宜」劃分，並且認爲「權宜」只適用於某種情境之下。《昌言‧理亂》：

> 德教者，人君之常任也，而刑罰爲之佐助焉。古之聖帝明王，所以能親百姓、……寔德是爲，而非刑之攸致也。至於革命之期運，非征伐用兵，則不能定其業；奸宄之成群，非嚴刑峻法，則不能破其黨。時勢不同，所用之數亦宜異也。教化以禮義爲宗，禮義以典籍爲本。常道行於百世，權宜用於一時。〔註92〕

此論與崔寔同樣都是主張「時勢不同，所用之數宜異」，也同樣都是針對「德教」或「重法」這種高層次的治國大原則論題，仲長統卻明白地指出「德教」才是「人君之常任」、「常道」，而「嚴刑峻法」只是「權宜」，只能「用於一時」。言下之意，在行權宜之計的同時，不能因而否定「德教」的重要性，「德教」方是治國之正道。

仲長統在治國方略上，嚴守儒家立場，然而，面對某些制度，仲長統也一樣主張要應時而變。《昌言‧損益》：

> 作有利於時，制有便於物者，可爲也。事有乖於數，法有玩於時者，可改也。故行於古有其跡，用於今無其功者，不可不變。變而不如前，易有多所敗者，亦不可不復也。〔註93〕

此段文字寫於「損益」篇之首，說明了〈損益〉對各種「事」、「法」，包括諸侯分封制度、土地制度、肉刑等等議題的態度。這些議題都有可「損益」的空間，但是最基本的治國方略，如任刑法與任德教之間的位階不能改變。

從仲長統的言論當中，可以看到「權變」的兩個層次，即「損益」以及「權宜之計」。「聖人執權」，即「權變」的層次理應有二：其一是審度時勢之後改變制度，即仲長統說的「損益」；其二是基於當下的實際狀況，不得不爲的權宜之計，仲長統眼中因時勢而主張的重刑理念，屬於此類。

## （二）荀悦對政策損益的看法

在探討荀悦關於「損益」及「權宜之計」的理論之前，先看荀悦對於「權

---

〔註92〕〔魏〕仲長統著，孫啟治校注：《昌言校注》，〈闕題一〉，頁321。
〔註93〕同前註，〈損益〉，頁274。

變」的看法。首先，「權變」與「聖人之道」是相通的。《漢紀・孝元皇帝紀下》：

聖人之道，必則天地，制之以五行，以通其變，是以博而不泥。〔註94〕

《申鑒・政體》：

以天道作中，以地道作和，以仁德作正，以事物作公，以身極作誠，

以變數作通。是謂道實。〔註95〕

「變」的基礎是天地、五行，並且是「聖人之道」，這與崔寔的「聖人執權」說法相同。荀悅對於「變」、「通」相當重視，將其列爲「道實」之一。荀悅除了認知道變通的重要性之外，他還深入探究闡述了「變通」的方法，也就是「三術」。《漢紀・高祖皇帝紀二》：

荀悅曰：夫立策決勝之術，其要有三：一曰形，二曰勢，三曰情。

形者，言其大體得失之數也；勢者，言其臨時之宜也，進退之機也；

情者，言其心志可否之意也。故策同事等而功殊者何？三術不同

也。……故曰權不可預設，變不可先圖，與時遷移，應物變化，設

策之機也。〔註96〕

「三術」是判定戰爭情勢的三個切入點，分別是「形」、「勢」、「情」，綜合言之，即對事務當下情況的正確判斷。觀諸荀悅在〈時事〉中對時事權宜之計的判定，雖然荀悅討論三術時皆以戰爭之事爲例，但這套理論不只能用在制訂戰術，顯然也可用於制訂政策。三術思想，是荀悅將權變思想深化，使之能夠有效執行的先決條件。由此，荀悅將源於《周易》中的「權」發展成一套可用於擬定政治及軍事策略的理論。

若將「通變」分成「損益」與「權宜之計」二層次討論，荀悅對於二者的態度可謂截然不同，並且明白二者不可混同。《漢紀・孝景皇帝紀》：

高皇帝刑白馬而盟曰：「非劉氏不王，非有功不侯。不如約者，當天

下共擊之。」是權時之言以脅驕放者而已。夫立王侯必天子也，而

曰天下共擊之，是教下犯上而興兵亂之階也，若後人不修是盟約不

行也。《書》曰：「法惟上行，不惟下行。」若以爲典，未可通也。

〔註97〕

---

〔註94〕〔漢〕荀悅著，張烈點校：《前漢紀》，卷23，〈孝元皇帝紀下〉，頁407。

〔註95〕〔漢〕荀悅著，〔明〕黃省曾注，孫啓治校補：《申鑒注校補》，卷1，〈政體〉，頁24。

〔註96〕〔漢〕荀悅著，張烈點校：《前漢紀》，卷2，〈高祖皇帝紀二〉，頁26。

〔註97〕同前註，卷9，〈孝景皇帝紀〉，頁148。

同書〈孝元皇帝紀中〉：

> 夫赦者，權時之宜，非常典也。〔註98〕

白馬之盟以及大赦，是依照具體情形而成的權宜之計，不可以將其作為常制、視作必然。白馬之盟的相關討論已見前文，〔註99〕至於施行大赦的後果，荀悅雖未論及，但自王符到崔寔，都有差不多的看法，就是使刑罰失去作用。《政論·闕題八》：

> 頃間以來，歲且壹赦。百姓怙忕，輕為奸非。每迫春節，徼倖之會，犯惡尤多。近前年一期之中，大小四赦。諺曰：「一歲再赦，奴兒喑噁。」況不軌之民，孰不肆意。〔註100〕

王符與崔寔的論述相去不遠，刑罰失中，則失去威嚇的作用，致使「惡人昌」、百姓「輕為奸非」。由此看來，荀悅認為大赦不可常行的理由，可能也相去不遠。

　　既然荀悅亦將權宜之計與「常典」分開，那麼對於「常典」的損益，荀悅的想法又是什麼？前已述及，荀悅認為制度來自於經典，這同時也是漢朝統治正當性的來源，是故荀悅對於制度的判準，常常是「典」、「古」以及「禮」。荀悅的「損益」，也就是立於以往的制度，綜合當下的政治情境而成的，因此，荀悅對制度的評論，有復古的傾向，如《申鑒·時事》評論「尚主之制」：

> 尚主之制非古也。釐降二女，陶唐之典；歸妹元吉，帝乙之訓；王姬歸齊，宗周之禮。以陰乘陽違天，以婦凌夫違人。違天不祥，違人不義。〔註101〕

荀悅即以《尚書·堯典》、《易經·泰卦》之爻辭及〈詩序〉之典故，否定當下的制度。此事可說是全然與時事無關，況且尚主之制由來已久，已是漢朝慣例，但荀悅仍然認為「非古也」，由此可見荀悅的復古心態。另外，荀悅對於復仇的評論，便具體地顯現了必須考量古義，以損益制度的傾向。《申鑒·時事》：

---

〔註98〕〔漢〕荀悅著，張烈點校：《前漢紀》，卷22，〈孝元皇帝紀中〉，頁388。
〔註99〕見本文第3章第3節。
〔註100〕〔漢〕崔寔著，孫啓治校注：《政論校注》，〈闕題八〉頁159。
〔註101〕〔漢〕荀悅著，〔明〕黃省曾注，孫啓治校補：《申鑒注校補》，卷2，〈時事〉，頁103。

> 或問復讎。「古義也。」曰：「縱復讎可乎？」曰：「不可，」曰：「然
> 則如之何？」曰：「有縱有禁，有生有殺，制之以義，斷之以法，是
> 謂義法並立。」曰：「何謂也？」「依古復讎之科，使父讎避諸異州
> 千里，……弗避而報者無罪，避而報之，殺。犯王禁者罪也，復讎
> 者義也，以義報罪。從王制，順也；犯制，逆也，以逆順生殺之。
> 〔註102〕

李隆獻耙梳文獻，認爲從先民社會開始，復仇便作爲一個人的應盡義務，
並以荀悅此段論述爲例，指出「儒家作爲一重視社會性的思想體系，對復
仇的贊成與否顯得曖昧」，認爲荀悅對復仇的態度呈現了此一矛盾。〔註103〕
李說誠精闢，荀悅思想的主要關懷，是期望恢復社會秩序，因此，理論上
不能容許復仇的存在，但是復仇卻是相當重要的社會倫理，有其源遠流長
的傳統，禮書與《公羊》、《穀梁》多次申述。〔註104〕因此，荀悅透過「制
之以義，斷之以法」，作爲制度與古義之間的妥協。由此可見「古義」的重
要。

另外，《申鑒‧時事》討論肉刑：

> 肉刑古也。或曰：「復之乎？」曰：「古者人民盛焉，今也至寡，整
> 眾以威，撫寡以寬，道也。復刑非務必也，生刑而極死者，復之可
> 也。自古肉刑之除也，斬右趾者死也，惟復肉刑，是謂生死而息民。
> 〔註105〕

肉刑爲古制，接下來立刻問「復之乎」，這種問答方式已經先預設古制較今制
理想。然而，荀悅此論，具體而微地顯示了荀悅「權變」的過程。復肉刑與
否，考量點有二，其一是當時人口過少，不宜用重刑，故不應用肉刑。唯一
可復肉刑的理由，是因廢肉刑之後，刑罰只有極輕與極重，輕刑不足以罰，

---

〔註102〕 〔漢〕荀悅著，〔明〕黃省曾注，孫啓治校補：《申鑒注校補》，卷2，〈時事〉，
頁72。

〔註103〕 李隆獻〈復仇觀的省察與詮釋——以《春秋》三傳爲中心〉，《臺大中文學報》
第22期（2005年6月），頁105～109。

〔註104〕 包括《禮記‧曲禮上》明言的「父之讎，弗與共戴天；兄弟之讎，不反兵；
交遊之讎，不同國」，及〈檀弓上〉「子夏問於孔子曰：「居父母之仇如之何？」
夫子曰：「寢苫枕干，不仕，弗與共天下也；遇諸市朝，不反兵而鬥。」」等等，
說詳前註李隆獻文。

〔註105〕 〔漢〕荀悅著，〔明〕黃省曾注，孫啓治校補：《申鑒注校補》，卷2，〈時事〉，
頁168。

所以官吏執行刑罰時會故意加重，使得「生刑極死」。荀悦雖以古制爲好，但仍透過判斷社會狀況，做出相應的主張。

同樣被拿來作爲標準的，除了「古」之外，還有「典」及「禮」。《漢紀·孝哀皇帝紀上》：

> 荀悦曰：丞相三公之官，而數變易，非典也。……詩云：「夙夜匪懈，以事一人。」一人者謂天子也，自上已下，必參而成位。易曰鼎足，以喻三公，所以參事統職，立官定制，三公蓋其宜也。〔註106〕

同書〈孝武皇帝紀三〉：

> 荀悦曰：丞相始拜而封，非典也。夫封必以功，不聞以位。孔子曰：「如有所譽，必有所試矣。」譽必待試，況於賞乎！〔註107〕

對於丞相與三公制度屢改，以及公孫弘先拜相再封侯，荀悦分別引《詩》、《易經》與《論語》，認爲二者都不合乎「典」的規範。另外，《漢紀·孝文皇帝紀下》中，荀悦評論文帝廢除天下爲君王服喪，言：

> 《書》云：「高宗諒闇，三年不言。」孔子曰：「古之人皆然。」「三年之喪天下之通喪」。由來者尚矣。今而廢之，以虧太化，非禮也。雖然以國家之重，慎其權柄，雖不諒闇，存其大體可也。〔註108〕

儘管荀悦明言廢諒闇三年有「以虧太化」的疑慮，有其政治上的實效考量，但荀悦反對此變革的最主要原因，可能還是因爲諒闇三年是「由來者尚矣」的「禮」。事實上，荀悦自己也說，要繼任君主做到「三年之喪，君不言」，〔註109〕實在有困難，然而荀悦仍然堅持「存其大體」，可見荀悦對古義之執著。

雖然荀悦對古、典與禮，即古聖先賢所傳下的體制有所執著，然而他並不是完全死守著傳統。從他對諒闇三年、肉刑以及復仇的看法，可見他雖以古義爲上，但仍會透過三術考量時宜，並做出相應的調整，即「損益」。《漢紀·孝文皇帝紀上》，荀悦總結「損益」的方式：

> 聖王之制，務在綱紀，明其道義而已。若夫一切之計，必推其公義，度其時宜，不得已而用之，非有大故，則不由之。〔註110〕

任何的「制」，都必須以「道義」爲內涵，「一切之計」，一定要合乎公眾的利

〔註106〕〔漢〕荀悦著，張烈點校：《前漢紀》，卷28，〈孝哀皇帝紀上〉，頁28。

〔註107〕同前註，卷12，〈孝武皇帝紀三〉，頁199。

〔註108〕同前註，卷8，〈孝文皇帝紀下〉，頁127。

〔註109〕李學勤主編：《禮記正義》，收入《十三經注疏》，卷63，〈喪服四制〉，頁1956。

〔註110〕〔漢〕荀悦著，張烈點校：《前漢紀》，卷7，〈孝文皇帝紀上〉，頁97。

益，以及審視可行性，非不得已，不得改變。「非有大故，則不由之」的理由，荀悦《申鑒・雜言下》的議論，可爲呼應：

> 君子所惡乎異者三：好生事也，好生奇也，好變常也。好生事，則多端而動衆；好生奇，則離道而惑俗；好變常，則輕法而亂度。故名不貴苟傳，行不貴苟難。權爲茂矣，其幾不若經；辯爲美矣，其理不若絀；……。〔註111〕

荀悦直接判分「經」與「典」的重要性，明言「權爲茂矣，其幾不若經」，權變有其重要性，但是不能與常制相比，「好變常」的結果將是「輕法亂度」。由本章第一節荀悦對君主須「正己」、「作民則」的主張觀之，認爲不按制度行事將影響價值觀、破壞制度，荀悦強調「經」的重要性遠大於權，是合乎荀悦一貫思想的。

## （三）荀悦對權宜之計的看法

荀悦對於古制有其執著，但也與仲長統一樣，以古制爲基礎，並能夠審量時勢、度其時宜而損益之。既以「道義」爲基礎，表示任何制度的改變，都有其底限，非如崔寔所主張的，只要「措斯世於安寧之域」的目的達成，就可「隨形裁割」。然而，對於制度的損益，誠然可以古義與現實狀況折衷，但萬一碰上了緊急狀況，須用「權宜之計」時，荀悦對於權宜之計的限制範圍又有多大？

荀悦的「三術」理論既言「權不可預設，變不可先圖」，那麼「權宜之計」的範圍勢必非常廣大，按照荀悦的說法，甚至到了「無制」的地步。《申鑒・時事》：

> 赦令，權也。或曰：「有制乎？」曰：「權無制。制，其義；不制，其事。〈巽〉以行權，義，制也。權者反經，無事也。」問其象。曰：「〈無妄〉之災，〈大過〉凶，其象矣。不得已而行之，禁其屢也。」曰：「絕之乎？」曰：「權曰宜，弗之絕也。」〔註112〕

此段文詞甚艱澀，〔註113〕但仍可看出幾個重點：首先，既然權宜是要視「三

---

〔註111〕〔漢〕荀悦著，〔明〕黃省曾注，孫啓治校補：《申鑒注校補》，卷 5，〈雜言下〉，頁 188。

〔註112〕同前註，卷 2，〈時事〉，頁 101。

〔註113〕此論言「權者反經，無事也」及「無妄」、「大過」與權變的關係，實難以解釋。孫啓治《校補》認爲「舉『無妄』、『大過』，謂遭不測之災變而行大赦，

術」而定，當然不能遵循既有教條，是以「權無制」。然而，「權無制」並不是完全沒有規範，「制其義，不制其事」，即對於事務本身的目的有所規範，而事務的實際處理方式，則不能，也無法規範。

權宜之計既然「無制」，那麼在什麼情況之下才能使用權宜之計？荀悅引《易‧繫辭》的「巽以行權」說明。《九家易》如此解釋「巽以行權」：〔註114〕

> 《九家易》曰：巽象號令，又為近利。人君政教進退，釋利而為權也。《春秋傳》曰：權者，反於經然後有善者也。〔註115〕

「巽象號令」是荀爽解釋巽卦〈象傳〉的說法，〔註116〕「又為近利」則未詳所出。《九家易》將「近利」與「號令」綜合，並引《春秋公羊傳》說的「反於經然後有善者也」解釋。「反於經然後有善者也」出自《公羊傳‧桓公十一年》評論祭仲之賢，其言曰：

> 何賢乎祭仲？以為知權也。其為知權奈何？……莊公死已葬，祭仲將往省于留，涂出于宋，宋人執之，謂之曰：「為我出忽而立突。」祭仲不從其言，則君必死、國必亡；從其言，則君可以生易死，國可以存易亡。……古人之有權者，祭仲之權是也。權者何？權者反於經，然後有善者也。權之所設，舍死亡無所設。行權有道，自貶損以行權，不害人以行權。殺人以自生，亡人以自存，君子不為也。

〔註117〕

祭仲受宋莊公的威脅，趕走昭公姬忽，改立姬突為君。《春秋公羊傳》盛讚此行為，認為祭仲如此作為雖然使自身背負罵名——如《春秋穀梁傳》評論祭仲「死君難，臣道也。今立惡而黜正，惡祭仲也。」〔註118〕——卻使得鄭國

---

為亂世之象，故下文曰『不得已而行之，禁其屢也』。」似乎流於牽強。受限於學力，但存闕疑，以俟來者。

〔註114〕《九家易》作者難考，然從歷代目錄觀之，與荀爽關係匪淺。《隋書‧經籍志》將其錄為《周易荀爽九家注》；唐代陸德明的《經典釋文》錄為《荀爽九家集注》；《舊唐書‧經籍志》及《新唐書‧藝文志》錄為《荀氏九家集解》。是否是荀爽所編纂無考，但至少與荀爽關係密切，以荀悅和荀爽的關係，荀悅很可能參考了《九家易》的說法。

〔註115〕〔唐〕李鼎祚：《周易集解》（台北：台灣學生書局，1967），卷16，頁257。

〔註116〕巽卦〈象傳〉解釋巽卦之象，言「隨風，巽。君子以申命行事。」荀爽曰：「巽為號令，兩巽相隨，故申命也。法教百端，令行為上，貴其必從，故曰行事也。」書同前註，卷11，頁189。

〔註117〕李學勤主編：《春秋公羊傳注疏》，收入《十三經注疏》，卷5，頁113～114。

〔註118〕同前註，卷4，頁59。

「以存易亡」，姬忽「以生易死」。祭仲此行爲的確「反於經」，但並沒有觸犯《春秋公羊傳》的底限，未使國君死亡。就結果來說，祭仲的權變作法可說是保存了鄭國及鄭昭公。

就此事，《春秋公羊傳》對於權的定義是「反於經，然後有善者也」，意即違背傳統作法，但結果是好的。然而，《春秋公羊傳》也並不是對「權」毫無節制，至少此處就認爲「權」的實行要「不害人」，祭仲雖然做出了對鄭國看似不利的事，最後卻將罵名集中在自己身上，並使鄭國延續了下去，顯示其捨己爲鄭的心態，這是《春秋公羊傳》所讚許的。

從《春秋公羊傳》此例來看，權宜之計的施用範圍相當廣泛，只要不是爲自己考慮，而是爲國家考慮，並且最後結果是好的，即符合其「道」，這與《九家易》對「巽以行權」的另一解釋「近利」似乎相呼應。由此看來，權宜之計「制其義，不制其事」的原則，落實成爲行爲時，很可能就會與荀悅的其他思想有落差。

且看一例，《漢紀·孝元皇帝紀下》載宣帝時，大臣討論是否應封矯制殺莎車王的馮奉世，荀悅的意見是：

> 夫矯制之事，先王之所慎也，不得已而行之。若矯大而功小者，罪
> 之可也；矯小而功大者，賞之可也；功過相敵，如斯而已可也。權
> 其輕重而爲之制，宜焉。〔註119〕

荀悅認爲，「矯制」的後續處理方式，必須視最後的結果而定。這與荀悅在他處所展現的思想顯然有所不同，從本文第三章第三節的舉例即可知，荀悅十分重視天子的權威，「矯制」一事對於荀悅來說，應該是不可接受的。〔註120〕反而，《漢紀》記載時任少府的蕭望之的意見，比較像荀悅的意見：

> 奉使有所指，而擅矯制違命。今封奉世關內侯，後奉使者競逐利，
> 要功於夷狄，爲國家生事，不可長也。〔註121〕

蕭望之認爲，「奉使」一事本有其規範，本來就不包含「矯制」，這是從馮奉世受君命的角度說的。蕭望之另提出一個論點，即馮奉世矯制若受封賞，意味著「矯制」一事只要成果夠好，就是可行的，會讓後來的奉使者一心求功，如法炮製。蕭望之指出這件事會「爲國家生事」，「奉使者競逐利」，

---

〔註119〕〔漢〕荀悅著，張烈點校：《前漢紀》，卷23，〈孝元皇帝紀下〉，頁403。

〔註120〕見本文第3章第3節。

〔註121〕〔漢〕荀悅著，張烈點校：《前漢紀》，卷23，〈孝元皇帝紀下〉，頁403。

這反而是荀悅應該要有的意見。從此例可見,在面對權宜之計「制其義,不制其事」的原則時,荀悅既有的立場,是可以退讓的,從此可見「權宜之計」的範圍。

## (四)權變的時代意義

荀悅兩種層面的「權變」,顯示荀悅思想的彈性。一方面,荀悅是復古的,但能夠根據時宜損益制度;另一方面,在「有大故」的時候,荀悅理想中的「權宜之計」,也可以只重視國家利益,而容許本來不能容許的作法。荀悅對權變思想的闡述、應用之深,不是崔寔、仲長統能夠相提並論的。說到底,崔寔與仲長統提出「權變」的原因,只是為自己的改革背書,但在荀悅的思想中,「權變」本身就是一重要的概念,有其體系。但是,若將「權變」思想,尤其是「權宜之計」,置於荀悅所處的政治環境中,我們或可看到此思想的另一風貌。

與崔寔、仲長統不同,荀悅有時面對一項實際的政策,會有其評論,但不會下結論,如《申鑒·時事》論「州牧、刺史、監察御史」的優劣問題:

> 或問曰:「州牧,刺史,監察御史,三制孰優?」……今郡縣無常,
> 權輕不固,而州牧秉其權重,勢異於古,非所以強幹弱枝也,而無
> 益治民之實,監察御史斯可也。若權時之宜,則異論也。〔註122〕

監察御史比較合乎「強幹弱枝」的標準,這是荀悅所肯定的,然而,最後卻又加上「若權時之宜,則異論也」。同樣,在《漢紀·孝宣皇帝紀四》,荀悅也是先說自己對匈奴王是否應位列諸侯王上的意見,再說「權時之宜」:

> 望之欲待以不臣之禮,加之王公之上,僭度失序,以亂天常,非禮
> 也。若以權時之宜,則異論矣。〔註123〕

荀悅所說的都是他自己認為應該做的,但最後很可能迫於時宜,而無法達成。這點出所謂的「因應時宜」,很可能是出於無奈而不得不的改變,這個面向或許也與建安朝廷面臨的困境有關。荀悅明辨州牧之制的優劣,卻還是說「若權時之宜,則異論也」,可能是因為建安朝廷無力掌握各地的大小勢力,於是只能被迫接受。

〔註122〕 〔漢〕荀悅著,〔明〕黃省曾注,孫啟治校補:《申鑒注校補》,卷2,〈時事〉,頁65。
〔註123〕 〔漢〕荀悅著,張烈點校:《前漢紀》,卷20,〈孝宣皇帝紀四〉,頁357。

　　「權宜之計」是一種以國家利益爲上的決策方式，荀悅在字裡行間，也暗示了權宜之計所面對的時代狀況。當時的狀況是，建安朝廷並未掌握實權，並沒有太多選擇。上至匈奴王位次問題及州牧制度問題，下至土地制度問題，建安朝廷可能都沒辦法有所作爲，只能「以俟制度」。《申鑒‧時事》：

> 諸侯不專封，富人名田踰限，富過公侯，是自封也。大夫不專地，人賣買由己，是專地也。或曰：「復井田與？」曰：「否。專地非古也，井田非今也。」「然則如之何。」曰：「耕而勿有，以俟制度可也。」〔註124〕

《漢紀》是爲漢獻帝寫的歷史教本，《申鑒》也是寫給國君的教科書，從「耕而勿有，以俟制度」所展現面對時事的態度，荀悅「權宜之計」其實是在暗示漢獻帝，當時的一切無法由建安朝廷決定，必須一切以「權宜之計」爲主。從此推論，荀悅並未明言的最大「權宜之計」，恐怕是在對建安朝廷有利，能夠維繫漢有天下的狀況下，曹操能夠一切從權。只要曹操不爲自己圖謀，並且能夠安天下，並且歸還政權，即符合「權宜之計」的條件。然而，正如《申鑒‧時事》規定「權」的使用方式時所說的：「不得已而行之，禁其屢也」，既然只是權宜之計，那麼並不能長久地下去，說到底，「權宜之計」與常典還是有所區隔的。

　　從這個角度說，或可一探荀悅思想的時代意義。荀悅是忠於漢朝廷的，就其尊君主張而言，並不允許權臣奪權，但在東漢末期，其形勢不容許荀悅死守著尊君思想。曹操的確奪走了實權，但那也未嘗不是安天下之所必須，若除去曹操，對建安朝廷並沒有好處。荀悅必須要提出一理論，使曹操掌權的情況變得合理，此舉並不一定是爲了曹操，也很可能是爲了漢朝的前途著想。而就結果來說，在建安朝廷未有實權的狀況下，荀悅的權變思想，尤其是「權宜之計」，反映了建安朝廷面臨的問題，也提出了解決「曹操掌權」這個不應存在的狀況的解釋，這可說是荀悅思想的時代性的體現。

# 小　結

　　荀悅的君道思想，是荀悅思想中相當重要的部分。與綜合第三章所述的

---

〔註124〕〔漢〕荀悅著，〔明〕黃省曾注，孫啓治校補：《申鑒注校補》，卷2，〈時事〉，頁78。

荀悅重視君權的思想，可以完整地認識荀悅的君主觀。簡而言之，荀悅希望將權力集中在明君的手上，而此明君的身邊，必然會充滿賢臣，一方面輔佐君主處理政務，一方面使君主不爲「邪僻之氣」所侵。因此，荀悅一方面要讓權力集中到君主手上，以宣稱漢朝有天命的方式，重新論證正統；另一方面，也要面對東漢中期以降，尤其是桓靈時代的問題：君主重私，造成漢末秩序崩毀的局面。

荀悅對人君最基本的要求，就是要「爲民則」。第三章論「本乎眞實」，已提及「本乎眞實」的重要性，在於建立上下之間的互信基礎，方能重新建立制度。〔註125〕「爲民則」的概念亦同，荀悅言「天作道，皇作極」，主張君主應作爲人民之準則，也借孔子「政者，正也」之語，言「要道之本，正己而已矣」。

荀悅主張君主必須要「學」。此「學」除了激發君主的志氣以修德之外，也有著實際的功用，即學習治國之方法。在「學」的過程中，爲求博通，士人扮演了相當重要的角色。

除了扮演使君主博通，也就是知識傳遞的角色外，荀悅也認爲賢臣是使君主能夠「致聖」的環境之一。荀悅心目中，人君的理想環境是「檢柙之臣，不虛於側；禮度之典，不曠於目；先哲之言，不輟於身；非義之道，不宣於心」，〔註126〕這樣「邪僻之氣」就不會有任何可以侵蝕人君心靈的機會。桓靈時代，宦官受到重用，這可能是東漢衰敗之關鍵，是故荀悅相當重視君主能否用賢的問題。

關於用賢的問題，荀悅探討了「知賢」的方法，以及以「公」、「明」，即唯義是從，不任所愛的態度任賢。儘管荀悅最終留下了一些無從解釋的問題及矛盾，但荀悅的思考脈絡以及主張還是相當清楚的，君主須用賢，除了輔佐處理政務之外，也透過接觸賢臣，使君主自身不致墮落。

當然，希望君主修德是積極的想法。但是，更應該面對的是，萬一君主不從——以荀悅對於人性的看法，享盡榮華的君主，很有可能不從——應該有什麼限制君主的方式？首先，荀悅在透過「典」與「道」宣稱漢朝的正統性時，也同時將此二者成爲君主理所當然的規範，同時以「養民」作爲「天

〔註125〕說詳本文第3章第4節。
〔註126〕〔漢〕荀悅著，〔明〕黃省曾注，孫啓治校補：《申鑒注校補》，卷4，〈雜言上〉，頁143。

命」的內容，並且進一步帶出君民的「相報之義」，以作爲對人君的警戒及規範。

其次，荀悅將「夾輔」本有的涵義，即「藩屛京師」、「尊事天子」，與「自行征伐之權」，擴充到「天子失道，諸侯正之」。認爲諸侯不僅僅是分土治民，也有在天子失道時「正之」的責任。這個主張，與荀悅廢州牧、立監察御史的主張，以及「強幹弱枝」的主張相違背。這個矛盾，似乎代表著荀悅非常重視君主失道的問題，以至於無視賦予諸侯「正失道天子」的權力所帶來的後遺症。

同時，荀悅也提高了「臣」的位階，認爲臣子的重要性與君主相同，接近先秦儒家「君待臣以禮，臣事君以忠」的觀念，並且，在極端狀況時，荀悅默許權臣行廢立之事。

在本文的最後，談論的是荀悅的權變思想。荀悅的權變思想不同於崔寔、仲長統以權變作爲改制的理論基礎，荀悅的權變思想本身就有一體系，包括以形、勢、情「三術」判讀當下狀況，用以作爲權變可行性的評估。本文將荀悅的權變思想分作二個面向，一爲對制度的損益，二爲因時勢而行的權宜之計，荀悅對於此兩者，都主張要合於道，並且不能時常施行。對於制度的損益，荀悅希望能夠以古義結合現實狀況；但對於權宜之計，荀悅則在立場上有更大的退讓。在荀悅的想法中，權宜之計只要合乎國家的利益，而非爲私人謀福利，並且最後的結果的確對國家有利，即可實行。本文推論，荀悅的權宜之計很可能是針對曹操掌權所說的。由此，從理想天子觀，到對君權的警戒及限制，以及最後的權變理論，荀悅可說是完整地反映並回應了從漢末到建安年間的問題，荀悅思想的時代性於是浮現。

# 第五章　結　語

　　觀諸前人的研究，陳啓雲《荀悅與中古儒學》及其餘諸篇文章已從荀悅所處的時代、荀悅的身份，剖析荀悅思想與儒學之間的關係；程宇宏《荀悅治道思想研究》則全面解析荀悅思想的內部，論及荀悅思想的淵源。無論是從外部、內部看待荀悅思想，似乎都已非常完備，然而，結合荀悅所經歷的生平經驗、荀悅的儒學背景，以及荀悅在建安朝廷供職的狀況，並且深入探討荀悅對當時政治問題的回應，仍無較深刻的剖析。本文的撰作，也圍繞著此一目的而展開。

　　荀悅生於桓帝初年，正是梁冀權勢滔天之時，荀悅的祖父荀淑本爲地方豪族，受杜喬、房植之舉對策，「譏刺貴倖」，已在清流士人中打響名號，「當世名賢李固、李膺等皆師宗之」。〔註1〕荀悅的父輩，以激烈的方式，在清濁之爭中，對抗宦官勢力，熹平五年（176），第二次黨錮之禍，荀昱被殺，荀曇則被禁錮終身，東漢朝廷「於是又詔州郡更考黨人門生故吏父子兄弟，其在位者，免官禁錮，爰及五屬」〔註2〕，將參與清議的士人，排除在官僚制度外。

　　荀悅及其叔父荀爽，都在禁錮令範圍之內。在禁錮期間，荀爽「隱於海上，又南遁漢濱，積十餘年，以著述爲事」，〔註3〕荀悅更是低調，「乃託疾隱居，時人莫之識」，〔註4〕在其四十八歲出仕以前，全無紀錄。

---

〔註1〕〔劉宋〕范曄著，〔唐〕李賢等注：《後漢書》，卷62，〈荀韓鍾陳列傳〉，頁2049。
〔註2〕同前註，卷67，〈黨錮列傳〉，頁2189。
〔註3〕同前註，卷62，〈荀韓鍾陳列傳〉，頁2056。
〔註4〕同前註，頁2058。

直到建安元年（196），荀悅終於出仕，並且得以在皇帝左右。然而，他面對的時代已不是主荒政謬的桓靈時代，某方面來說，剛好相反。建安朝廷手上，早已沒有實權，秩序已經改變，天下實質上已經非歸漢有。清議士人結黨「激濁揚清」，對抗腐敗政權時代已經過去，在漢廷裡的荀悅，面對的是群雄割據，互相攻伐的時局，建安朝廷卻沒有力量阻止。

如何恢復秩序？如何喚醒人們對漢朝廷的忠誠？荀悅選擇的方法，是一個看似迂腐，卻的確是沒有辦法中的辦法：他藉由爲漢獻帝寫《漢紀》時，宣稱漢朝仍有正統，並大聲疾呼漢朝仍有天命，以對抗欲以智、力求取神器的各方勢力。

荀悅以「典」字的使用宣稱漢朝之有天命，並藉由「天人三勢」說，一方面引班彪〈王命論〉指出篡奪漢朝的天命是「雖加之人事不可成者」，確保漢朝之有天命；另一方面也確保人事的能動性。

荀悅雖然積極地宣稱漢朝之有天命，然而觀諸荀悅思想的內涵，相較於天命，荀悅更注重人事，其實與主張「人事爲本，天道爲末」的仲長統相同。二者思想實可推出一樣的結論，但荀悅並未明確地說出「人事爲本，天道爲末」，因爲如此宣稱將使得漢朝之有天命變得不重要，以一己實力逐鹿天下將變得合理。由於荀悅重視人事過於重視天命，因而荀悅宣稱漢朝之有天命，除了「宣稱」之外，並無法強力地論證，這也成爲荀悅天人關係思想中的一個理論上的漏洞。

從「宣稱漢朝之有天命」的角度深入，可以發現荀悅透過對郭解、貫高的評論，以及「唯器與名不可以假人」的觀念、「王者無外」、「強幹弱枝」的觀念，都是主張天子應擁有絕對的權威，此權力不容許旁人篡奪。若從「重視人事」的角度再探索荀悅思想，荀悅也透過「政體」思想，以「法教」爲方式，提出一重建秩序的理論。從這點上來看，荀悅實是一位關注現實政治的思想家，並且重視人事，超過天命。

荀悅既然宣稱漢朝擁有天命，並有那麼多積極救世的主張，那他勢必要回過頭面對一個老問題，即桓靈時代皇帝及宦官濫權的問題。當荀悅主張強幹弱枝、「器與名不可以假人」，使權力集中於君主時，荀悅必須確保桓靈時代主荒政謬的情形不再重演。於是，荀悅思想中也強調，皇帝須「由教戒，因輔弼」，修養自身，爲此，荀悅認爲皇帝應任用賢臣，並培養任用賢臣的能

力以及度量。並且，荀悅也讓君臣之間的關係回歸到「義」，某種程度上來說，這是提高了臣子的位置，使之與君主同等重要。

此外，荀悅雖然重視君主的權力，仍然有其限制君權的主張，以防止君主濫用權力。限制的方法，包括了人君與民之間的「相報之義」，以及主張建立諸侯，以夾輔王室，最後，在極特殊的狀況下，荀悅甚至能夠默許權臣操作廢立。

荀悅思想最具有時代性，也最特殊的地方，可能是他的權變思想。仲長統與崔寔，都將「權變」拿來為自己的政治理論背書，荀悅則否。荀悅的權變思想有其理論，有審時度勢的「三術」，並將權變分作對政策的損益，以及權宜之計。

本文企圖透過對荀悅「天人關係」及「君道思想」的剖析，給予荀悅思想一脈絡，深入探討荀悅對於後漢政治形勢的反映及回應。希望透過本文，讓荀悅思想的脈絡更加明晰，更希望能夠打開荀悅研究的另一視角，甚至賦予荀悅思想新的風貌。然而，研究荀悅思想的門檻不低，首先，荀悅思想多佚少存，所存者恐怕也有文字上的問題，解讀不易；其次，荀悅是一位期望經世致用的儒者，信手拈來，盡是經典之義，並一己想法「損益」，若無經學底子，實在難以全盤掌握。筆者受限學力，很多問題無法交切處理，本文只得權充一說，以為來者的踏腳石。

# 引用書目

## 一、古籍

### （一）經部

1. 屈萬里：《尚書集釋》（台北：聯經出版社，1983 年）。
2. 李學勤主編：《周禮注疏・春官宗伯》，收入《十三經注疏》（台北：台灣古籍出版公司，2001 年）。
3. 李學勤主編：《禮記正義》，收入《十三經注疏》（台北：台灣古籍出版公司，2001 年）。
4. 〔魏〕王弼、〔晉〕韓伯：《周易王韓注》（台北：大安出版社，1999 年）。
5. 〔唐〕李鼎祚：《周易集解》（台北：台灣學生書局，1967 年）。
6. 李學勤主編：《春秋公羊傳注疏》，收入《十三經注疏》（台北：台灣古籍出版公司，2001 年）。
7. 李學勤主編：《春秋穀梁傳注疏》，收入《十三經注疏》（台北：台灣古籍出版公司，2001 年）。
8. 李學勤主編：《春秋左傳注疏》，收入《十三經注疏》（台北：台灣古籍出版公司，2001 年）。
9. 〔宋〕朱熹：《論語集注》，收入《四書集注》（台北：大安出版社，1994 年）。

### （二）史部

1. 〔漢〕荀悅著，張烈點校：《兩漢紀》（北京：中華書局，2005 年）。
2. 〔漢〕班固著，〔唐〕顏師古注：《漢書》（北京：中華書局，1965 年）。

3. 〔晉〕陳壽著，〔劉宋〕裴松之注，盧弼集解：《三國志集解》（上海：上海古籍出版社，2009 年）。

4. 〔晉〕袁宏著，張烈點校：《後漢紀》（北京：中華書局，2002 年）。

5. 〔劉宋〕范曄著，〔唐〕李賢等注：《後漢書》（北京：中華書局，1965 年）。

6. 〔唐〕馬總輯：《意林》，收入《百部叢書集成》（板橋：藝文印書館，1966 年）。

7. 〔唐〕劉知幾著，〔清〕浦起龍通釋：《史通通釋》（上海：上海古籍出版社，2009 年）。

8. 〔唐〕杜佑：《通典》（杭州：浙江古籍出版社，1988 年影印《萬有文庫》本《十通》）。

9. 〔宋〕司馬光著，〔元〕胡三省注：《資治通鑑》（北京：中華書局，1956 年）。

10. 〔清〕王夫之：《讀通鑑論》（北京：中華書局，1975 年）。

11. 〔清〕趙翼：《廿二史箚記》（上海：上海古籍出版社，2011 年）。

12. 〔清〕皮錫瑞著，周予同校釋：《經學歷史》，收入林慶彰主編：《民國時期經學叢書》（台中：文听閣，2008 年）。

13. 〔周〕左丘明著，〔吳〕韋昭注：《國語》（上海：上海古籍出版社，1978 年）。

14. 錢穆：《國史大綱》（台北：商務印書館，1995 年（修訂三版））。

15. 周天遊：《八家後漢書輯注》（上海：上海古籍出版社，1986 年）。

## （三）子部

1. 〔漢〕董仲舒著，蘇輿注：《春秋繁露義證》（北京：中華書局，1992 年）。

2. 〔漢〕班固著，〔清〕陳立疏證：《白虎通疏證》（北京：中華書局，2012 年）。

3. 〔漢〕崔寔著，孫啓治校注：《政論校注》（北京：中華書局，2012 年）。

4. 〔漢〕荀悅著，〔明〕黃省曾注，孫啓治校補：《申鑒注校補》（北京：中華書局，2012 年）。

5. 〔魏〕仲長統著，孫啓治校注：《昌言校注》（北京：中華書局，2012 年）。

6. 〔晉〕葛洪著，楊明照校箋：《抱朴子外篇校箋》（北京：中華書局，1991 年）。

7. 〔劉宋〕劉義慶著，〔梁〕劉孝標注，余嘉錫箋疏：《世說新語箋疏》（上海：上海古籍出版社，1993 年）。

（四）集部

1. 俞紹初輯校：《孔融集》，收入《建安七子集》（北京：中華書局，2005 年）。

2. 〔宋〕郭茂倩：《樂府詩集》（北京：中華書局，1979 年）。

## 二、近人論著

### （一）專書

1. 張師蓓蓓：《東漢士風及其轉變》（台北：國立台灣大學出版委員會，1985 年）。

2. 閻步克：《察舉制度變遷史稿》（瀋陽：遼寧大學出版社，1991 年）。

3. 林師聰舜：《西漢前期思想與法家的關係》（台北：大安出版社，1991 年）。

4. 閻步克：《士大夫政治演生史稿》（北京：北京大學出版社，1996 年）。

5. 陳啓雲：《漢晉六朝文化・社會・制度：中華中古前期史研究》（台北：新文豐，1996 年）。

6. 陳啓雲著、高專誠譯：《荀悅與中古儒學》（瀋陽：遼寧大學出版社，2000 年）。

7. 張師蓓蓓：《魏晉學術人物新研》（台北：大安出版社，2001 年）。

8. 陳啓雲：《中國古代思想文化的歷史論析》（北京：北京大學出版社，2001 年）。

9. 程宇宏：《荀悅治道思想研究》（廣州：中山大學出版社，2005 年）。

10. 陳啓雲：《儒學與漢代歷史文化》（桂林：廣西師範大學出版社，2007 年）。

11. 川勝義雄著，徐谷芃等譯：《六朝貴族制社會研究》（上海：上海古籍出版社，2007 年）。

12. 宮崎市定著，劉建英譯：《九品官人法研究：科舉前史》（北京：中華書局，2008 年）。

13. 梁德華：《荀悅《漢紀》新探》（香港：香港中文大學中國古籍研究中心，2011 年）。

14. 楊聯陞：《東漢的豪族》（北京：商務印書館，2011 年）。

15. 林師聰舜：《漢代儒學別裁》（台北：台灣大學出版中心，2013 年）。

### （二）學位論文

1. 陳鏘懋：《漢靈帝時期的政局》（嘉義：嘉義大學史地學系研究所碩士論文，2006 年）。

2. 郭永吉：《自漢至隋皇帝與皇太子經學教育禮制蠡測》（新竹：清華大學中文研究所博士論文，2005 年）。

## （三）期刊論文

1. 劉隆有：〈荀悦鑒戒史觀淺析〉，《中州學刊》1983 年第二期，頁 122。
2. 劉隆有：〈「極爲治之體，盡君臣之義」——荀悦史學思想試析〉，《史學史研究》1983 年第 4 期。
3. 劉隆有：〈試論荀悦《漢紀》中的天命論思想〉，《西南師範學院學報》1984 年第 2 期。
4. 劉隆有：〈試論荀悦撰寫《漢紀》的政治目的〉，《河南大學學報（社會科學版）》1985 年第 1 期。
5. 東晉次：〈後漢的選舉與地方社會〉，收入《日本中青年學者論中國史·上古秦漢卷》（1995 年 12 月）。
6. 程宇宏：〈荀悦思想研究綜述〉，《南都學壇（人文社會科學學報）》2002 年第 6 期。
7. 李隆獻：〈復仇觀的省察與詮釋——以《春秋》三傳爲中心〉，《臺大中文學報》第 22 期（2005 年 6 月）。
8. 黃啓書：〈《漢書·五行志》之創制及其相關問題〉，《台大中文學報》，第 40 期（2013 年 3 月）。

# 從荀子之性惡看道德的潛能與實踐

湯靖雯　著

**作者簡介**

湯靖雯，1988 年 5 月 31 日生，台灣台中人，天主教輔仁大學哲學系碩士班畢業。自小找尋自己存在的意義，渴望有一天能達到隨處體認天理的境界，哲學興趣領域為荀子、心性論與詮釋學，曾發表過〈荀子「化性起偽」之探究〉。

**提　要**

　　因為「我」作為「我」存在著，正如同海德格《存在與時間》對於「存在」的疑問一般，「我」是我自己最熟悉的、卻也是最容易被忽略的對象。本文欲藉由釐清荀子的心性論──即以荀子之性、性惡與心的探討作為基礎，了解荀子之性與心的內涵，及其性惡之所指，試圖從中尋找到人之所以能成為道德人的可能與方法，以及得以實踐的理論基礎；由此返回到「我」自身，掌握自己所擁有的潛能與運行的原因原理，以便能夠尋得使自己更好的發展方向。第一章為緒論，說明了研究動機、目的與方法；第二章釐清荀子之性與惡的指涉與內涵，試圖從中尋找人為善與為惡的潛能及因由；第三章探討荀子之心在性惡論中所佔有的地位，了解荀子是如何在性惡論中，去肯定善的可能；第四章說明化性起偽的原因原理，了解性惡是如何走向善偽，又該如何去實踐；第五章為結論。

# 誌　謝

蘇格拉底：「我只知道一件事，就是我什麼都不知道。」論文從無到有，對荀子從不了解、誤解，到能稍稍進入到他的理論脈絡中，在追求知識與探索自己的過程中，每每體悟到的就是這句話。一個人的思想與價值觀，並非僅是少數人所能造就，正如先哲重視經驗世界與人之間的連結一般，我所見所聞的每一細微資訊，都將成為形塑我的因素。感謝我所閱讀過的每本書作者，接觸過的所有人，以及這廣袤多樣的經驗世界。

感謝父母給予我時間與關懷，讓我能毫無顧慮的追求自己的興趣；感謝哥哥時不時與我探討問題，提供我許多寶貴的意見和想法；感謝輔仁大學哲學系的老師們與助教們，給予我在各方面的知識激盪與幫助；感謝研究所的同學們、學長姐們與學弟妹們，大家一起在探索知識的過程中相互成長與鼓勵，讓學習充滿了歡樂；感謝我的親朋好友對我的關心以及對我論文進度的追蹤；感謝我家的貓—波奇，陪伴我寫論文，關心我的健康，適時地趴在我的資料和鍵盤上，提醒我該休息。

最後，非常感謝游惠瑜老師與張勻翔老師，給予我思想上與論文寫作上許多提點與建議，讓我注意到自己許多思考時忽略掉的部分，或者思考不夠周全及錯誤的地方，真的使我獲益良多！最重要的，要感謝我的指導老師—潘小慧教授，老師在我寫作過程中提供了我許多寶貴的意見與想法，讓我在寫作時能思考的更為開放、深入與完備，亦給予了我撰寫論文極大的自由度，讓我能夠隨心所欲地去寫作與發揮，真的非常感謝老師的指導與關懷。

# 目次

# 第一章 緒 論

## 引 言

> 當你們用到『是』或『存在』這樣的詞，顯然你們早就很熟悉這些
> 詞的意思，不過，雖然我們也曾經以爲自己是懂得的，現在卻感到
> 困惑不安。〔註1〕

海德格在《存在與時間》引用了柏拉圖《智者篇》的一段話作爲導言，提出了「存在的意義」問題，重新探討「存在」此一既熟悉又陌生的概念，他說：

> 人們說：『存在』是最普遍最空洞的概念，所以它本身就反對任何下
> 定義的企圖；而且這個最普遍並因而是不可定義的概念也並不需要
> 任何定義，每個人都不斷用到它，並且也已經懂得他一向用它來指
> 什麼。〔註2〕

筆者於大學期間接觸到海德格的哲學理論，對《存在與時間》所提出的存在的疑問感到震撼，並重新檢視自己學得且一直以來認爲理所當然的知識；研究所期間，接觸到哲學諮商，認識 Elliot D. Cohen 教授提出的「邏輯基礎治療法」（Logic-Based Therapy）〔註3〕，這是運用邏輯三段論證作爲基礎找出錯誤思考與謬誤的方法，在實際與同學演練與有幸參與社區活動與民眾長期交談之

---

〔註1〕柏拉圖《智者篇》244a。轉引自馬丁・海德格：《存在與時間》，北京：生活、讀書、新知三聯書店，2009 年，頁 1。

〔註2〕馬丁・海德格：《存在與時間》，頁 3。

〔註3〕可參考其著作：伊利特・柯恩著，丁凡譯：《亞里斯多德會怎麼做？》，臺北：心靈工坊文化事業股份有限公司，2013。

下，筆者發現，許多想法與推理方式是潛藏在個體思維之下不被察覺的，或受到情緒的干擾，而影響到了理性的判斷和推論。當意識到這點，不禁令筆者重新思考，身為「人」的自己，是作為「自己」生存於世，「自己」應是最了解「自己」的人，但從經驗中來看，就似海德格對於存在的疑問一般，「我」應是最了解「我」的人，我們以「我」自稱，卻不曾重新思考過「我」這個作為自己的存在，自己的本質甚至是定義是什麼，「我」所以是「我」，是否真的即是我一開始所了解的如此這般？許多矛盾的情緒與錯誤的推論即導因於此，我與自我認知甚至是事實之間有一道鴻溝，也正因為「我」作為「我」存在著，所以如同「存在」一般，「我」是最熟悉的卻也是最容易被忽略的對象。

筆者於國中高中求學期間，閒暇之餘接觸到戰略遊戲，在遊戲的輸贏之間，體悟到當自己沒有去偵查、了解到對方的情勢發展，往往就已經輸一半了，且因為未知，自己發展起來也變得縛手縛腳，當能夠明察對方的發展走向與使用的兵種，資訊掌握的越多，越能克敵致勝，這種道理其實放在日常生活中與學習亦然，當我們能先掌握一本書的基本架構，再深入了解內容，便可事半功倍，也更易融會貫通。返回到「我」自身，若是能掌握自己所擁有的潛能與其運行的原理，便能夠找尋使自己更好的發展方向，如廖其發對於教育的省思：

> 縱觀現代的某些理論學說，特別是教育理論盡管理論水平有所提高，但是總感不盡如人意。可謂新的理論其興也微，其亡也忽。就其因，一個十分重要的方面就是缺乏對人自身特別是對古人所講的人性或人天賦素質的研究，缺乏這方面的理論基礎。〔註4〕

故筆者欲對人身為人所本有的潛能材具——「性」，做一原因原理的探討，當懂得了「性」的內涵及其運作原理，當自己能夠更了解自己，就能善用自己生而即有的材具，補足或改進所沒有的缺失；是以本文將以對「性」的了解作為基礎，而以實踐作為開展。

# 第一節　研究動機與研究目的

荀子重理知，以邏輯分析與對經驗世界的驗證發展理論與實踐並重、「坐

---

〔註 4〕廖其發：《先秦兩漢人性論與教育思想研究》，重慶：重慶出版社，1999，頁377。

而言之，起而可設，張而可施行」的理論系統。其所著稱於世的「性惡論」即是對於經驗世界人性現象的觀察所導出，然而，在荀子理論之中，性惡論及重禮尊君思想常爲後人所詬病，後世只見其「性惡論」人性爲惡的主要觀念，而未見「性惡論」肯定人能積僞成善的積極正向層面，而將荀子視爲儒家墮落的源頭。唐「文起八代之衰，道濟天下之溺」之大儒韓愈《讀〈荀子〉》：「孟子，醇乎醇者也，荀與楊，大醇而小疵。」認爲荀子已偏離了孔孟之道統，而將其屛除於儒家正統之外；在荀子性惡論學說的建構發展之下，人所擁有的道德就變成是建立在外學而得的禮義法治之上，進而否決了人的內在道德主體性，被後人視爲重外王、輕內聖之說，使得人沒有了內在道德價值根源。勞思光於其著作《新編中國哲學史（一）》一書中，更將荀子之篇章提爲「荀子與儒學之岐途〔註5〕」。荀子的徒弟——被後世列爲法家之一的李斯，更將荀子之「禮」轉變成了極端的君主法治，更使荀子屢遭後人誤解，視其爲法家的源頭。

　　哲學家之所以提出理論，必然擁有所欲解決之問題，或對所觀察到之現象有所疑問，而開啓了理論的建構，若由此尋思荀子之所以建構其理論的源頭，及其所欲解決之根本問題，實與孔孟如出一轍；如《周易・繫辭傳》中所云：「天下　致而百慮，同歸而殊途。」理論名目雖各異、切入點或不同，然最後所欲解決的問題實是同一，都是爲了國家社會能夠得到太平久治、希望人人皆能夠爲善、不相爲利相害，以解決世間之亂象，使人趨善避惡、國家社會和諧；用荀子的語言來說，則是使國家達致正理平治的狀態。

　　朝代更迭、時空轉移，直至今日，國家社會之太平久治，民生之和平富裕仍是全人類所共同追求的目標與理想，哲學家們受到當時代的時局情勢影響，提出了符合當時代所需求的理論哲學。然而，這些過去所關注而至今仍舊關心、甚或懸而未解的問題，是否能夠藉由汲取前人的智慧，從荀子重視現實與實踐「坐而言之，起而可設，張而可施行」獨特的思考脈絡，在了解與反思的過程中，尋求能對自己、他人甚或是現代社會有所助益的理論價值與實踐方法。觀察於現今之社會亂象與教育上的種種問題，在面對某些倫理道德議題時，發現人們對於「善」「惡」之抉擇上的兩難情形，且作爲價值判斷的「善」與「惡」，隨著不同個體與不同角度的轉換，得出不同的結論。道德倫理並非如數學之一加一般地擁有標準答案，如此一來，如何培養能夠明

─────────────────

〔註 5〕勞思光：《新編中國哲學史（一）》，臺北：三民書局，1988，頁329。

辨是非的道德倫理，就成爲很重要的一環。

　　自己作爲「人」而處在充滿善惡觀感的日常生活當中，每個人在不同所見所聞的經歷之下都擁有其自身建構出來的一套價值系統，筆者由此而對人性之善惡與道德實踐的關聯性感到好奇。究竟人之「性」是什麼？「惡」是什麼，又是從何而來？我們是否能找尋出一種道德實踐的方法，是可以使人內外皆呈現一致的道德修養狀態，使人心智行爲皆能堅定不移的向善？本文欲從了解荀子所假設之人性有惡的情形，即從主張人之性惡的「性惡論」著手，了解人之性的本質，探討在「性惡」的情況之下，還得以能夠「化性起偽」的潛能與運作方法，並由此探討道德實踐的可能。

## 第二節　研究方法與範圍

> 詮釋也許就是人類思維的最基本行爲；生存本身確實可以說是一種
> 從不間斷的解釋過程。〔註6〕

　　語言爲人思考的基礎，也是表達與傳遞訊息的媒介，人皆具有主觀意識，在理解上共有客觀化形式，藉由人與人之間皆具有的人性，人之精神得以相互聯繫。整體是部分的總和，一本著作傳遞作者的思想，從字、句擴展至段落篇章，相互聯結合爲一書，書作爲精神概念的現實，由字與字之意義相串聯而成整體思想，因此從字之多義中，以它所在的位置來確認其在段落中所指涉的意義就顯得重要了。就如《詮釋學》所言：

> 整體的意義必定是從它的個別元素而推出，並且個別元素必須通過
> 它是其部分的無所不包和無所不進的整體來理解。正如一個語詞的
> 含義（signification）、意象（intensity）、字面意義只可以相對於它被
> 說出的意義—語境而被理解，同樣，一個語句以及與之相聯繫的諸
> 語句的含義和意義只能相對對於講話的意義—語境，有機的結構佈
> 局和結論性的相互融貫而被理解。〔註7〕

　　本文在撰寫之前首先對《荀子》一書之〈性惡〉、〈解蔽〉、〈正名〉等與性、心、善、惡、學與修養之範疇相關篇章做段落式與通篇式的閱讀與理解，以把握荀子整體的思想脈絡，並對其使用相關字詞所指涉之義做概念的釐

---

〔註6〕帕瑪著，嚴平譯：《詮釋學》，臺北：桂冠圖書公司，1992，頁9。
〔註7〕哈伯瑪斯、里克爾、海德格等著，洪漢鼎譯：《詮釋學經典文選（上）》，臺北：桂冠圖書公司，2005，頁135。

清，減少在理解上可能出現的誤解與矛盾，〈性惡〉主要爲荀子對心性主要基礎定義與概念想法，〈解蔽〉爲荀子對心如何認識外在事物的可能之論述，〈正名〉則爲荀子對與使用之詞彙與概念的定義與名詞解釋。本文的研究目的爲藉由釐清荀子的心性論——即以荀子之性、性惡與心的探討作爲基礎，試圖從中尋找到人之所以能成爲道德人的可能與方法，以及得以實踐的理論基礎。筆者帶著對此問題的關注與延伸，欲從理解與解釋《荀子》一書原典並整理所蒐集的相關資料，各學者之看法與詮釋，作比較分析，以期在內在化的過程中能對荀子之理論內容有更正確與深入的把握，進而重新思考與建構荀子理論之意義與內涵。

筆者在尋找研究中國哲學之方法論時，發現傅偉勳以詮釋學爲基礎自創「創造的詮釋學」作爲方法論進路，與筆者所欲使用研究方法之理念極爲契合，創造詮釋學有五個辯證層次，分別是：

(1)「實謂」層次：「原思想家（或原典）實際上說了什麼？」（"What exactly did the original thinker or text say?"）；(2)「意謂」層次：「原思想家想要表達什麼？」或「他所說的意思到底是什麼？」（"What did the original thinker intend or mean to say?"）；(3)「蘊謂」層次：「原思想家可能要說什麼？」或「原思想家所說的可能蘊含是什麼？」（"What could the original thinker have said?", or "What could the original thinker's sayings have implied?"）；(4)「當謂」層次：「原思想家（本來）應當說出什麼？」或「創造的詮釋學者應當爲原思想家說出什麼？」（"What should the original thinker have said?", or "What should the creative hermeneutician say on behalf of the original thinker?"）；以及(5)「必謂」層次：「原思想家現在必須說出什麼？」或「爲了解決原思想家未能完成的思想課題，創造的詮釋學者現在必須踐行什麼？」（"What must the original thinker say now?", or "What must the creative hermeneutician do now, in order to carry out the unfinished philosophical task of the original thinker?"）〔註8〕

筆者以此作爲研究本論文的方法和問題思考的脈絡，試圖突破筆者作爲「讀者」所遭遇到的限制。在「實謂」的層次，指的是「停留在純客觀性的

---

〔註8〕傅偉勳：《從創造的詮釋到大乘佛學》，臺北：東大圖書出版社，1990，頁 10～12。

語辭呈現狀態，祇呈現爲『樸素的原始資料』而已〔註9〕」。筆者以原典《荀子》一書作爲主要分析與了解的文本，試圖從中得出原作者較爲客觀的思想原貌，然而，誠如陳大齊所言：「荀子書雖明白曉暢，亦不無錯字簡訛字。考據訂正，非作者力所能勝，唯有酌採前人所說，以爲解釋的張本〔註10〕。」故筆者援以王先謙之《荀子集解》、王忠林註譯的《新譯荀子讀本》以及梁啓雄所著之《荀子簡釋》作以原典理解上之輔助。王先謙的《荀子集解》是筆者作爲閱讀原典遭遇困難時使用的主要參考版本，此書保有楊倞注，且考釋嚴謹、援引眾說，考據極爲完善。爲了通篇閱讀《荀子》一書原典之方便性，筆者另使用王忠林註譯的《新譯荀子讀本》，從譯者對原典之通篇翻譯與註解，尚能從中觀出譯者對於譯文的理解與詮釋。另一梁啓雄所著之《荀子簡釋》，梁氏整理了王先謙及其他古書對字句使用上之註解，並可看到其在閱讀原典上之個人的理解與解釋，作爲筆者思考原典時之參考。然筆者並非只取用一家之版本解釋，當有釋疑之困難情況將比較三家之釋說，而取其一筆者較爲認同者作爲引論。

藉由採酌前人之說，進入了「意謂」的層次，除了探究「實謂」層次上原典之客觀意思外，前人之說已融入了對於原典的客觀理解，以及筆者自己在閱讀原典及前人之說的客觀理解，如傅偉勳所引用的《老子》英譯者之言：「每一詮釋即是與原典及其話語之間的一種對談，然而如果此一對談僅固執地局限於〔原典〕直接表達出來的話語，則此對談就變成停滯而無結果的東西〔註11〕」此一部分關鍵即是在於對於原典能夠深入的認識到何種地步的問題，傅偉勳以爲詮釋者必須設法了解原思想家的作者之生平傳記、時代背景以及思想發展的歷程等等，來幫助對於原典的深刻了解〔註12〕。

到了「蘊謂」層次，筆者以現代學者之研究論文與著作專書爲輔，作文獻分析研究，將原典與各研究者之論文專書作客觀及有系統性的概念分析與資料歸納，在重新整理與分析荀子人性論相關篇章文本資料的同時，重新探討荀子理論學說的可能蘊涵，以深入及廣泛的掌握荀子之思想，在分析中重建荀子之理論脈絡，並以己之言重新解釋荀子理論之現代理解，以求在理論

---

〔註9〕傅偉勳：《從創造的詮釋到大乘佛學》，頁13。

〔註10〕陳大齊：《荀子學說》，臺北：華岡出版有限公司，1971，序言。

〔註11〕Was heist Denken?（Max Niemeyer, Tubingen, 1961）P.107、P.110，轉引自傅偉勳：《從創造的詮釋到大乘佛學》，頁19。

〔註12〕傅偉勳：《從創造的詮釋到大乘佛學》，頁20。

中尋找出對現代與未來得以運用之源流與日後研究的參考。

第四與五層的「當謂」與「必謂」層次，傅偉勳言：

> 在「當謂」層次，爲了講活原思想家的思想表達，我們不得不建立
> 獨創性的詮釋洞見與判斷，亦及海德格所云「具有靈感生氣，且有
> 啓明觀念的力量」。依此力量，我們在「必謂」層次還得更進一步就
> 活原思想家的思想義理，故需訴諸「批判的繼承」與「創造的發展」
> 兩者的雙管齊下，亦即海德格所云「暴力」，雖此話辭稍有語病，易
> 生誤會。〔註13〕

雖然於本論文中，亦參雜著筆者的主觀想法與陳述，但筆者自覺對原典
的理解度、邏輯思考的訓練程度、察覺問題的敏銳度以及汲取知識的廣泛度，
皆尚未達到能活用思想得以批判與創造的階段，故主要還是停留在「創造的
詮釋學」的前三層次，以探討原典與原思想家之理論內容爲主。

---

〔註13〕傅偉勳：《從創造的詮釋到大乘佛學》，頁 34～35。

# 第二章　天生人成之「性」與「惡」

　　人們以語言文字作爲傳遞訊息的工具，當使用者本身對於所使用的工具處於曖昧不明狀態的時候，便容易在傳遞上產生混淆與矛盾，造成理解者的分歧與誤解。「人性」是我們日常生活中談論倫理道德議題常會使用到的詞彙，亦是作爲中國哲學研究的重要課題。然而，當我們使用「人性」一詞來交談、甚或研究人性論的閱讀理解，我們是否是眞正的了解它的意涵？

　　先哲以抽象的語言文字來傳遞其思想，而語言文字有其發展與演變，相同的字詞於不同的時代有其不同的意義。因此，我們必須意識到幾種差異，以免在研究時造成混淆，筆者以爲這些差異大致可以歸納出幾種：一、時代差異：我們現今所使用的語言文字之意涵與先哲時代所使用的並非完全相同，不能直接將我們理所當然所認爲之意涵直接套入先哲文本來作爲理解，二、學派差異：各個哲學家們雖然使用了相同的詞彙，但是其定義與其所指涉的具體內容並非一定相同，不同學派或有其特別強調或指涉的意義，三、個體差異：不同個體之人格與其所經驗的內容皆不相同，其體會理解之意涵亦會有所不同，除了個人所理解的意涵之外，每個人所使用的詞彙指涉的意義也不一定盡皆相同。如此一來，我們研究人性論該以何爲根據？徐復觀以爲：

> 人格與一般物件不同。一般物件是量的存在，可以用數字計算，並可以加以分割。人格是質的存在，不能用數字計算，並不能加以分割。人性論是以人格爲中心的探討。人性論所使用的抽象名詞，不是以推理爲根據，而是以先哲們，在自己生命、生活中，體驗所得

爲根據。〔註1〕

因此我們在研究先哲們的人性論時，必須在其理論脈絡之下考察，從其完整的生命體中追尋其內在連結。中國哲學的理論，在論證時亦不如物理數學一般，能夠似一加一得出一個正確的答案，而是屬於一經由個人理解體悟之後所認同而試圖表達出來的抽象敘述。以筆者本身爲例，在閱讀與理解《荀子》一書之文本與其相關書籍後，當進入到了敘述表達階段，常感受到一種解釋與敘述無止界限的感覺，似乎以再多的話來陳述一個概念，仍無法完全表達其義，又或概念往往連接著其他概念，而使得要將概念完全解釋清楚增加了困難性。

當我們發現了相同的詞彙，於不同學者口下所述有不同之內涵後，對於了解荀子之「性惡」則更容易進入於其中，而能區別出孟荀兩者之「性」是由不同角度切入，而不至於以孟子之「性」來解釋荀子之「性」，造成對荀子之「性」了解上的矛盾與困難。

## 第一節　荀子「性」之意涵

善、惡爲價值判斷，而價值判斷的主體在於「人」，儒家關懷與「人」一切相關聯的問題，從個人到群體所建立的國家與社會，要如何使「人」在現實世界之中能擁有更好的生活？抱持著這種期望，積極地來面對人的問題之時，荀子是如何看待「人」之根本，並正視人之「惡」與逐利爭奪等現象真實存在於世？更重要的是，如何在惡行充斥、戰亂征伐的生活之中，仍然能抱持著積極正面的心態追求道德並且實踐道德？因此本文不直接以荀子「性惡論」之字面義，或爲大眾之刻版印象——即人之性爲本惡的看法，來看荀子之性惡論，而欲從《荀子》一書中之原典來重新梳理荀子所理解之性與惡，並從中理解他的人性理論所建立的基礎與提出「化性起僞」的緣由；欲解決這些問題，首先必須要回到吾人之所稱「性善」與「性惡」之根本源頭——人之「性」的理解上。

荀子尊崇孔子，並以己作爲孔子思想的繼承者，孔子身爲儒家一派宗師，後人以《論語》一書作爲了解孔子思想的主要著作。孔子對「性」的理解爲何？可從《論語》之二處來看：一，《論語‧公冶長》：「夫子之文章，可得而

〔註1〕徐復觀：《中國人性論史（先秦篇）》，上海：上海三聯書局，2001，頁2。

聞也；夫子之言性與天道，不可得而聞也〔註2〕。」二，《論語・陽貨》：「子曰：性相近也，習相遠也。」這兩句話除了能看出孔子平時鮮少與弟子談論「性」之外，「性相近」之「性」指出人之性爲相近似、但是並非完全相同；表示人之性有個體性的差異，但是又有些微的不同，並不是造成後來人之道德操守、爲善爲惡分野的主要因由。故以性爲「近」而非「同」或「遠」；造成人與人的主要差別在於「習相遠」之「習」的關係，是後天習染不同影響人性的主要差異〔註3〕。而這種後天的、社會性的差異，才是最後造成人與人之間差距擴大的主要原因，故以「遠」來稱之。因此人性是天生的、人人普遍近似的，人性的不同在於後天每個人的境遇與積習修養不同而有所不同。然而孔子並沒有直接明確說明人性究竟是善是惡，亦沒有對「性」猶如孟子與荀子一般有更深入的探討。

## 一、性之定義

「性」字是以「生」字爲母而創生，可看出人們在以語言表達概念之時，「生」一字已無法表示不同於「生」的相似概念，爲了能夠在表達時能夠分辨意義不同之便利性，而區分出「性」字與「生」字，故性與生二字之意涵具有緊密的關聯性，正如徐復觀所言：

> 性字之涵義，若與生字無密切之關連，則性字不會以生字爲母字。
> 但性字之涵義，若與生字之本義沒有區別，則生字亦不會孳乳出性字。並且必先有生字用作性字，然後乃漸漸孳乳出性字。〔註4〕

張立文以性爲一個抽象的概念，而言：「性概念的發生，標誌著人類抽象思維

---

〔註2〕 此句大致有兩種解釋，一是指孔子鮮少談論性與天道。朱子曰：「言夫子之文章，日見乎外，故學者所共聞；至於性與天道，則夫子罕言之，而學者不得聞者。」朱熹：《四書章句集著》，臺北：大安出版社，2007，頁106。二是指孔子對性與天道的理論是難以理解的。「老師的文章，可以聽得到；老師有關本性和天道的理論，不是光靠聽就能理解的。」中國哲學書電子化計劃 http://ctext.org/analects/gong-ye-chang/zh?searchu=%E5%AD%90%E8%B2%A2 。筆者傾向第一種解釋。

〔註3〕 廖名春：《荀子新探》，臺北：文津出版社，1994，頁91。孫偉則以爲孔子對於「性」本身是善是惡的討論，似乎避而不談，主張：「一個人應當對倫理實踐付出更多的精力而不能只單純依賴「性」來進行道德發展或單純指責它的惡。」認爲孔子更強調實踐的重要性。孫偉：《重塑儒家之道—荀子思想在考察》，北京：人民出版社，2010，頁91。

〔註4〕 徐復觀：《中國人性論史（先秦篇）》，頁4。

能力的提高〔註5〕。」綜合二者之言，可知性字的創生，是隨著時空的推進，人們對於經驗世界的觀察認識逐漸累積，隨著自我理解能力、統合能力的提高，而越能深入把握客體與主體世界的各種概念。一個抽象詞彙的誕生，代表著人們的抽象思維能力提升到了與他所能創生之物相當的程度。

周羣振以為在荀子以前的「性」之看法，大約可以分成兩個流派：「一是外延地就自然宇宙中時有如是如是之『生的現象』而謂之性；一是內容地就超乎自然現象之上的『道德心體』而謂之性〔註6〕」前者以生言性，所採取的是早期「性」從「生」演變之原始意涵，李哲賢以：「文字孳乳演變之情形及先秦有關『性』字意義之歸納，知性字之原意當為『生』，是『生而即有』之謂〔註7〕」故可將生之義視為性字之義上最廣義及最原始的意涵。屬於此流派者，可以告子為例。從《孟子》〈告子上〉告子和孟子的對話，能看出告子對於「性」的看法，告子言：

> 生之謂性。（〈告子上3〉）

> 食色，性也。（〈告子上4〉）

> 性猶湍水也，決諸東方則東流，決諸西方則西流。人性之無分於善
> 不善也，猶水之無分於東西也。（〈告子上2〉）

告子以生為性，又以食色為性，此即是以人生而即有之情欲來言性，而此自然情欲之性，告子認為是中性的，無善惡可言，以「水之無分於東西」譬喻「人性之無分於善不善」。然此「生之謂性」「生而即有」以外延就自然宇宙所得出的生之意涵之性指謂為何？牟宗三以為生之謂性與成之謂性相同，言：

> 「生之謂性」意即：任何一物在有其個體存在時始得說性，就任何
> 一物之有個體存在而說其性。「成之謂性」意即：任何一物在其成為
> 一個個體時始得說性，即就其成為一個個體而說其性。〔註8〕

周羣振：「明白言之，也就是人或物之生命中，素樸的材質所受而成之者為何，即可謂其所具之性之為何〔註9〕」從此二者之言可知，要說「性」，需要先成

---

〔註5〕張立文：《性》，臺北：七略出版，1997，頁20。

〔註6〕華仲麐等著：《儒家思想研究論集（二）》，臺北：黎明文化事業公司，1983，頁215～216。

〔註7〕李哲賢：《荀子之核心思想》，臺北：文津出版社，1994，頁64。

〔註8〕牟宗三：《心體與性體》，上海：上海古籍出版社，1999，頁126。

〔註9〕華仲麐等著：《儒家思想研究論集（二）》，頁217。

爲一個體而存在，而此個體之「性」，即是指此個體之最素樸的材質，生下來就存在於此個體之天生質性。此天生質性何也？李哲賢以這種「生而即有之謂性」的實質內容爲：「自然生命及能思之心，亦即包括自然情欲、自然本能及能思之心等作用也〔註 10〕。」但比較不一樣的是，牟宗三與周羣振在論述以生言性時，都是直接將告子之性歸入其中，無分廣義與狹義之「生」義來統而言之。李哲賢則認爲告子以食色爲性，與傳統所理解的廣義與原始義的「生」意思相比又更狹隘了些，指出告子之生：「僅只指出『生而即有』中之自然情欲言之，非是指『生』之全體也〔註 11〕。」食色性也，只是生之義中的一部分，而非「生」之全義。

　　另一從超乎自然現象的道德心體之流派，則是以道德倫理之良知、善性爲人之所以爲人的因由，可以孟子爲例，《孟子》〈告子上〉：

　　　　告子曰：「生之謂性。」孟子曰：「生之謂性也，猶白之謂白與？」
　　　　曰：「然。」「白羽之白也，猶白雪之白；白雪之白，猶白玉之白
　　　　與？」曰：「然。」「然則犬之性，猶牛之性；牛之性，猶人之性
　　　　與？」〔註 12〕

　　孟子以告子之性沒有實質的內容，無法將萬物之各種「性」的差異作區分，提出了犬與牛之性雖可以等同，泛指同一之「性」，但是人之性是否能夠等同於犬牛之性呢？如此一來，對於性的指謂就成爲了一個廣泛且混濁的概念了，故孟子反對以生爲性，將性設定成具有實質內容而能夠藉此分辨出人與其他物畜等存在物之不同所在，即是人之所以爲人的本質。

　　荀子以性惡論著名於世，《荀子》一書中，更以〈性惡〉作爲篇名，究竟其所理解的「性」之意涵爲何？從《荀子》一書中的幾個段落觀之：

　　　　凡性者，天之就也。（〈性惡〉）

　　　　不可學、不可事而在人者，謂之性。（〈性惡〉）

　　　　生之所以然者謂之性；性之和所生，精合感應，不事而自然謂之性。
　　　　（〈正名〉）

　　　　性者，本始材朴也。（〈禮論〉）

　　除了在〈性惡〉篇章，荀子於〈正名〉亦有一句「性者，天之就也」，楊

---

〔註 10〕 李哲賢：《荀子之核心思想》，頁 64。
〔註 11〕 李哲賢：《荀子之核心思想》，頁 64。
〔註 12〕 朱熹：《四書章句集注》，頁 456。

倞注：「性者成於天之自然﹝註 13﹞」何淑靜解釋：「『天之就』即『天之成』，此乃『自然而然地成』的意思﹝註 14﹞」天之就，謂天所生成，從此可見性可追溯至天。然荀子之天非人格天，而爲自然之天，其遵照自然法則運行、沒有意志，不具道德屬性亦無法干涉和懲處人世間之事，〈天論〉云：「天行有常，不爲堯存，不爲桀亡」「天不爲人之惡寒也輟冬，地不爲人之惡遼遠也輟廣」天有其常行之道，不干涉人世間的興衰生亡，也不會隨著人世間的影響而變動自己的律則，換而言之，當性一旦在萬物之個體上生就而成，則順從其個體的發展，而不爲自然天所操持控管；由此可看出荀子是站在客觀實然的角度來觀察經驗世界的自然現象，他的天是「列星隨旋，日月遞炤，四時代御，陰陽大化，風雨博施，萬物各得其和以生，各得其養以成」（〈天論〉）萬物自然變化的運行律則，不具有超越意義，是僅就經驗現象來理解述說。由以上之論述與「天之就」「不可學，不可事」「不事而自然」來看，荀子的性是自然而然遵照著自然規律所生就存在，是不學而能，不事而成，非後天人爲所造成的。

　　性爲天之就，是自然而然所形成，荀子謂性爲「本始材朴」，是先天存在於個體，爲最原始素樸的自然之質具，又謂「生之所以然者謂之性」、「不事而自然謂之性」，此與告子提出的「生之謂性」來以生言性的想法如出一轍﹝註 15﹞。荀子以素樸材質言生言性，以對自然現象的觀察，把捉現實世界的可見可感之客體事物，極具有自然主義與經驗主義之照察態度﹝註 16﹞。是以荀子作爲一觀察者，照察自然現象之生、探討自然現象之發源，其所觀所察必然爲客觀外在的事物，而其本身必定是站在客觀相對的立場上來論說，以所見、所感之是爲是；故其所述「生之所以然者謂之性；性之和所生，精合感應，不事而自然謂之性」此一句，應從實然、形而下的角度來解釋，而

---

﹝註 13﹞ 王先謙撰：《荀子集解》，北京：中華書局，2011，頁 428。

﹝註 14﹞ 何淑靜：《孟荀道德實踐理論之研究》，臺北：文津出版，1988，頁 22。

﹝註 15﹞ 周羣振：「荀子爲學之宗趣，固是屬於儒家而不同於告子，然單就其論性之一事以言，則不能不說實與告子無異致。」韋仲麐等著：《儒家思想研究論集（二）》，頁 217。

﹝註 16﹞ 周羣振：「一爲對此現實物之存在由來之肯定，一爲對此現實物之展現過程之把捉。由於前者之肯定，只達於現實物之如其所如的境地，是即爲自然主義之照察的態度；由於後者之把捉，只在於現實物表面所成之現象，是即爲經驗主義之照察的態度。」韋仲麐等著：《儒家思想研究論集（二）》，頁 218。

非以形上、道德、意志等此一類具超越、應然性質的角度來解讀；故非徐復觀所言：「『生之所以然者謂之性』的『生之所以然』，乃是求生的根據，這是從生理現象推進一層的說法〔註 17〕。」將「生之所以然」解讀爲與孔子、孟子同一類的傳統儒家看法，以爲生理現象必須上推於天，視性與天道相通，將性與天從超越、形上意涵的角度來解釋。若將時空回溯到荀子所處的戰國時代，從當代的知識水平來思考，就大致可以理解徐復觀爲何明知荀子爲「純經驗的性格〔註 18〕」（徐復觀之詞），卻仍選擇將其性論上推與天，而從形上與形下兩種面向來解釋荀子之性。

　　古代之自然科學不如今日發達，其時代亦並未具有與現在所相當的知識，故孔孟等先哲，將自然現象套以形上之超越性來解釋亦極爲合理；但是，如何淑靜所云：「性論的發展到某時代已進至何種程度，在那時代的人應順此所已進至的程度而前進，這只是理上之一可能，落於現實的個人之瞭解，則沒有必然性〔註 19〕」我們不能就時代與理論發展脈絡之進程，否決荀子以物理、形而下角度所論述之可能性。

　　故此處的「所以然」並非是以理由或原因來理解，而是以「自然而然」，「自然如此」的意思〔註 20〕，由此可知「性之所以然者謂之性」，以爲「性」是屬於已經完成而無法改變的事實，是已然的自然表徵，是與經驗自然所同質同層而非高出一層次的，其意味著「凡與生俱來已然內具而不可改變的本能即稱爲性」〔註 21〕。綜上所述，筆者以爲牟宗三將荀子之「性」所區分成的三義：自然義（在實然領域內，不可學，不可事，自然而如此。如：「性者，天之就也，不可學，不可事」、「生之和所生，精和感應，不事而自然，謂之性」）、質樸義（質樸、才樸、資樸通用。總之曰材質。如：「性者，本始材朴也」）與生就義（自然生命凝結而成個體時所呈現之自然之質。如：「生之所以然者謂之性」）〔註 22〕極能清楚掌握荀子之性的方向要點。對其所提的自然、生就、質樸義之性，能明顯看出荀子所以爲的「性」，只是一單純自然而

〔註 17〕徐復觀：《中國人性論史（先秦篇）》，頁 203。

〔註 18〕徐復觀：《中國人性論史（先秦篇）》，頁 203。

〔註 19〕何淑靜：《孟荀道德實踐理論之研究》，頁 33。

〔註 20〕何淑靜：《孟荀道德實踐理論之研究》，頁 39。

〔註 21〕陳禮彰：〈荀子人性論及其實踐研究〉，國立臺灣師範大學國文學系博士論文，2008，頁 60。何淑靜之解與陳禮彰同義：「個體生命之始成即自然而有者是性。」何淑靜：《孟荀道德實踐理論之研究》，頁 39。

〔註 22〕牟宗三：《才性與玄理》，臺北：臺灣學生書局，1974，2～3 頁。

然而生之「性」，此言蘊含了「性」本身並不具有道德價值意義的已然存在，僅是如萬事萬物之自然而生的中性、單純之在。

荀子所理解之性，放到了人的身上，人之「性」是由什麼所構成，從〈天論〉可以大概了解：

> 形具而神生。好惡喜怒哀樂藏焉，夫是之謂天情；耳、目、鼻、口、形，能各有接而不相能也，夫是之謂天官；心居中虛，以治五官，夫是之謂天君。（〈天論〉）

從人外在之「形」的身軀與生理之官能到內在之「神」的心理情感都是「性」，就性的自然、生就與質樸義而言，「性」包含了人之一切的物理實體，而直指性為「天之就」「不事而自然」「生之所以然」經生發現象所成的存在，性包含了人之「形」與「神」；「性」並非人之部分，而是整體生理、心理之綜合。因此人好惡喜怒哀樂之天情、耳目鼻口形等五官之天官與治五官之天君，一切「不事而自然者」皆為性。「性之和所生，精合感應」（〈正名〉）「能各有所接而不相能也〔註23〕」（〈天論〉），楊倞注：「精合，謂若耳目之精靈與見聞之物合也。感應，為外物感心而來應也〔註24〕。」「精靈」所指的是作用的能力，相當於今日所言的「自然能力」〔註25〕，「精合感應」包含了人本身即具有的素樸之材質——耳目之作用能力，以及經驗世界之客體外物——見聞之物，由此可以看出荀子對於人之性與客觀外在事物連結的強調，而當人之自然作用能力遇到與其作用相合的外物之時，則自然的產生了反應，這都是自然而然的發生反應。故五官各有其能，但若沒外在事物為其作用的對象，則無所用，而人之情之所以生，則必至少有一客觀外物作為對象，與其所相對應。正如廖名春所言：

> 可見在荀子眼中，人性包含對客觀事物反映的內容。他不是只需以形為舍，以心為宮，根本不必與外物發生任何關係的東西，而是人主觀與客觀的統一作用體。人性的產生，既有賴於人體這一客觀的物質基礎，也有賴於相對於人體之外的客觀事物。〔註26〕

由此觀之，或可以看出荀子身為儒家，除了對於人個體自身的關懷之外，

---

〔註23〕 能，指官能。每種官能接物各有其用，不能兼代。王忠林：《新譯荀子讀本》，臺北：三民書局，1991，頁261。

〔註24〕 王先謙撰：《荀子集解》，頁412。

〔註25〕 何淑靜：《孟荀道德實踐理論之研究》，頁39、46。

〔註26〕 廖名春：《荀子新探》，頁104。

亦對於客觀經驗世界所保有的重視。人處於經驗世界當中，而無法完全切斷與經驗世界彼此之間的聯繫，就此種意義上來看，人自出生以來，即已完全涉入經驗世界而無法與其相分離。

## 二、性與情欲

人之性包含了天情、天官以及天君，「性」為一生理、心理作用整體之綜合，並非人之部分而單指心理內部而言，在《荀子》一書中的〈性惡〉、〈榮辱〉與〈正名〉篇章中有許多對於人性之實質內容的描述，可以分為三個部分：

第一，官能的能力：

> 目辨白黑美惡，耳辨音聲清濁，口辨酸鹹甘苦，鼻辨芬芳腥臊，骨體膚理辨寒暑疾養，是又人之所常生而有也，是無待而然者也，是禹桀之所同也。(〈榮辱〉)

> 今人之性，目可以見，耳可以聽，夫可以見之明不離目，可以聽之聰不離耳，目明而耳聰，不可學明矣。(〈性惡〉)

眼、耳、鼻、口、體膚此五種官能各有其不一樣的功能作用，能夠知覺經驗世界之客體對象的不同要素徵象，此是人生而即有的感官功能作用而知覺，目能視、耳能聽、鼻能嗅、口能辨味、體膚能感受冷熱痛癢等等，這些官能的作用是「人之所常生而有也，是無待而然者也」看出荀子以這些天官能力是自然天生而有，無待而然，不是經由後天之等待才能夠得到，而是本身就具有之質具。而這種感官能力「是禹桀之所同也」，說明了只要是人，都具有這些官能的能力，並非隨著人與人之間個體上的不同而有所差異，這裡點出了「性」的普遍性；故人生而即有之性，不會隨著禹品性道德之良善而擁有較好的感官能力，桀亦不會因其道德品行低劣而使其感官能力較差，性之生成是自然且平等的。〈性惡〉則是以目明耳聰，以能見之作用是在於眼睛才能夠見，能聽之作用是在於耳朵才能夠聽，見與聽此兩種功能是不能離開眼睛與耳朵運作的，荀子以為此兩種功能作用的表現之不可學是顯而易見的，從這裡就能夠很輕易看出「性」「偽」之間的差別。

第二，生理的欲求：

> 飢而欲食，寒而欲暖，勞而欲息，好利而惡害，是人之所生而有也，是無待而然者也，是禹、桀之所同也。(〈榮辱〉)

> 若夫目好色，耳好聲，口好味，心好利，骨體膚理好愉佚，是皆生
> 於人之情性者也，感而自然，不待事而後生之者也。(〈性惡〉)
>
> 今人之性，飢而欲飽，寒而欲煖，勞而欲休，此人之情性也。(〈性
> 惡〉)

餓了想吃食物，冷了想要暖和，勞累了想要休息，喜歡利而厭惡害，這些生理本能的需求都是自然而然具有的質具，是生之所以然之性，是無待而然者。欲食、欲暖、欲息都是為了維繫人類生命之延續的基本需要，是人類生存的本能欲望，同天官之官能能力一般，皆是人人相同的，沒有誰比誰生理本能還多或誰比誰生理本能少的差別，荀子稱此種欲求為「情性」。從感官上來說，「目好色，耳好聲，口好味，心好利，骨體膚理好愉佚」五官各有其功能作用，而與客體事物之形質相對應，此亦可以視之為官能相對應之欲求，筆者將此列為生理本能之欲，而不將其列為「官能的能力」或是將其放入「心理的欲求」是以取目、耳、口、心、骨體膚之五官偏於生理之層面，又以好色、好聲、好味、好利、好愉佚為五官之所好欲，而不單指其功能性而言；生理有其欲求與所偏好之傾向，官能之功能作用從分辨中而有所偏好，但尚未達至於心裡進一步的追求之欲望與渴求，而只是如美醜一般，從中相對取其一之偏好，為五官本身之喜好。五官之偏好與「飢而欲飽，寒而欲煖，勞而欲休」同為人與生俱有的情性。

第三，心理的欲求與情緒反應：

> 人之情，食欲有芻豢，衣欲有文繡，行欲有輿馬，又欲夫餘財蓄積
> 之富也；然而窮年累世不知不足，是人之情也。(〈榮辱〉)
>
> 今人之性，生而有好利焉，順是，故爭奪生而辭讓亡焉；生而有疾
> 惡焉，順是，故殘賊生而忠信亡焉；生而有耳目之欲，有好聲色焉，
> 順是，故淫亂生而禮義文理亡焉。(〈性惡〉)
>
> 形體、色理以目異，聲音清濁、調竽、奇聲以耳異，甘、苦、鹹、
> 淡、辛、酸、奇味以口異，香、臭、芬、郁、腥、臊、洒、酸、奇
> 臭以鼻異，疾、養、滄、熱、滑、鈹、輕、重以形體異，說、故、
> 喜、怒、哀、樂、愛、惡、欲以心異。〈正名〉

當超越了維持生存所需欲求，已不在僅是單純的「飢而欲飽，寒而欲煖，勞而欲休」，有了更進一步之索求，不只單求能止飢之食，還要求要吃的好、吃的美味；不只單求衣服功能性的保暖，還要穿得漂亮好看、要有衣繡文飾；

財富不是夠用就好，而是不斷的累積財富，對財富有無止盡的渴求。這些都是屬於心理上有意識的奢侈性欲望，對非必要事物的渴求，而這種欲求，是無止盡的，是「窮年累世不知不足」。荀子以爲這種無止盡的索求欲望，是人之「情」的特質，是自然而然所具有，與生俱來的。人生而有欲，此欲是不好不壞的，是基本且合理的需求，也是人爲了生存而必要存在的欲求，但是當這種欲望，擴展成爲了心理上更進一步的欲求，而使生而即有的好利、疾惡、耳目之欲無止盡的索求擴展，此種無止盡心理之欲爲了得到滿足，便無所不用其極反應到了行爲舉止上，產生了爭奪、殘賊與淫亂的現象。〈正名〉之段落以五官的功能可以區辨各種物質型態與質性，這些如前所述都是屬於「能各有接而不相能」的感官知覺能力作用，是純屬生理上本有的功能性，而當生理作用與心理的知覺作用相交合，無論是感官上的愉悅或心理欲求上的缺乏，在心理上都會對其產生反應而有了情緒，而有程度輕重之別，固有喜與樂之別。

綜上所述，性的實質內容包含官能的能力、生理的欲求、心理的欲求與情緒反應，我們從這些「性」的內容中可以發現這些都是屬於人的本能反應與天生自然的欲求，蔡仁厚以爲這些性之實質內容：「只能算是人的動物性之遺留。在這裡只能見到『人之所以爲動物』的自然生命之徵象，而不能見到『人之所以爲人』的道德價值之內涵〔註27〕。」又言：「就動物性而言性，性中只有盲目的好與惡，而沒有合理的迎與拒；只有實然的生物生命之活動，而沒有應然的道德價值之取向。〔註28〕」李哲賢以：「所謂動物性，大抵是指自然情欲與自然本能而言，人是動物，自然亦具動物性。飢而欲飽，寒而欲煖，好利惡害，懷生畏死，皆是生而自然之性〔註29〕」荀子之「性」的實質內容只能是自然層次「生而即有」之義，是自然生命的活動，是不牽涉到理性思辨的本能；故從荀子之性的定義內涵中，是無法分辨出人與物畜的差別爲何，亦不具有任何價值內涵之意義存在。這種自然生之義的性，除〈榮辱〉不斷強調的：是「人之所生而有也」、「禹桀之所同也」，於〈性惡〉其他段落亦能看到此概念的相同想法：「凡人之性者，堯舜之與桀紂，其性一也。君子之與小人，其性一也。」、「故聖人之所以同於眾，其不異於眾者，性也。」

---

〔註27〕 蔡仁厚：《孔孟荀哲學》，臺北：學生書局，1988，頁390。
〔註28〕 蔡仁厚：《孔孟荀哲學》，頁390。
〔註29〕 李哲賢：《荀子之核心思想》，頁67。

荀子不斷的於《荀子》書中強調性的同然與無所分別，不但人之「性」與動物之「性」無所分別，人個體之「性」與同為人的其他個體之「性」亦皆是相同無所差別的。

荀子於〈性惡〉以「目好色，耳好聲，口好味，心好利，骨體膚理好愉佚」、「飢而欲飽，寒而欲煖，勞而欲休」為人之「情性」，於〈榮辱〉以「食欲有芻豢，衣欲有文繡，行欲有輿馬，又欲夫余財蓄積之富也；然而窮年累世不知不足」為人之「情」，這些都是在「性」之實質內容中所談及到的，由此能確定的是「性」中包含了「情」與「欲」兩者，〈正名〉：

> 性者天之就也；情者，性之質也；欲者，情之應也。

楊倞注：「性者成於天之自然，情者性之質體，欲又情之所應，所以人必不免於有欲也〔註30〕」性是自然而然的生成，為自然天之生就，而「情」是作為性之實質，「質」為本質的意思，「欲」則是作為情之反應，情起而欲應而生。從上可知，性之官能、生理、心理之欲求都有一相對應的對象，如官能之耳與目對應聲與色、生理之飢與寒對應食與暖，心理之好與惡對應利與害，而性之實質內容（官能的能力、生理的欲求、心理的欲求與情緒反應）這些天生自然的生物本能反應與欲求彼此之間又互為相對應的對象，三者間是相繫連結的；如同曾春海所言：

> 居「天官」的性，與展示「天官」活動時諸情狀性質的「天情」即隨情之感受而呈直接趨避回應的「欲」，對荀子而言係人體整結構層級中屬同一層級者。蓋三者係在同一層級中呈相連相貫的互動。所謂：「性者天之就也；情者，性之質也；欲者，情之應也。」「欲」蘊涵於「情」、「情」蘊涵於「性」，因此，言「性」一詞可統攝「情」和「欲」。〔註31〕

曾春海以性、情、欲為相互涵蘊，而以性一詞為情、欲之統攝，性、情、欲三者皆為人體結構中相同等級之地位層次，並且是相互聯繫而彼此互動著：感官之官能作用「各有接而不相能也」，亦各有其所偏好；「欲者情之應」，隨著感官生理偏好之生，產生欲，而與偏好、愛好之情相應；人之情的特性為「窮年累世不知不足」，故情從生理之欲，引生心理之「獲得之欲」〔註32〕。

---

〔註30〕王先謙撰：《荀子集解》，頁428。。
〔註31〕曾春海：《中國哲學史綱》，臺中：五南圖書出版，2012，頁67。
〔註32〕蔡仁厚：《孔孟荀哲學》，頁390。

「情」既然爲性的本質，則若性中無「情」，則性的內容是空洞無所物的，身爲性之本質的「情」爲何？

> 性之好惡喜怒哀樂，謂之情。（〈正名〉）

> 好惡、喜怒、哀樂臧焉，夫是之謂天情。（〈天論〉）

好惡喜怒哀樂爲性，而情是能反應表現出性之好惡喜怒哀樂者，如此，可將好惡喜怒哀樂視爲本有於性之存在，當處於尚未由情所發之狀態時，是爲性之潛能，而以情之所發後的狀態，藉由情之相應而使性中之好惡喜怒哀樂得以實現，具體呈現於外，故，好惡喜怒哀樂於性之時是潛藏之在，於情之時爲呈顯之在，以此觀之情性兩者，統而言之實無異義，而爲同質；《荀子》一書中，亦有多處將情、性二者合而稱之「情性」，除了如上文所提到過的，尚有〈性惡〉：「夫好利而欲得者，此人之情性也」〈非十二子〉：「縱情性，安恣睢，禽獸行，不足以合文通治」、「忍情性，綦谿利跂，苟以分異人爲高，不足以合大眾，明大分」等等情、性合用之句。荀子以欲爲「情之應」，〈正名〉又言：「故雖爲守門，欲不可去，性之具也。」以欲爲性之本所固有，而無法消除，故性與情相當，而情必然伴隨著欲之生，欲亦爲性所固有，三者互相統合而包含著彼此，亦皆是自然而然生而即有之不可除去者。在此種意義之上，性情欲三者實如徐復觀所言：「荀子雖然在概念上把性、情、欲三者加以界定；但在事實上，性、情、欲，是一個東西的三個名稱。而荀子性論的特色，正在於以欲爲性〔註33〕。」

綜上所述，可以謂荀子正是把「性、情、欲」三者看做是同質同層的〔註34〕。性、情、欲三者既然同質同層，從荀子之經驗實然的自然天角度來看，應是不具有善惡道德等價值意涵。如此，「性惡論」之「性惡」又是從何說起？〈禮論〉：

> 禮起於何也？曰：人生而有欲，欲而不得則不能無求。求而無度量
> 分界，則不能不爭。

惡之生的可能，並非來自官能作用與生理自然而然對維繫生命存在之所需的基本欲求，而是在更進一步心理欲求之「獲得之欲」的特性；此亦是荀

---

〔註33〕徐復觀：《中國人性論史（先秦篇）》，頁205。周羣振亦言：「荀子所稱述與所解釋的性、情、欲三個名詞，本質上實是交貫互通的一體。」華仲麐等著：《儒家思想研究論集（二）》，頁241。

〔註34〕蔡仁厚：《孔孟荀哲學》，頁390。

子之所以設定「以欲爲性」的所在之處，人之情性中的「窮年累世不知不足」，使得本該是屬於中性自然的欲，爲了滿足心理之欲求，進階到了化爲實際行動之追求，當追求同欲望一般無止盡的擴張發展，性又是人與人之所同也，故人與人之間不同個體之欲皆擁有如此之徵象，當資源有所窮盡，無法滿足人的欲求，則大家爲了能自己獲得資源，產生爭奪的情形就在所難免了。由此能看出荀子對人性的解析立足於社會性的人性觀〔註35〕，從人際之交互上產生的社會情狀作爲發想，結合其經驗自然觀的性格，而以欲之不知足，引出禮義來作爲平衡、調節無止盡之欲的存在必要性。荀子以禮義之起在於生而有欲，是否同時指明人之性中本然亦具有禮義存於內，而使欲和禮義成爲如性與情、情與欲一般的生發關係？〈性惡〉：

> 今人之性，固無禮義，故彊學而求有之也；性不知禮義，故思慮而
> 求知之也。然則性而已，則人無禮義，不知禮義。

此段落可以清楚看出荀子以爲人之性是不包含禮義的，見其在三的強調「今人之性，固無禮義」、「性不知禮義」、「然則性而已，則人無禮義，不知禮義」，荀子以生爲性，故禮義並非是屬人生而即有之質具；禮義是「彊學而求有之也」，又以性不知道禮義「故思慮而求知之也」，由此可以窺見以「欲」本身之特性——「窮年累世不知不足」，除了對感官生理之欲求進一步成爲心裡之欲求的追求之外，對於性本然不具有的禮義，亦會產生欲求之心。荀子〈性惡〉言：「苟無之中者，必求於外」，人之所好欲求者，並非只有物質感官之欲，對於人之性自身所沒有的禮義與正理平治等這些須經由「僞」來得到的、被視爲善的，也都會去追求，是以「欲」所追求的對象爲性所不具有的與所缺乏的一切。

## 第二節　荀子「性惡」之所指

荀子在性惡論證中緊扣著禮義，強調禮義之所以生必有其存在之理，此理即是由於性惡所造成的結果，更藉由點出與性惡相對的性善論之弊，加強性惡的論據。我們可以看到雖然荀子不斷重複「人之性惡」、「人之性惡明矣」，然其論「惡」之處常伴隨著禮義與善僞的寫作方式卻似更加著墨於禮義與善僞的重要性，我們或許可以重新思考荀子在使人相信人之性惡的背後，所欲

---

〔註35〕曾春海：《中國哲學史綱》，頁66。

傳遞的其他想法有什麼？性惡是否是經由荀子經由論證而確信的結果？

以〈性惡〉篇觀之，我們可以發現荀子的性惡論證思考並不周密，有許多謬誤存在，如：荀子以人之欲擁有追求其所缺乏的特性，而以人追求善來證明人之性惡，但此一論證相反的亦可以將人必然的追求善視為人之性善；徐復觀以為善惡的本身都是沒有止境的，人不因其性惡而便不繼續為惡，則豈有因性已經是善，便不在求善之理〔註36〕？荀子更以為禮義的存在是因人之性惡而必然產生的結果，此一為倒果為因的謬誤，禮義的存在是否僅只因性惡所產生的必然結果？是否有其它的原因而造成禮義的產生？禮義的存在可以從人之性善來導出，我們亦可以問，若人之性惡，聖人何以出現？最初的禮義又是如何而創生的呢？由此看來荀子並非是經由嚴謹的論證而得出性惡的結論。因而，我們所應關注的不應只在於荀子以為的人性是本惡或本善，而應在於荀子如何藉由性惡論的主張傳遞其更廣闊的理念與想法。徐復觀以為荀子之所以如此提出性惡的主張，來自於他重禮、重師、重法、重君上之治的要求〔註37〕，我們閱讀性惡論更應注意到：

> 全面地看《性惡》篇，顯然它不僅僅只是「一篇系統地闡明『性惡論』的基本觀點，批判孟軻『性善論』的重要論文」，他還包含了更廣泛、更深刻的內容，也就是說，他還從人性的內在自然機制和後天的人為這兩個方面論述了人性改造的深層原因。〔註38〕

人之性固然有惡，但是可以透過後天之偽來加以改造、轉化原本的惡，甚或可以說荀子為了使禮義與實踐能夠加以彰顯，而給予了「人之性惡」此一設定，並肯定了「性」的可塑性，使人能透過後天之積習努力達成善，而將眼光投向師法之化、禮義之教的實際行為努力之上，拋開陷溺於本性之善惡探討的窠臼之中，打開另一道能經由經驗世界道德倫理教化的實際行動開出的善之大道。筆者欲從〈性惡〉篇章中，荀子對於「性惡」的論證來了解，其是如何在「天生即有」、屬於自然中性之「性」的定義下，導出性惡論；其所謂「性惡」之「惡」的指涉又是為何？「性惡」在其思想中所佔的地位及其價值又是什麼。

---

〔註36〕徐復觀：《中國人性論史（先秦篇）》，頁209。
〔註37〕徐復觀：《中國人性論史（先秦篇）》，頁209。
〔註38〕廖名春：《荀子新探》，頁108～109。

## 一、性惡的論證

### （一）人性之欲——「順是」之流弊

此一論證爲荀子性惡之五論證中最爲重要、亦是其主張性惡之主要論點：

> 今人之性，生而有好利焉，順是，故爭奪生而辭讓亡焉；生而有疾
> 惡焉，順是，故殘賊生而忠信亡焉；生而有耳目之欲，有好聲色焉，
> 順是，故淫亂生而禮義文理亡焉。然則從人之性，順人之情，必出
> 於爭奪，合於犯分亂理而歸於暴。故必有師法之化，禮義之道，然
> 後出於辭讓，合於文理而歸於治。用此觀之，然則人之性惡明矣，
> 其善者僞也。（〈性惡〉）

人的自然之性中，生而即有「好利、疾惡、耳目之欲」等欲之傾向，而如此順人之情、順是之欲，使欲之擴大，促使了人之行爲結果必然的導向惡之一途，筆者認爲從此處是無法看出荀子在〈禮論〉中所認爲的「性者，本始材朴也」爲惡的說法，荀子並沒有直言「生而有好利焉，故爭奪生而辭讓亡」、「生而有疾惡焉，故殘賊生而忠信亡」、「生而有耳目之欲，有好聲色焉，故淫亂生而禮義文理亡」，而是以「順是」二字相隔於生而有之性與所造成的惡之行爲結果，若荀子以「性本惡」，應該直言生而有之性因具好利、疾惡、耳目之欲，故造成爭奪、殘賊與淫亂才是。由此觀之，荀子之性惡論似乎爲一種結果論，是由於欲的無限擴張，無所節制所造成。是以「性惡」，並非指「人性本惡」，而是當人生而有之欲望沒有節制之時，順任其發展擴張所造成的結果，此是需要時間歷程使其發展爲惡，如劉振維所言：「至多只能說人之『性』的質性已然注定爲惡，不能據而斷言『人之性』『原本是惡』〔註39〕」。且人最初生之原始、樸素、本質上的性，於初始時，欲並尙未擴張，人亦尙未被欲所驅使做出任何惡的行爲結果，適度的欲亦非荀子所言之惡，如此一來，在欲擴張成爲惡之前的性，該如何說其爲本善或爲本惡？再者，「人性本惡」所當指的是將欲視爲完全的惡，本質性上的惡，其所愛好所傾向的對象應皆爲惡爲是，但從荀子以爲欲之特性具有「苟無之中者，必求於外」來看，欲是會去追求自己所沒有的一切事物，其不但會「欲惡」，尙亦「欲善」，會去追求性中所沒有的仁義禮智，一個生來即本性爲惡的人，卻能夠自然而然

---

〔註39〕劉振維：〈荀子「性惡」說芻議〉，《東華人文學報》，第六期，2004 年 7 月，頁 67～68。

對善有所追求，朝善發展，甚至能夠發展善，如此並不符合性之本惡的說法。〈禮論〉言：「先王惡其亂也，故制禮義以分之，以養人之欲，給人之求。」若以欲為惡，何以先王所制定禮義的目的會是在於滿足人之欲，給予人之所求呢？如此一來豈非是等於滿足「窮年累世不知不足」的欲，使惡得以窮年累世不知不足的無限制擴張與欲求？

　　由以上之推論，可知荀子所謂的「性惡」，並不是從本質義上來看，從其以性之質貝所產生的惡之推論，最後導出「師法之化，禮義之道」的必存性來看，荀子是以「性惡」凸顯出「善偽」，肯定以人為的努力遵循聖王所確立出來的師法禮義之道，能使「順是」之情欲得到節制，而能「合於文理而歸於治」。欲望雖然是致惡的基本因素，但並不能由致惡而直接說其為本惡，換句話說，我們能說荀子肯定「性惡」，但是從此一論證中來看，「性惡」並不是從本質性的角度來說其為惡。

### （二）孟子之「性善」——不及之人之性、不察乎人之性偽之分

　　孟子主張人性本善，荀子就其理論而指出孟子之性其實是「不及知人之性，而不察乎人之性偽之分者也」，以為孟子沒有搞清楚性為何，亦沒有注意到性偽的分別，混性偽為一談，而將禮義等後天習得之偽，當作先天生而即有之性：

> 孟子曰：「人之學者，其性善。」曰：是不然，是不及知人之性，而不察乎人之性偽之分者也。凡性者，天之就也，不可學，不可事。禮義者，聖人之所生也，人之所學而能，所事而成者也。不可學，不可事，而在人者，謂之性；可學而能，可事而成之在人者，謂之偽，是性偽之分也。（〈性惡〉）

　　這裡荀子強調性為「天之就也、不可學、不可事」取其之生就義來看，與後天所習得之禮義、經由「學」與「事」所能成者區分開來，與孟子所言：「今人之性善，將皆失喪其性故也。」之性的理解是完全不相同的。孟子認為人之所以為惡是由於「善的喪失」所造成，然而其又以人性為「本善」，以性為道德價值的根源，善即是性。若依照我們對於荀子之性的瞭解，生而即有的自然之性假若是能夠喪失的，那麼何以能夠稱之為「性」呢？此是極為矛盾的，所以荀子以為孟子並沒有真正的了解到何謂人之性，也沒有認清性、偽兩者的不同，而誤將偽當作了性，並以此稱人之性善，實際上「善」是「偽」，是後天所學而能、所事而成的，鄭力為言：「此是荀子之由自然與人為界定『惡』

之所以爲『惡』及『善』之所以爲『善』者〔註40〕。」

如前一論證，荀子以性之不可學、不可事，與禮義之可學而能，可事而成之在人者在定義上的不同，再次強調了性僞之分。陳禮彰以爲荀子雖然批評孟子不及知人之性與不知性僞之分，但並未反對孟子所提倡的存心養性的擴充工夫，以爲荀子提出性惡，批評孟子之因由是在於孟子過於強調內心的涵養，而忽略了外在的行爲實踐，言：「荀子希望藉由性、僞之分，由人性之惡來凸顯善出於僞，其目的無非是想將大家注意的焦點，由先天之自然情性轉移到後天的人爲努力上來，以期大家皆能即用而返體，即由具體社會實踐的落實來完成道德心性的涵養。〔註41〕」故荀子稱人之性惡，只是爲了將人們目光從傳統儒家所著重的先天「潛能」之性，拉回到得以「實現」所需的後天行爲實踐努力上，故荀子「性惡」之設定，是爲達成此一目標的手段及賦予人們得以「可學而能，可事而成之在人者」之行爲實踐的努力動力。

### （三）人之欲爲善──以「欲善」證人之性惡

荀子以爲人之欲爲善者，可以看出人之性爲惡。「人之欲爲善」應爲孟子所主張之性善論所言的「四端之心」與「不忍人之心」之一類，荀子卻於性惡論的論證中欲亦同使用「人之欲爲善」，此一看似爲性善論才會出現的依據，來反證明「人之性惡」，此一看似矛盾的推論何以可能？此即在於「苟無之中者，必求於外」和「苟有之中者，必不及於外」，以此兩者說明了欲之特性：

> 凡人之欲爲善者，爲性惡也。夫薄願厚，惡願美，狹願廣，貧願富，賤願貴，苟無之中者，必求於外。故富而不願財，貴而不願埶，苟有之中者，必不及於外。用此觀之，人之欲爲善者，爲性惡也。今人之性，固無禮義，故彊學而求有之也；性不知禮義，故思慮而求知之也。然則生而已，則人無禮義，不知禮義。人無禮義則亂，不知禮義則悖。然則生而已，則悖亂在己。用此觀之，人之性惡明矣，其善者僞也。（〈性惡〉）

荀子以「夫薄願厚，惡願美，狹願廣，貧願富，賤願貴」與「富而不願財，貴而不願埶」於現實經驗所觀察到的現象作爲推論人之性惡的因由。因人性皆欲求美好、欲求自己所未擁有之事物，此一爲自然之性所具之特性──追求己

---

〔註40〕鄭力爲：《儒學方向與人的尊嚴》，臺北：文津出版社，1987，頁239。

〔註41〕陳禮彰：〈荀子人性論及其實踐研究〉，頁71。

所缺乏者，即「苟無之中者，必求於外」，又以富與貴之既得者，因已擁有了
財富，即不會再向外追求的「苟有之中者，必不及於外」來引出人之性中沒有
禮義，故「人之欲爲善者，爲性惡也」此一看似矛盾卻能證成人之性惡的論點。
然而，此一據以「苟無之中者，必求於外」、「苟有之中者，必不及於外」的原
則來作爲證成性惡的論證實是具有問題的，岑溢成以假如「無之中者」剛好是
我們「所不欲者」，我們根本就不會求於外；假如「有之中者」剛好是我們「所
欲者」而認爲所有並不足夠，我們還是會「及於外」的〔註42〕。周羣振小以貧
賤富貴爲例，謂「貧願富，賤願貴」，「富而不願財，貴而不願埶」，就顯然與
若干「安貧樂道」及「孳孳爲利」者之事實不相符，甚至與他自己所提出的「人
之情爲欲多不欲寡」，「人之情……欲……窮年累世不知不足」之說，直成一否
定〔註43〕。然而，縱使荀子於論證中存在著問題，仍能從其論點中見其主張及
其思維方式所著重的問題：從荀子以現實經驗所見人之自然之性的現象，又見
其後之行文皆圍繞著禮義，以人性之中無禮義來彰顯人之性惡與禮義之善，此
處之善惡是以人是否具有禮義來說，是視惡爲一種缺乏的角度來看，即是，人
無禮義，以人之自然之性順是發展往往造成的都是偏險悖亂的結果。以「今人
之性，固無禮義」、「性不知禮義」、「人無禮義、人不知禮義」，而不言「性不
知善、人無善」的說法，又以因性中無禮義故須「彊學而求有之也」、「思慮而
求知之也」可見此處我們在理解荀子之善時，應理解成「正理平治」此一目標
與理想，人需要知道禮義、學習禮義，爲了能知禮義而去思慮以及爲之而努力
都是爲了達成此一善的目標。如陳禮彰所言：「荀子所謂的『欲爲善』並非只
及於意念之善端，而更要求其實踐完成；亦即非只著眼個人良知之自覺，而在
強調社會秩序之完善〔註44〕。」故此處的善並不含有道德性的價值意義，主體
是否具有道德價值根源亦非荀子所關注的焦點，反之，此爲荀子所欲對傳統儒
家以性作爲內在的道德價值根源所提出的性善論作爲轉移的目標，將先天固有
的德行之性，轉向爲肯定人爲努力「可學而能，可事而成之在人者」的實踐之
僞上，以努力實踐達到正理平治此一善的目標，將善作爲一個現實經驗現象的
善，而非一個價值性抽象的善。

---

〔註42〕岑溢成：〈荀子性惡論析辯〉，《鵝湖學誌》，第 49 卷第 11 期，2010 年 11 月，
　　　　頁 49。
〔註43〕華仲麐等著：《儒家思想研究論集（二）》，頁 247～248。
〔註44〕陳禮彰：〈荀子人性論及其實踐研究〉，頁 68。

故荀子所提出之性惡論並非探求「如何使本性之惡轉向善」或是「如何去惡存善」，其所著重的地方在於「如何在經驗世界實現善」、「如何使人性朝向善，進而達至善」，換句話說，即是探求該如何達成正理平治，而其方向，就在於人去學禮義、思慮禮義，肯定人能藉由後天的努力，控節欲之擴張，最終達致正理平治。在此一意義上，荀子的惡是相對於善來說的，有禮義即是善，無禮義即是惡，故就禮義的角度來看，是非善即惡的。

### （四）古者聖人以人之性惡——明禮義、起法正、重刑罰

禮義法治存在的原因正是在於人性爲惡：

> 孟子曰：「人之性善。」曰：是不然。凡古今天下之所謂善者，正理平治也；所謂惡者，偏險悖亂也。是善惡之分也已。今誠以人之性固正理平治邪？則有惡用聖王，惡用禮義哉！雖有聖王禮義，將曷加於正理平治也哉！今不然，人之性惡。故古者聖人以人之性惡，以爲偏險而不正，悖亂而不治，故爲之立君上之埶以臨之，明禮義以化之，起法正以治之，重刑罰以禁之，使天下皆出於治，合於善也。是聖王之治，而禮義之化也。今當試去君上之埶，無禮義之化，去法正之治，無刑罰之禁，倚而觀天下民人之相與也，天下悖亂而相亡不待頃矣。用此觀之，然則人之性惡明矣，其善者僞也。（〈性惡〉）

古代之君王聖人之所以設立刑罰、制定禮義、創建法治是因爲他們了解人性爲惡的關係，倘若人性爲性善，生而即自然而然爲善，便應當不會有爭奪暴亂的產生，也就不需要有禮義、法正與刑罰的存在了。於此論證中，荀子對於「善」、「惡」有直接的定義陳述：「凡古今天下之所謂善者，正理平治也；所謂惡者，偏險悖亂也。是善惡之分也已。」以「正理平治」與「偏險悖亂」兩者作爲善惡之分，提出了「今誠以人之性固正理平治邪？則有惡用聖王，惡用禮義哉！雖有聖王禮義，將曷加於正理平治也哉！」的詰問，以人之性固是必然導向正理平治，還何須有聖王的存在以及禮義的用處所在呢？若在人即是正理平治的情形之下，即使有聖王與禮義的存在，對於本來即正理平治的狀態來講，聖王與禮義也只是多餘而無所用處亦無所助益。基於此，荀子以人之性惡作爲禮義之所存的依據，針對現實經驗所存之惡的事實情狀，「偏險而不正、悖亂而不治」使聖王「立君上之埶以臨之，明禮義以化之，起法正以治之，重刑罰以禁之」讓天下皆能處於正理平治的狀態，而

合於荀子之善。因此惡與善的差別是在於有沒有禮義來起法正教化之功用以成善，反之，若無禮義，則「天下悖亂而相亡不待頃矣」，只能以惡作爲終結。

　　荀子於此論證中，以人之性惡與禮義兩者相互證成，若人非性惡，則禮義沒有存在的必要性；禮義的存在既已是現實既定的事實，即表示人性爲惡，故聖王才有制定禮義的必要性，而使禮義現存於世。於此論證中同（三）之論證一般，「善」都是在經驗現實下來立論，而不具有道德價值意義，從荀子對善惡之定義上來看，正理平治與偏險悖亂都是以經驗事實作爲陳述，是就人類之社會秩序的狀態而言之。

　　然而從何以見君王聖人以爲人之性惡，如荀子所言的「古者聖人以人之性惡」？荀子於〈性惡篇〉中以堯對舜之人情一問、舜以「人情甚不美」回答，來說明古代先王如何看待「人情」，並且再一次的肯定了雖然人性有其缺陷、人情甚不美，卻並非是完全不可改變的：

> 堯問於舜曰：「人情何如？」舜對曰：「人情甚不美，又何問焉？妻子具而孝衰於親，嗜欲得而信衰於友，爵祿盈而忠衰於君。人之情乎！人之情乎！甚不美，又何問焉！」唯賢者爲不然。

　　人倫之間的孝、信、忠會淪喪，但是只要透過修養與後天的積習，仍然可以克服順是所產生的性惡成爲賢者，使人情轉化爲美，雖然「材性知能，君子小人一也；好榮惡辱，好利惡害，是君子小人之所同也」，然賢者卻可不沉淪於欲的擴張與驅使，而能保有「孝、信、忠」之美德，故荀子點出「唯賢者爲不然」。

### （五）孟子之善無辨合符驗──性善與禮義

　　荀子重視經驗與實踐，故理論是否能與現實相符合，就成爲其檢視理論的一部分：

> 故善言古者，必有節於今；善言天者，必有徵於人。凡論者貴其有辨合，有符驗。故坐而言之，起而可設，張而可施行。今孟子曰：「人之性善。」無辨合符驗，坐而言之，起而不可設，張而不可施行，豈不過甚矣哉！故性善則去聖王，息禮義矣。性惡則與聖王，貴禮義矣。故檃栝之生，爲枸木也；繩墨之起，爲不直也；立君上，明禮義，爲性惡也。用此觀之，然則人之性惡明矣，其善者僞也。直木不待檃栝而直者，其性直也。枸木必將待檃栝烝矯然後直者，以其性不直也。今人之性惡，必將待聖王之治，禮義之化，然後皆出

於治，合然善也。用此觀之，然則人之性惡名矣，其善者僞也。（〈性惡〉）

接續上一個論證，荀子謂「凡古今天下之所謂善者，正理平治也；所謂惡者，偏險悖亂也」其所持著此一論點，就人之行爲所呈現的社會狀態之事實，來說善與惡，秉持著經驗現實來論說，以爲所言所論必須是要有辨合、有符驗，如此所言所論才不會只是束之高閣，又或者毫無根據，無法用於現實經驗中，只爲紙上談兵，而不切合實際。荀子就這一點抨擊孟子所主張的人之性善，在荀子前一個論證中所提到的聖王、禮義之所存，以爲孟子「人之性善」的論點沒辦法就此一現實情狀加以解釋，而以爲孟子之性善論並沒有考慮到現實經驗的符驗與否。然孟子所提之性善論是否眞的沒有考慮過現實層面？其實是有的，從《孟子》〈公孫丑上〉：「所以謂人皆有不忍人之心者，今人乍見孺子將入於井，皆有怵惕惻隱之心，非所以內交於孺子之父母也，非所以要譽於鄉黨朋友也，非惡其聲而然也。」孟子以人有四端之心而言人之性善，以爲惻隱、羞惡、恭敬、是非的四端之心都是人皆有之，仁、義、禮、智是人之本性所固有，非經外鑠而得〔註45〕，其謂「人有不忍人之心」並非是憑空而論，亦以現實經驗之情況「今人乍見孺子將入於井」爲例，而以人見到此景，心中所產生的情感「怵惕惻隱之心」來作爲性善論的佐證。鄭力爲亦以孟子謂世有「率野獸而食人肉〔註46〕」來說孟子並非只是一味說人之性善而不知道人有惡的一面，以孟子所言之性善說是有辨合符驗，對於荀子說其無辨合符驗之說的抨擊，在於荀子並不了解孟子之「性善」的義涵〔註47〕。荀子從人欲出發而言人之性惡，善惡又都是從人在社會的行爲結果來論斷；從孟荀兩者對於性的看法，能得知兩者的「性」事實上是從不一樣

〔註45〕「惻隱之心，人皆有之；羞惡之心，人皆有之；恭敬之心，人皆有之；是非之心，人皆有之。惻隱之心，仁也；羞惡之心，義也；恭敬之心，禮也；是非之心，智也。仁、義、禮、智，非由外鑠我也，我固有之也，弗思耳矣。」《孟子·告子上》

〔註46〕「梁惠王曰：『寡人願安承教。』孟子對曰：『殺人以梃與刃，有以異乎？』曰：『無以異也。』『以刃與政，有以異乎？』曰：『無以異也。』曰：『庖有肥肉，廄有肥馬；民有飢色，野有餓莩；此率獸而食人也！獸相食，且人惡之；爲民父母行政，不免於率獸而食人，惡在其爲民父母也？仲尼曰：『始作俑者，其無後乎！』爲其象人而用之也；如之何其使斯民飢而死也？』《孟子·梁惠王上》

〔註47〕鄭力爲：《儒學方向與人的尊嚴》，頁248。

的出發點來談論，孟子所言之性是就本質義來說，爲先驗的「價值自覺」，此也是孟子認爲人與其它存在之區別所在；荀子則是就事實義，就現象觀察與人性之符驗來對孟子之「性」作批判，勞思光解釋孟荀兩者「性」的不同：

> 孟子言「性」，實指人之 "Essence" 而言（注意，此處所說之 "Essence" 乃依亞里斯多德之用法）。孟子以爲，人與其他存在有一不同之條件；此條件稱之爲人之「性」。而此條件非他，即有「價值自覺」是。……荀子之論「性」，即純取事實義。荀子不解孟子所言之「性」何所指，祇就實然歷程觀察，遂力攻孟子之說。〔註48〕

是以荀子與孟子兩者對於性之基本立論的角度上即是風馬牛不相及也，故無法以荀子之性惡角度來評孟子之性善論，因二者於立基點一開始就不同。

「故性善則去聖王，息禮義矣。性惡則與聖王，貴禮義矣」又再一次看見荀子所提出的性惡是爲了凸顯禮義存在的必要性，假若人爲性善則無須有聖王禮義的存在；荀了更以自然之現象來解釋「故檃栝之生，爲枸木也；繩墨之起，爲不直也」一物之產生是爲了另一物的改善，因此聖王禮義之所以存在，正是因爲人之性惡。孟子強調性善，從而走向內聖之道，荀子提出性惡，以禮義爲人性之導正，必然的走向重禮義的外王之道。

## 二、「欲」與「惡」

《荀子》一書於〈性惡〉之起首即開宗明義而言「人之性惡，其善者僞也」篇名爲「性惡」，文章之起手亦直言「人之性惡」，是否是指人性之中只有惡而無善的可能？以前述荀子對於「性」之定義內容來看，人之性天生自然有好利、疾惡、耳目之欲，生理欲求與心理欲求同爲人性之本能反應，但是單只就自然、樸質與生就義的「性」來看，荀子並不將這些人之本有的情欲當作惡；而在荀子性惡的論證中，吾人可以知其所謂之惡，是從人類之性「順是」之下，所產生的行爲結果來看，由此，將善定義爲「正理平治」，將惡定義爲「偏險悖亂」；故我們不可將善惡放在一個人是否「內在」具有道德倫理之良心良知來看，而應是從社會下人與人之間之互動交際來論斷。荀子以人之性順是，則「欲」窮年累世不知不足，是否表示強調「以欲爲性」的荀子，認爲「欲之順是」爲「性」必然的自然結果，若無外在的影響，則性必定順欲而爲所欲爲，而最終必然導向惡之結果，是否代表應該以「欲」爲

---

〔註48〕勞思光：《新編中國哲學史（一）》，頁 332～333。

「惡」，視人性為「本惡」？

　　曾暐傑藉由荀子之「性」為「人生而有」的定義，來釐清「人之性惡」的義涵，而清楚說明了「本惡」與「有惡」的差別：

> 何以說從「性惡」無法直接推論出「本惡」這樣的概念？因為依照「生之謂性」──也就是人生而有的定義來檢視「人之性惡」，基本上可以理解為「人生而有（have）惡」，但「生來本惡」的意思是為「人生而是（is）惡」，「是」（is）已經將人限定在「惡」的範疇之中，沒有其他可能。但「人生而有惡」，並不必然可以推論出「人天生就是惡的」這樣的命題。因為「人生而有惡」的論述並不能否定「人生而有善」的可能，假使人生而有惡亦有善，似乎就不能說人生來就是惡的。此外，一個生來就有惡的人，卻能夠自然而然地朝著善的方向發展，如此似乎也不能說這樣的人是惡的。〔註49〕

　　依其所言，若謂「生來本惡」，即表示「性」完全為徹頭徹尾的惡，惡已成為了「性」之屬性本質的範疇之一為是，自然之性毫無能為善的可能性，而「生而有惡」則是未完全將能為善之可能之路封死，此論述對於「本惡」與「有惡」之析辨是極為清楚明瞭。但是曾暐傑又言：「如果要證成荀子是為『性惡論』、為『本惡』，就必須證明『人性』中、甚至是『人』本身是沒有道德價值根源的〔註50〕。」以為要證明人之性為本惡，必須要從人性中是否擁有善的根源來著手，以證明人性為本惡；筆者以為此思慮不免是受到孟子之「性善論」想法的影響，而以為性之善惡，只能從是否具有內在價值根源來作為判斷，但是假若「性」中無善的價值根源，亦無惡的價值根源，如此一來，即使證明了性中無善之價值根源，又如何證成性為本惡之說？再者，是否能就自然本性「順是」之必然向惡的方向發展，而說其為本惡？此處即需釐清「順是」之所謂，是否是就純然之「性」的特質來述說？

　　然而，在探討性之「本惡」與「有惡」之前，我們必須意識到：探討「本惡」之與否，其所站在的問題角度是「性」在「先天上」是否為惡；此是從「性」的「自然義」上面來探討「惡」之與否，而非荀子之性惡論中所關切的，以「惡」為「偏險悖亂」的定義來看──已非從經驗現實層面的角度來

---

〔註49〕　曾暐傑：〈「性惡」即「本惡」──從「性」的定義探究荀子之性惡論的義涵〉，《成大宗教與文化學報》，第20期，2013年12月，頁52。

〔註50〕　曾暐傑：〈「性惡」即「本惡」──從「性」的定義探究荀子之性惡論的義涵〉，頁52。

關心人之性惡與否的問題，筆者以為從此角度的意義上來看，荀子之性是為中性且不具善惡之價值根源性的。

　　荀子雖然以人性中無禮義，但〈解蔽〉亦言：「人生而有知」、「心生而有知」，又以「塗之人也，皆有可以知仁義法正之質，皆有可以能仁義法正之具」（〈性惡〉）、「才性之能，君子小人一也，好榮惡辱，是君子小人之所同也」（〈榮辱〉）以為「知」亦是人生而即有者，是人自然所擁有之質具，如李哲賢所言：「知本於心，心生而有知，可見，荀子以為除了人之自然情欲是性外，復以人之心知形能亦是性也〔註51〕」。荀子雖然「以欲為性」凸顯出人之性惡與禮義的重要性，但不可因此忽略其於《荀子》一書中，以「知」為「性」的論述，「欲」與「知」同為荀子之「性」，若是以荀子之欲之「求而無度量分界」作為人之「可能為惡」之基礎，則亦可視「人之欲善」與「能知禮義」同為人「可能為善」之基礎；且「欲」雖有「窮年累世不知不足的特性」，但吾人已知「欲」所欲求的對象並非僅止於導致惡之事物，而是其所缺乏的一切事物作為其欲求之對象，故其亦能欲求導向善之事物，而言：「今人之性，固無禮義，故彊學而求有之也；性不知禮義，故思慮而求知之也」，在此種觀點看，「欲」之所欲所求並非專只限定於「惡」，此不符合「本惡」之定義，而是傾向於「有惡」之說，以「欲」有欲求「惡」的可能，但亦有欲求「善」的可能。

　　而是否性「順是」為惡，則為「本惡」呢？毫無疑問，「順是」是「性惡」與否之關鍵所在，李哲賢以：「順人之自然情性之需求，而不加以節制，則必流於惡，此荀子主張性惡之本旨也〔註52〕。」鄭力為：「然而荀子言性惡之『惡』究指何者而言？曰：彼所言人性之為惡係由『順是』二字所透露者〔註53〕。」曾暐傑於論證人性「是惡」時，亦以「順性發展是常態」作為證明之項目之一〔註54〕。「順是」之義為何？楊倞注：「天生性也。順是，謂順其性也〔註55〕。」順是，即是順著性發展下去而不加以節制，強調自然之性在不受到任何外力干擾之下，其本身自然而然發展所成的結果；而對荀子來說這個結果就是禮

〔註51〕李哲賢：《荀子之核心思想》，頁68。
〔註52〕李哲賢：《荀子之核心思想》，頁70。
〔註53〕鄭力為：《儒學方向與人的尊嚴》，頁237。
〔註54〕曾暐傑：〈「性惡」即「本惡」──從「性」的定義探究荀子之性惡論的義涵〉，頁55。
〔註55〕王先謙撰：《荀子集解》，頁434。

義的喪亡〔註 56〕，是在眾人競逐之下，因爭而亂，因亂而窮，所導致的窮途末路，生路斷絕之義〔註57〕。「禮義的喪亡」與因爭亂所導致的「窮途末路」皆是從現實經驗上來述說，是否能從現實經驗之「是惡」反推回到「性」之自然義爲「本惡」？筆者以爲，此可以由「順是」之義中所包含的時間性與空間性來分別論述之：

## （一）「順是」之空間性

　　從自然之性之「順是」必爲「惡」推導而以性爲「本惡」者，以曾暐傑爲例，其言：「討論人性，當然必須從自然的狀況而論，才符合「性」字「生而有」的概念，而不針對禮義師法教化後的性來討論，如此才能夠去推論人天生是什麼樣的〔註 58〕。」此與荀子之「性僞之分」想法相同，以爲生而有之自然之性，必須要和後天經「心知」功能而得的禮義師法作爲區分，換句話說，即是將自然之性設限在「『人』此一個體本身天生自然所具有者」，是完全不參雜經驗世界的任何要素的，而與「經由人天生具有之『心知功能』所認識而得者（即禮義）」劃分開來；但是仔細一想，此一推論是極爲弔詭的，此一問題在於「人要如何去欲求自己所不知道的事物？」若是以主張本惡者所言，討論人之本性必須在自然的狀況而論，但人之所欲者，必是所欲自己所看過的、所聽聞過的東西，這些東西必然是經由感官功能之分辨或徵知而得者；可以試著想想看，要如何去「欲求」一個自己完全不知道的東西？或者是欲求一個不存在的、世界上沒有人知道的東西？此處所指的「不知道」，並非指如神等形而上者或幻想出來的東西，而是一個根本連想都沒想到的東西，在所有人類思維裡皆不曾出現過的東西。（況且即使是如神等形上或幻想出來的東西，亦是經由人隨著生理與智能的逐漸發展成熟所形成，此已涉及了經驗世界所包含的空間性與時間性，心知功能亦已與外界發生了作用，故我們無法藉此判斷這些是否是最初、最原始之性所生而即有。）吾人身處於

---

〔註 56〕 岑溢成：「『順是，故爭奪生而辭護亡焉……，故殘賊生而忠信亡焉；……故淫亂生而禮義文理亡焉」便是從『順人欲而不加節制以至禮義的喪亡』方面說『性惡』」岑溢成：〈荀子性惡論析辯〉，頁 55。

〔註57〕 王邦雄：「在眾人競逐之下，也就是所謂的『順是』，必會因爭而亂，因亂而窮，窮是窮途末路，生路斷絕的意思。」王邦雄：〈論荀子的心性關係及其價值根源〉，《鵝湖月刊》，第 8 卷第 10 期，1983 年 4 月，頁 26。

〔註 58〕 曾暐傑：〈「性惡」即「本惡」——從「性」的定義探究荀子之性惡論的義涵〉，頁 56。

經驗世界此一空間，便開始以此一經驗世界作為認知對象，從出生的那一刻起，便已開始經由感官作用有意識無意識的在感知著世界，從經驗世界裡接收著資訊。對於經由感官功能或心知功能分辨或認識過後之「性」，是否還是生而即有時，那一天生純然之性？若答案為是，則何以將禮義師法教化後的性排除在討論範圍之外？若答案為非，則人之「欲」在感官、心知功能尚未運行之前，其所欲者，可以以什麼為欲求的對象，進而擴張欲望使我們稱其為惡？

故，性若是要「順是」，必然是在經驗世界此一空間中欲求著，其所欲，必是欲求著在經驗世界裡已知的事物。作為延伸推導下去，則人之性惡與否，已是關乎其人所接觸的外在事物為何，來作為其所欲求的對象，而與經驗世界密不可分；若一人從小到大所見所聞所知者，全然為善，則其能「欲」的對象即是傾向於善者為多；但即使如此，也非為必然的僅只欲善，因為當「欲」已牽涉到感官與心知功能，就已涉及了經驗世界此一具有萬事萬物的空間，使已不可能僅只看到善而已，我們無法細數感官對象所接收的所有對象為何。再者，我們已知探討「本惡」並非是從人群、社會的角度來看性惡，而僅就「自然本性」來談論性惡，此表示，不論在哪一種空間環境之下，人類之性都將只是惡，發展也僅只有惡，曾暐傑就此論點引用了霍布斯與黎鳴之言作為佐證：

> 根據霍布斯（Thomas Hobbes, 1588～1679）所言『在沒有一個共同
> 權力使大家懾服的時候，人們便處在所謂的戰爭狀態之下。』也就
> 是說在沒有國家禮法形成前，人是處於自然狀態的，也就是黎鳴所
> 指出，人的『競爭是常態的』。〔註59〕

人在沒有國家社會形成之前，在自然的狀態之下會有所競爭，此言極是，但是競爭的原因是否是如荀子所言的是由生理欲求所擴大到心理欲求之「好利、嫉惡、殘賊」呢？馬斯洛所提出的需求理論，將需求與慾望分成了生理需求、安全需求、社會需求、自我需求以及自我實現需求〔註60〕，戰爭的理由有時候是為了確保糧食、為了爭奪得以生存的土地空間等等，是以維持生理需求所產生；故戰爭與競爭之因，並非是全然的出於窮年累世不知不

---

〔註59〕　曾暐傑：〈「性惡」即「本惡」——從「性」的定義探究荀子之性惡論的義涵〉，頁56。
〔註60〕　陳忠孝：《行銷管理》，臺北：千華數位文化，2010，頁2、3。

足的欲望所驅使。如此以「求生」的欲望所產生的競爭不能將其視為「惡」，且若是人類產生了「戰爭」，表示「群體」與「部落」的概念便已萌芽，人之性已然涉及經驗世界此一空間中，其所表現出來的「性」已無法確認其究竟是否為本性使然，或者是受到經驗世界的影響，故只能見到性之「有惡」而已。

## （二）「順是」之時間性

「順是」為「順其性也」，順其性，表示有一發展的時間歷程，尚且拋開順是之空間性，筆者將此一時間性的發展歷程切分出三的階段，第一個階段，為自然生就義的「性」，即是出生之始，尚未涉及經驗世界之本性；第二個階段，為荀子之所謂的「性惡」之性，是擴張而無節之欲所造成，由此人類產生了偏險悖亂；第三個階段，為聖人生禮義。主張「性本惡」者，以曾暐傑為例，提出了：「一個天生會朝著惡的結果發展之人性，難道不能將其定義為惡的嗎？如果順著性發展，自然會導向惡的結果，那還不能說這個性是惡的嗎〔註61〕？」從筆者所劃分的時間歷程的三階段，與主張性本惡者所謂的順性發展所導致的必然的惡兩者相對照，其實於時間歷程上也只走到了第二階段，而忽略了後面荀子所言：「必將有師法之化，禮義之道，然後出於辭讓，合於文理，而歸於治」此第三階段，〈禮論〉篇中荀子寫到：

> 禮起於何也？曰：人生而有欲，欲而不得，則不能無求。求而無度
> 量分界，則不能不爭，爭則亂，亂則窮。先王惡其亂也，故制禮義
> 以分之，以養人之欲，給人之求。使欲必不窮乎物，物必不屈於欲。
> 兩者相持而長，是禮之所起也。

現今禮義確實存在於世，人類社會亦是處於治理的狀態，禮義為聖王所創建，是屬於人類所創建的產物；在性惡的論證中，荀子以人之性惡來說明聖王之所以「明禮義、起法正、重刑罰」的必要性，藉此由禮義的存在來證明人之性惡，又以「先王惡其亂也，故制禮義以分之」，可以見得是先有偏險悖亂，而才有建制禮義的發展，頗有物極必反之義於其中；反過來說，禮義是由人所創生，禮義之存在，亦是順著人所發展下去而必然誕生的產物，由此觀之，只能說人性為「有惡」，若其為「本惡」，現今應無禮義為是。

從筆者對於「順是」之空間性與時間性的分析探討來看，都只能證明荀

---

〔註61〕曾暐傑：〈「性惡」即「本惡」——從「性」的定義探究荀子之性惡論的義涵〉，
頁 56。

子之所謂性惡，只能證明到「有惡」，而無法進一步推論到「本惡」，自然生就義之性，我們無法知道其爲善或爲惡，或者其不具善惡而只爲一白紙，且就自然生存本性上，求生的本能而言，亦是無法以善惡來加以論斷。

# 第三章 荀子之心──知道、可道、守道禁非道

　　荀子的自然之性是人天生而有無法變更的天賦，生來既定如此，對於這天生順是流於惡的傾向，要如何將之轉化導止，道德又要如何從一片看似黯淡無望的惡之傾向中牽引出來？荀子所建立的「心」無非給予點亮「善」之明燈的引線──以認知作為發跡，在認知活動中，經過天官的感物，認知主體對於認知客體的觀察與經驗之積累，獲得客觀事物的知識與理序；這個階段看似是認知過程中最主要的活動，然而對於荀子之心來說僅只是最初始的冰山一角──「意物」階段，是作為認知之基礎，然而荀子發現到人與物畜皆能感物，並不能用認識事物的能力來作為區分人與物畜的差別，便有了「人之所以為人者何已也？」之一問，而以「以其有辨也」作為回答，強調了人心的能擇、能慮、能辨，這些都是心功能之屬，〈勸學〉又云：「故學數有終，若其義則不可須臾舍也。為之，人也；舍之，禽獸也。」以為人是否能從行為上作道德之實踐，亦是人身為人之特色所在。透過天官之「當其簿類」，以及慮、辨之「徵知」，「心知道，然後可道。可道，然後能守道以禁非道。」由「知」進入了「行」的實踐部分才是荀子認知心的真正意義。

　　因此荀子認為知識是與經驗世界的客觀事物相聯繫，知識不是由天賦予而內在於我，也不是藉由內在自省便能夠獲得仁義禮智，而是向外求得而來。儒家之鼻祖孔子雖然沒有對知識來源的先驗後驗有直接的分析撰述，但若從《論語》中仍可窺見一斑：

　　　生而知之者，上也；學而知之者，次也；困而學之，又其次也；困

而不學，民斯為下矣。（〈季氏 9〉）

孔子認為生來就擁有先驗知識的人（生而知之者）與依靠後天學習才得以知屬於後驗知識的人（學而知之者），兩者皆是有的，但是孔子對於生而知者幾乎只是抽象的肯定〔註1〕，並沒有對於生而知之者有明確的對象舉例。世人尊孔子為聖者，他自己的知識來源方式又是如何呢？是否是屬於上者的生而知之者？《論語‧子罕》裡有段太宰與子貢對於聖人之才能的探討：

太宰問于子貢曰：「夫子聖者與？何其多能也？」子貢曰：「固天縱之將聖，又多能也。」子聞之，曰：「太宰知我乎？吾少也賤，故多能鄙事。君子多乎哉？不多也。

太宰以為聖人之所以為聖人在於其多才多藝，子貢則認為孔子之為聖人是天所賦予，是孔子所固有，又如此才能兼備；孔子聽到後，澄清自己現在之所以如此多能是因為年輕時學習而來，並不是先天所成。從此處可窺見，孔子雖對自己為聖人與否沒有明確的認肯或否定，但是他以為自己之所以能如此多能是依靠後天的學習所積累而來，非天生之稟賦。在〈述而〉中，孔子更直接明說「我非生而知之者，好古，敏以求之者也」，否定了自己知識的先驗性，強調「知」是在於勤勉於學而得來。從以上來看，孔子比起生而知之，似乎對學而知之更為肯定。吾人視孔子為聖人，可以推見，聖人並非天造之才，而是在於後天孜孜不倦之積習而使後人尊其為聖人。

孟子則以為人皆擁有「惻隱之心、羞惡之心、恭敬辭讓之心、是非之心」此四端之心，又謂「仁義禮智，非由外鑠我也，我固有之也」，認為人的善是天生本然的內在於我，建立起了人擁有「不慮而知」的良知與「不學而能」的良能的內在道德價值主體，荀子以人之能辨與實踐作為人與禽獸之差異所在，孟子則以「仁義」為人所獨有的特徵〔註2〕，仁義禮智內在於我、不慮而知、不學而能，而「萬物皆備於我矣」，只需藉由反求諸己、反身而誠、加以擴充四端之心，便能重啟內在於我的知識。由此看來孟子傾向於孔子的「生而知之者」，認為知識是由天所賦予、是我所固有的。反之，認同孔子「學而知之者」而反對「生而知之者」的荀子，又是如何看待知識之發源？如何從重視客觀的認知心走向道德與實踐？

〔註1〕廖名春：《荀子新探》，頁 204。
〔註2〕「人之所以異於禽獸者，幾希，庶民去之，君子存之。舜明於庶物，察於人倫，由仁義行，非行仁義也。」〈離婁下 19〉

# 第一節　「知道」之基礎

## 一、「知」與「能」為生而即有

心認識事物如何可能？荀子將「心之知」視為人生而即自然具有的〔註3〕。「知」是「心」的作用〔註4〕：

　　人，生而有知，……心生而有知。（〈解蔽〉）

　　凡以知，人之性也；可以知，物之理也。（〈解蔽〉）

　　所以知之在人者謂之知；知有所合謂之智。（智）所以能之在人者，

　　謂之能〔註5〕；能有所合，謂之能。（〈正名〉）

由以上的引文來看，「人，生而有知」「心，生而有知」「凡以知，人之性也」可以確認荀子認為「知」是人天生本性所固有，並且區分了人「能知」的認識能力和「所知」的客觀對象及其理序，兩者有所區別，但是又緊密聯繫再一起的，故其又言「知有所合謂之智」，「知有所合」謂所知能合於物也〔註6〕，意指人的認識能力與客觀外物相接觸，而所識的知能夠與事物的理相符合，才能叫做「智」〔註7〕。韋政通以為「合」表示心通於物之謂，故合然後能形成對物之知識，此即是「可以知，物之理也」與「知有所合謂之智」之義，「理」

---

〔註3〕韋政通以「凡以知，人之性也」是說人的本性就是知。韋政通：《荀子與古代哲學》，臺北：臺灣商務印書館，1966，頁126。東方朔以從「生而有」說「知」，意味著在荀子來看，能知是人的（先天）本性。東方朔：〈心知與心慮——兼論荀子的道德主體與人的概念〉，《國立政治大學學報》，第27期，2012年1月，頁42。廖名春以為「凡以知，人之性也」說明人的本性具有認識客觀事物的能力。廖名春：《荀子新探》，頁207。何淑靜在論荀子是否以「心」為「性」的篇章中，以為就〈天論篇〉：「心居中虛，以治五官，夫是之為天君。」稱心為天君，即是以「心」乃「天之就也」。又從〈解蔽篇〉：「人，生而有知，……心生而有知。」可看出「心之知」乃人生而即自然具有的。由此可看出就荀子的性義來看「心」（心知），「則心當是性」。何淑靜：《孟荀道德實踐理論之研究》，頁48。

〔註4〕何淑靜：《孟荀道德實踐理論之研究》，頁48。

〔註5〕楊倞注：「智有所能，在人之心者，謂之能。能，才能也。」王先謙撰：《荀子集解》，頁413。

〔註6〕王先謙撰：《荀子集解》，頁413。

〔註7〕東方朔以為人心之知有感性與理性之分，而「知有所合」之知乃指人的理性認識而言。〈心知與心慮——兼論荀子的道德主體與人的概念〉，頁42。筆者以為其意思是指「知有所合」的認識並非如天官與外物相接一般只接收外界資訊材料而無思辨，理性認識是經思慮而得的。

與「智」即為對物的知識〔註8〕。而「能有所合謂之能」之「能」指人的「才能」而言，此處作才能之解沒有什麼問題，但是在「能之在人者謂之能」的「能」則有許多的分歧存在：楊倞注為「在人之心者，謂之能。能，才能也〔註9〕」，東方朔以句式之上下承接而以「潛能」作解〔註10〕，王忠林與熊公哲則以「本能」解〔註11〕。拙見以為「潛能」意味人之潛在的能力，亦是屬於人之天生所固有的能力（即本能），生而即所具有之才能，因此潛能、本能與才能三者實可謂之同義。且又若分別以三者來解「能之在人者謂之能」之句，於大意上也不會產生偏差，也許是註解之人在解釋上時所注意到的地方特點不同，產生了使用詞彙上的差異，例如主張潛能者或者是注意到了人擁有此一潛在能力而著重於此；主張本能者，或者是看中荀子以心之知為性，故而強調了「能」為本能是人之所固有的特性；而主張才能者，或者為泛指人之「能」的廣義部分，含括了人之先天固有的潛在之能，以及藉由本能之能而後發展出的後天之能，而以「才能」之義作為統括。

綜上所述，荀子以為人不但具有能夠把握客觀事物之理的認識能力，並能夠由此而與客觀事物相作用得到知識，而經驗世界的客觀事物也都是能夠被「心之知」所認識的。由認知主體與客觀被認識的客體兩者之間的關係，除了凸顯人非「生而知之者」，知識是從客觀事物所來，還能夠隱隱看出荀子思想中人與經驗世界之間相互聯繫的重要性。正如陳禮彰所言：「心所凸顯的雖是客觀認知的功能，在強調禮義統類的社會人性論結構中，同樣居於關鍵地位〔註12〕。」荀子之心性論是與社會以及人與人之間的交際互動相關聯的，

---

〔註8〕 韋政通：《荀子與古代哲學》，頁126。李哲賢以：「『知有所合謂之智』即是對事物所形成之知識也。」李哲賢：《荀子之核心思想》，頁 78。蔡仁厚亦認為「知有所合謂之智」的「智」字，實際上是指「知識」而言。蔡仁厚：《孔孟荀哲學》，頁408。

〔註9〕 王先謙撰：《荀子集解》，頁413。

〔註10〕 東方朔云：「『能之在人者謂之能』在句式上承上句而來，即是說人本來有的掌握事物的能力叫做潛能。」東方朔：〈心知與心慮──兼論荀子的道德主體與人的概念〉，頁42。

〔註11〕 「『能之在人者謂之能』此指能的作用而言，是本能的能。『能有所合謂之能』指能的結果而言，是才能的能。」王忠林：《新譯荀子讀本》，臺北：三民書局，1991，頁337。「人有可以能之具，所以能之在人者謂之能；能有所合，謂之能。前者為本能之能，後者為有成之能。」熊公哲：《荀子今註今譯》，臺北：臺灣商務，1980，頁456。

〔註12〕 陳禮彰：《荀子人性論及其實踐研究》，頁93。

甚至可以說，其所建立的理論系統都是基於「社會〔註13〕」爲發想。

## 二、心之作用─意物與徵知

　　既然人具有能夠獲得知識的認識能力，那麼認識是如何開始？又是如何運作？所認識到的知識又是怎麼樣的？人的知識是否有主觀與客觀的分別？有沒有來源依據？許多學者〔註14〕將認識分爲兩種：一爲當簿其類的「天官意物」、一爲「心有徵知」。「天官意物」就字面上來看可以大致上推理出是由「天官」爲主，發揮其功能而去「意物」，然「天官」與「意物」兩者之間是如何搭配運作的？「意物」又是什麼意思？〈正名〉：

> 然則何緣而以同異？曰：緣天官。凡同類、同情者，其天官之意物也同，故比方之疑似而通，是所以共其約名以相期也〔註15〕。形體、色理以目異，聲音清濁、調竽、奇聲以耳異，甘、苦、咸、淡、辛、酸、奇味以口異，香、臭、芬、郁、腥、臊、洒、酸、奇臭以鼻異，疾、養、滄、熱、滑、鈹、輕、重以形體異，說、故、喜、怒、哀、樂、愛、惡、欲以心異。心有徵知。徵知則緣耳而知聲可也，緣目而知形可也。然而徵知必將待天官之當簿其類，然後可也。

　　要如何才能夠認識事物的同異呢？天官是指人的耳目鼻口心體也〔註16〕，而之所以稱作「官」則是意指其各有所司主〔註17〕，意味著耳目鼻口心體各自有所相接對應的對象，即擁有「各有接而不相能也」的特性；天官還有個

---

〔註13〕「人是社會的動物，無論哪一個時代的人，住在哪一個地方的人，都不能夠單獨生活，必須和別人互相幫助共同過日子。這種人和人互相幫助，共同過日子的情形，叫做團體生活，實行團體生活的範圍，叫做社會。」林紀東：《法學緒論》，臺北：五南圖書出版，2009，頁3。

〔註14〕陳大齊以知的作用可析爲兩種，一種爲知覺，一爲知慮。陳大齊：《荀子學說》，頁39。廖名春以爲認識過程可以區分爲兩個階段，第一個階段是「天官意物」或「緣天官」；第二個階段，即「心有徵知」。廖名春：《荀子新探》，頁210～213。東方朔亦是將認識分爲感性、理性認識，見註81。雖然學者們所使用的名稱皆不相同，但是其內容指涉是相同的。知覺、天官意物所指涉的都是天官的運作，屬於感性認識；知慮、心有徵知則是進入到了思慮與驗證，屬於理性的認識。

〔註15〕同類同情，謂若天下之馬雖白黑大小不同，天官意想其同類，所以共其省約之名，以相期會而命之名也。王先謙撰：《荀子集解》，頁416。

〔註16〕王先謙撰：《荀子集解》，頁415。

〔註17〕王先謙撰：《荀子集解》，頁415。

意涵在於「天」乃意指天生自然〔註18〕，如上一章所述，天官屬「性」，這些
感覺器官即其功能是人天生所固有。「緣」為依靠〔註19〕之意，因此「緣天官」
是依憑著感覺器官的意思，即是說，要分辨事物之同異就要依靠感覺器官。
而「意」即感覺，「物」指客觀世界；天官意物就是通過感覺器官來反映客觀
事物〔註20〕。通過天官去感知客觀事物的同異，實際上是要區分什麼？眼睛
為視覺，能夠區分出不同形狀、顏色、紋理；耳朵為聽覺，能夠區分出不同
聲音之清濁、寬狹、奇異之聲；口舌為味覺，能夠區分出甜、苦、鹹、淡、
辣、酸等不同味道；鼻子為嗅覺，能區分出香、臭、花草香、腐臭、腥、臊、
漏等氣味，體膚為觸覺，能區分出痛、癢、寒、熱、滑、澀、輕、重等不同
觸感，而心則能感覺到悅、故、喜、怒、哀、樂、愛、惡、欲的區別。天官
能區分出這麼多不同種類，而荀子以為只要同屬人類，擁有相同的天官、有
相同的情感，則「凡同類、同情者，其天官之意物也同」那麼五官與外物接
觸，也就應有相同的感覺，與相同的知識〔註21〕，表示人所接收的知識擁有
普遍、客觀性。還有一點值得注意的是，荀子除了列出五官（眼耳鼻口體）
分別能區分出視聽嗅味觸，還同列了「心」所能區分出的心理現象，代表了
在「意物」的情況下，荀子將「心」與「五官」劃入了相同的地位與功能，
而以五官為外感官，心為內感官〔註22〕。在「天官意物」這個階段，我們可
以看出認識開始於感覺經驗〔註23〕。

　　心為內感官，具有區分人之情欲與情感的功能，在此階段的心仍只是感
官作用，與五官共同為天官之屬，尚未進入到荀子將之作為人與物畜之別的

---

〔註18〕何淑靜：《孟荀道德實踐理論之研究》，頁50。
〔註19〕廖名春：《荀子新探》，頁210。
〔註20〕廖名春：《荀子新探》，頁210。
〔註21〕韋政通：「這句子中陳述句使用了「應有」，是因為感官與心會受到片面性、
　　　　表面性及其好利等的影響，所以實際上並非如理論之理想所顯示一般，於後
　　　　面之敘述會有詳細解釋。」韋政通：《荀子與古代哲學》，頁158。
〔註22〕陳大齊：「目耳口鼻體五者是外感官。是以感受外來的刺激，心是內感官，用
　　　　起感受內在的刺激。故單就外知覺而言，則分為五類，若與內知覺合而言之，
　　　　則五類之外，又加一類，共為六類。」陳大齊：《荀子學說》，頁40。牟宗三：
　　　　「五官為外部感覺，心官為內部感覺。外感給吾人以外部現象，內感則給以
　　　　心理現象。」牟宗三：《名家與荀子》，臺北：臺灣學生書局，1994，頁262。
　　　　陳禮彰：「純就知覺作用而言，五官與心官並無高低之分。」陳禮彰：〈荀子
　　　　人性論及其實踐研究〉，頁96。
〔註23〕廖名春：《荀子新探》，頁210。

「辨」的理性功能階段，即是說此時心所具有好利之情的本能與物畜被情欲所驅使的本能是相同的情形：

> 目好之五色，耳好之五聲，口好之五味，心利之有天下。（〈勸學〉）
>
> 飢而欲食，寒而欲暖，勞而欲息，好利而惡害，是人之所生而有也，是無待而然者也，是禹、桀之所同也。（〈榮辱〉）
>
> 夫人之情，目欲綦色，耳欲綦聲，口欲綦味，鼻欲綦臭，心欲綦佚。此五綦者，人情之所必不免也。（〈王霸〉）
>
> 若夫目好色，耳好聲，口好味，心好利，骨體膚理好愉佚，是皆生於人之情性者也，感而自然、不待事而後生之者也。（〈性惡〉）
>
> 今人之性，生而有好利焉……。（〈性惡〉）
>
> 利心無足，而佯無欲者也。（〈非十二子〉）

「心利之有天下」、「好利而惡害」、「心欲綦佚」、「心好利」、「生而有好利焉」、「利心無足」，又言「是人之所生而有也，是無待而然者」、「人情之所必不免也」、「是皆生於人之情性者也，感而自然、不待事而後生之者也」、「生而有」；前面說明了心有其所好、心好利，後者則說明了荀子謂「心好利」之生，正如同謂「性」之「天之就」、「生之所以然者謂之性」一般，好利之情欲為人天生所固有。如此亦表示，「心好利」若沒有受到後天外在的人為影響，則心好利之本能便會如同五官之好欲的本能「順是」而無度量分界的無限擴張、無限索求，最後導致流於惡的結果。由此看來，似乎不但性為惡、連心也為惡，如此人之道德究竟該如何萌生？要如何將在「天官意物」階段與五官無高低地位之分的天官之心提升到具有知慮理性作用之心？究此，我們需要理解心之另一個面向，即「徵知」。

雖然五官與心官能夠感知事物，但還需要心的另一樣功能「徵知」。「徵」字有許多不同的解法：楊倞注：「徵，召也。言心能召萬物而知之〔註24〕。」廖名春以為：「『徵知』就是在感覺感知的基礎上，對感覺印象進行分析、辨別和驗證〔註25〕。」王忠林：「徵，驗。心能驗之外物〔註26〕。」韋政通則比較楊倞注之「召」、胡適、馮友蘭之「證明」以及《荀學大略》正名篇疏解所

---

〔註24〕 王先謙撰：《荀子集解》，頁 417。
〔註25〕 廖名春：《荀子新探》，頁 213。
〔註26〕 王忠林：《新譯荀子讀本》，頁 337。

使用之新術語「心之智用」或「理解」，認為「理解」之義與楊倞注不悖，亦
較切合原意〔註27〕。陳大齊：「近人有釋徵字為證明者，謂『徵知』就是使知
識有根據。……單就『心有徵知』一句而論，把徵字解作證明，固無不可。……
在文義上，不若舊說釋為召字之順當〔註28〕。」而以為以「召」字釋之為佳。
陳大齊亦認為解作「證明」確實有其深長的意義：

> 目官看見了白或黑，心又從而證明其為白為黑。又如耳官聽見了叮
> 吟的聲音，心則證明其為鈴聲，意即把叮吟解釋為鈴的聲音。……
> 感官接受了刺激而不為心所意識，不能成為知覺。接受了刺激而不
> 為心理結構所同化，亦不能成為有意義的知覺。〔註29〕

從上引文可以藉此釐清我們對於意物與徵知之「辨」在理解上可能會產
生的混淆：意即在「天官意物」的認知作用上，五官與心已然能夠「區分」
出各感官之各司其職所經驗感知的不同現象與情狀，那麼，「區分」不就應等
同於「分辨」，是能夠將情狀加以「分類」、「判別」的，應該已經是擁有了「思
辨」在其中，應該是屬於「理性認知」的功能，屬於「徵知」才對，那兩者
的差別在哪裡？感官所分辨的只是單純的經驗情狀，但是並不能去解讀「白、
黑」或者「叮吟」究竟是何物，又有什麼作用或意義；因此其所「區分」出
來的只是經驗世界的表面現象，並不能真正的進入到心的知覺與理解當中，
還需要由心去證明解釋之，才能使其被理解與產生意義的存在。而將「徵」
釋為「召」，亦有其深長的意義：

> 外界刺激紛至沓來，令人應接不暇，但事實上我們並不來思受之而
> 無所拒絕，卻只接受其中的一部分以成知覺，其餘則棄而不知。其
> 所以有所取捨，出於心之召與不召。心召之，則注意而知之，心不
> 召之，則雖刺激感官，亦將其驅逐於注意之外而不予接受。……釋
> 徵為召，足以闡發欲之與不欲知權完全操之於心。〔註30〕

經驗世界所呈現出來的訊息量極為龐大，我們不可能每一樣都接收，將
「徵」解作「召」，可以看出心具有能夠主動選擇要對哪些知覺的刺激予以接
受，凸顯出心的抉擇能力。韋政通之「理解」義為：

> 他們吸收的只是雜多性的原料，是完全沒有經過任何程度的辨識，

---

〔註27〕韋政通：《荀子與古代哲學》，頁 158～159。
〔註28〕陳大齊：《荀子學說》，頁 40。
〔註29〕陳大齊：《荀子學說》，頁 40。
〔註30〕陳大齊：《荀子學說》，頁 41。

解析與整理的，所以還不是清晰的知識。要使這些雜多的原料，形

成清晰有條理的知識，要靠徵知（即理解）的活動。〔註31〕

因此「理解」為辨識、解析與整理的活動，即是徵知。

筆者以為不應急於撇清歧異而只取某一單一字彙之解釋作為正解，吾人若是能體會單一字之不同字義所蘊含著其不同層面的意義與概念，而能有更多不同角度與更多層次的理解；且文字是傳達思想概念之工具，有其侷限性所在，只使用單一字句難以完全表達其背後蘊含的意義與思想；或許不同學者之詮釋已然非荀子本人之原意，但仍能作為智慧之延展、綜合或創新。綜上所述，作為心之抉擇之「召」義；為辨識、解析與整理之「理解」義；使知識有根據之「證明」義與主觀與客觀相符合之「驗證」義；皆可以是包含在「徵知」內。徵知為一種認識活動，是「緣耳」則「知聲」「可也」、是經由「當簿其類」的配合，是依據經驗（感官與客觀事物相接）而得的資料，為了使心經由選擇後感知之知覺能與客觀事物之情狀相符合，在理解過程中亦包含了驗證於其中，故並非得在眾釋義當中取其一不可，忽略了皆包含在內的可能性。

從以上對於「徵知」之釋義過程中，已經能知道為何識物需要徵知的原因，若無「徵知」，則五官雖然感知了客觀事物，仍會像〈解蔽〉所云：「心不使焉，則黑白在前而目不見，雷鼓在側而耳不聞」，以我們生活經驗的例子來說，有時候失神或者是當下很專注在一件事物（或者思考）身上，常會有充耳不聞的情形發生，即是由於心所專注、行使的地方並不在放空或者專注對象以外的事物，造成雖然眼睛已經看到了黑白的顏色、耳朵已經聽到了雷鼓的聲音，卻恍若未聞。而從徵知則「緣耳而知聲可也」「緣目而知形可也」以及「必將待天官之當簿其類，然後可也」這些說法看來，表示心雖然能夠徵知，但是假若沒有因著目與耳這些天官「當簿其類」的配合，則心的「徵知」是無法運作的〔註32〕。

從知與能到天官意物與徵知，我們知道了心是由繁複的功能與作用所構成，也看到了主觀（認知功能）與客觀（經驗世界）以及外感官與內感官之間的相互聯繫與相輔相成，然而，僅只是這些還不是荀子之心的全貌；從荀子之〈正名〉還能夠看到荀子對於心的其他功能作用的敘述：

---

〔註31〕 韋政通：《荀子與古代哲學》，頁159。
〔註32〕 楊倞注：「心雖有知，不因耳目，亦不可也。」王先謙撰：《荀子集解》，頁417。

生之所以然者，謂之性。性之和所生，精合感應，不事而自然，謂
之性。性之好惡喜怒哀樂，謂之情。情然而心爲之擇，謂之慮。心
慮而能爲之動，謂之僞。慮積焉能習焉而後成，謂之僞。正利而爲，
謂之事；正義而爲，謂之行。所以知之在人者，謂之知；知有所合，
謂之智。智所以能之在人者，謂之能。能有所合，謂之能。

上引文中，荀子分別爲性、情、慮、僞、事、行、知、智、能下定義解釋，並且列出他們的前後相關性，而使他們能成爲一條龍。前面先將「性」定義爲「生之所以然者」，又謂「性之好惡喜怒哀樂，謂之情」，從此處能見有愛好之情欲爲「性」的一面，而末段又言「所以知之在人者，謂之知；知有所合，謂之智。智所以能之在人者，謂之能。能有所合，謂之能。」說明了「知」與「能」亦是「在人者」的本能之「性」，可以看出荀子的性有兩個不同面向，一爲情欲、一爲知能。性所產生的好惡喜怒哀樂之情，可以由心的知能來對此一反應來作判斷與抉擇，〈禮論〉亦云：「禮之中焉，能思索，謂之能慮」，能有思索、判斷與抉擇即稱之爲「慮」；在經由心的判斷與思慮抉擇之後，而能夠發動以產生行爲行動，這就叫作「僞」。心雖然能思慮、能辨擇，但還是需要時常思慮與積習才能夠矯正本性，此是後天人爲的，故稱之爲「僞」。在這裡，荀子何故對於「僞」之定義重複提了兩次，一次爲「心慮而能爲之動，謂之僞」，第二次爲「慮積焉能習焉而後成，謂之僞」？前者的「僞」是由心的思慮，作用在屬於情的好惡喜怒哀樂上面，加以分辨抉擇，然後才引發動能，將之據以實現；而另一個「僞」是言藉由心的思辨與抉擇能力不斷的重複實行，如此積習累積而最後成爲的。故陳大齊以爲：「前一定義中的僞，指僞的作用而言，後一定義中的僞，指僞的結果而言[註33]。」而楊倞注裡的兩個「僞」皆解作「矯」的意思[註34]；既以「矯其本性」來導正「性」，又以慮積、能習而後成，此二者都已非屬於天生之「性」了，因此可將「僞」解爲「人爲後天」之義。

前面已探討過荀子感官之心的「心之利」爲「性」，性、情、慮、僞並非生而就朝著正道發展，生而固有的知、能、慮也非只要有所思有所慮，所抉擇的便一定是符合中理正道之選，最重要的還在於其所思所慮的依據是什

---

〔註33〕陳大齊：《荀子學說》，頁34。
〔註34〕「僞，矯也」「心雖能動，亦在積久習學，然後能矯其本性也。」王先謙撰：《荀子集解》，頁412。

麼，而影響了中理與不中理的結果。此處提到「正利而爲，謂之事；正義而
爲，謂之行」置於「僞」之定義之後，是否有什麼原因？「正」爲正道、正
當〔註35〕之義，說明了當正道之利而行時，稱之爲「事」；當正義而行稱之爲
「行」，反之，（非正義）則稱之爲「姦邪」〔註36〕，強調了「事」與「行」
的正當性。是走在正道、中理上的「僞」。此處雖然也講到了「利」，但是是
「正道之利」，吾人往往在探討人性論時，將利與欲視爲人性之負面所向，此
處卻見到荀子肯定人「心之利」好的一面，亦闡述了只要是以正道迫求之，
又有何不可；故不應將利、欲作以負面詮釋。其他心之作用又如：

> 人生而有知，知而有志；志也者，藏〔註37〕也；然而有所謂虛。（〈解
> 蔽〉）

> 必謹志之，而愼爲擇取焉，則足以稽矣。（〈臣道〉）

> 博聞彊志，不合王制，君子賤之。（〈解蔽〉）

　　人以感官接觸客觀事物之「意物」經由心之「徵知」來辨認、抉擇所認
識的事物以獲得知識。心之慮能思、能擇，但是抉擇後要眞正地進入到人而
能留存成爲主觀的知識、以及「慮積焉能習焉而後成」之所謂的「積」與「習」
這些都在於心的能「志」與能「藏」。「志」爲記識〔註38〕之義，指人生而即
有「知」，並能夠將所得的材料、知識保藏於心，藉由「志」與「藏」，人才
能夠不斷將與外物所接觸認識的內容不斷的累積，成爲材料。上引文之「志」
與「藏」皆是指心的記憶功能。

　　綜上所述的這些功能構成了心的認識能力與理性之知的基礎，而這些「在
人者」的「知」與「能」正是人之所以能夠認識仁義法正的可能性，如〈性
惡篇〉所云：

> 凡禹之所以爲禹者，以其爲仁義法正也。然則仁義法正有可知可能
> 之理，然而塗之人也，皆有可以知仁義法正之質，皆有可以能仁義
> 法正之具；然則其可以爲禹明矣。今以仁義法正爲固無可知可能之
> 理邪？然則唯禹不知仁義法正，不能仁義法正也。將使塗之人固無

---

〔註35〕 楊倞注以正道釋之、俞樾解作正當也。王先謙撰：《荀子集解》，頁413。
〔註36〕 王先謙撰：《荀子集解》，頁413。
〔註37〕 楊倞注解釋「心未嘗不臧也」：「臧，讀爲藏，古字通。」王先謙撰：《荀子集
　　　　解》，頁395。王忠林：「和『藏』通」。王忠林：《新譯荀子讀本》，頁321。
〔註38〕 王忠林，《新譯荀子讀本》，頁321。楊倞注：「在心爲志。」王先謙撰：《荀子
　　　　集解》，頁395。

> 可以知仁義法正之質，而固無可以能仁義法正之具邪？然則塗之人
> 也，且內不可以知父子之義，外不可以知君臣之正。不然。以塗之
> 人者，皆內可以知父子之義，外可以知君臣之正，然則其可以知之
> 質，可以能知具，其在塗之人明矣。今使塗之人者以其可以知之質，
> 可以能之具，本夫仁義之可知可理，可能之具，然則其可以為禹明
> 矣。

人的「可以知仁義法正之質」與「可以能仁義法正之具」是每個人都擁有的質具，是禹與塗之人所共同擁有且無所分別的，〈榮辱〉謂：「材性知能，君子與小人一也」，不只是塗之人擁有，連小人所具備的知與能的質具也是一樣的；因此荀子肯定：只要身為人，就都擁有著一樣能夠成為聖賢的資質與可能性。並且以父子之義與君臣之正作為舉例，以為塗之人都能夠懂得這些道理，正是說明了人具有可以知仁義法正的證據；再次凸顯了「知」與「能」為人本性所固有，為人之自然天賦，人擁有能夠知善、向善的潛能。

依照此理論脈絡下來看，現今應該是禹滿街跑，何以自古今來，禹卻只有一個？眾多人海中，聖人卻只是寥寥數幾，而非天下人皆是禹呢？又何以荀子以人之利欲傾向之性來說性惡，而不以人擁有可以知、可以能仁義法正之質具來說性善呢？此關鍵點，就在於人的感官與心的中理與閉塞與否，以及人向善的意願和欲認知道的心。

## 第二節　不說心善為性善之因

人何以有蔽？雖然荀子言「知明而行無過」「心知道然後可道」「心之所可中理」「知之，聖人也」又謂「才性知能，君子小人一也」，好利而惡害之性是「禹桀之所同也」；既然人之情欲與知能皆為人之性，塗之人皆可以為禹，而最後卻有君子與小人的差異，又何以無法將心看作人生而固有的道德主體，即在於心之蔽。心何以蔽？「蔽」又為何？

> 凡人之患，蔽於一曲，而闇於大理。治則復經，兩疑則惑矣。天下
> 無二道，聖人無兩心。今諸侯異政，百家異說，則必或是或非，或
> 治或亂。亂國之君，亂家之人，此其誠心，莫不求正而以自為也。
> 妒繆於道，而人誘其所迨也。私其所積，唯恐聞其惡也。倚其所私，
> 以觀異術，唯恐聞其美也。是以與治雖走，而是己不輟也。豈不蔽
> 於一曲，而失正求也哉！心不使焉，則白黑在前而目不見，雷鼓在

側而耳不聞，況於使者乎？德道之人，亂國之君非之上，亂家之人非之下，豈不哀哉！（〈解蔽〉）

「蔽者，言不能通明，滯於一隅，如有物壅蔽之也〔註39〕」，人常受到一己之情欲好惡的影響而蒙蔽於一隅，或誤將片面看作了整全；「蔽於一曲，而闇於大理」即蘊含了「蔽」之不同蔽塞的情況：一為心知受到了情欲的影響，使理性屈居於情欲之下，在「知」之時僅只見己所欲見，聽聞己所欲聽聞，而使所知所聞受到情欲好惡的影響產生了偏頗，淪為一言之堂；另一為理性之知將部分當作了整全，而以為己所追求的、所認知的即為正道，所見的即為整全，而執著於己之一方，實際上卻已非處於正道之路；「治則復經，兩疑則惑」顯示了識道不清則容易誤行於蔽，但荀子也肯定人只要能夠識明正道，便不會將一曲與大理混淆，而能擺脫偏隅之蔽重新回到正道之上。而禮義是回到正道之所必需〔註40〕；因此，要如何「知道」便成為了解蔽的重要課題。此外，天官亦有其蔽，天官各司其職，僅只能就其所擁有的功能與之所相對應的屬性產生反應，提供所感知的材料，因此多少會產生限制，而這些限制與侷限，使天官無法分別整全的綜觀事物，而產生了蔽塞。

荀子一言點出了凡是身為人都會擁有的蔽之通病，強調道唯一無二，兩疑則惑，故聖人無二心而專注於一之道，並以當時的情況「今諸侯異政，百家異說」所產生的是是非非、有治有亂來驗證人之蔽禍所遭遇的現象，說明這些「亂國之君，亂家之人」沒有人不是秉持著真誠之心去追求正道而欲有所作為的，但卻因為嫉妒迷繆於道而產生了偏差，而使他人有機可趁投其所好而誘使其偏離正道。當自己的偏執愛好逐漸累積，而唯恐聽聞到別人對自己的批評，以自己所偏倚愛好的看法，來看待與己相異的學術意見，唯恐看見別人美好的地方，這樣即已與道相背而馳，卻仍自以為是不知改正，如此的「妒繆於道」「私其所積」「倚其所私」便是已經被情欲偏好所閉塞，而無法使心專一於正道，陷入「蔽於一曲」的狀況，失去了當初「莫不求正而以自為也」誠心追求正道的初衷了。「心不使焉」、「況於使者乎」前者之「使」，役也〔註41〕，後者之「使」，應作為「蔽」解〔註42〕，為「況於蔽者乎」；荀

〔註39〕　王先謙撰：《荀子集解》，頁386。
〔註40〕　楊倞注：「言治世用禮義，則自復經常之正道。」王先謙撰：《荀子集解》，頁386。
〔註41〕　王先謙撰：《荀子集解》，頁387。
〔註42〕　俞樾曰：「下『使』字乃『蔽』之誤。」王先謙撰：《荀子集解》，頁387。

子以心沒有發揮作用「徵知」所遭遇到「心不使焉」視而不見聽而不聞的情況，來對比強調「況於使者乎」的那些「亂國之君」「亂家之人」因蔽而失去求正道而對本應該加以輔佐與學習的對象之得道之人「非之上」「非之下」上下共非、邪曲之道氾濫充斥，正道蕩然無存的嚴重亂象。與《莊子・天下篇》所云：「天下大亂，聖賢不明，道德不一，天下多得一察焉以自好；鋪如耳目鼻口皆有所明，不能相通；猶百家眾技也，皆有所長，時有所用；雖然，不該不徧，一曲之士也。」之意義領會相同。

蔽究竟為何？荀子將蔽舉例出了十種：

> 故為蔽：欲為蔽，惡為蔽，始為蔽，終為蔽，遠為蔽，近為蔽，博為蔽，淺為蔽，古為蔽，今為蔽。凡萬物異則莫不相為蔽，此心術之公患也。（〈解蔽〉）

欲惡、始終、遠近、博淺與古今，分別是相對的兩端點，若只見其一，而偏於一方，便造成蔽塞；從「凡萬物異則莫不相為蔽」可知，萬物千奇百類，只要有相異的地方，就會有蔽的產生，因此蔽在經驗世界中是不可避免的存在，這是每個人的「心」所共同擁有的通病，是人人皆相同的，可以說蔽的總根源在於心術〔註43〕。由此可見，在應對「蔽」之時，我們不是設法不去接觸到蔽，而是必須將蔽看作「心知」必然產生的一部分，是已然存在的事實，故荀子所尋求的是如何「解蔽」，如何解決這個必然存在的問題，而非如何不產生「蔽」。

由上所述來理解心之「蔽」仍極為抽象，荀子注重經驗、驗證，故其接續以歷史與經驗世界之事例作為參照對比。其一，以「人君之蔽」與「人臣之蔽」的例證來說明為情欲所迷亂產生的蔽塞之禍及與之相對的「不蔽之福」，以正反兩面來看待蔽與不蔽，使讀者能夠更為體會兩者之間的意義所在與「解蔽」之必要性。而荀子之所以特別舉出人君與人臣之蔽者作為受情欲〔註44〕蒙蔽的例證，顯然是為了促成其聖君賢相的理想〔註45〕，能看出荀子並非只提出形而上之理論內容，而是出自於對實際之社稷經驗、人際之間仁義禮智運用的關懷。

---

〔註43〕韋政通：《荀子與古代哲學》，頁133。

〔註44〕陳大齊：「欲惡以喜怒愛憎為主要成分，……夏桀之蔽於末喜斯觀而不知關龍逢，殷紂之蔽於妲己飛廉而不知微子啟，唐鞅之蔽於欲權而逐載子，奚齊之蔽於欲國而罪申生，亦都是欲惡之蔽。」陳大齊：《荀子學說》，頁110。

〔註45〕陳禮彰：〈荀子人性論及其實踐研究〉，頁102。

　　昔人君之蔽者，夏桀、殷紂是也。桀蔽於末喜、斯觀，而不知關龍
逢，以惑其心，而亂其行。紂蔽於妲己、飛廉，而不知微子啓，以
惑其心，而亂其行。故群臣去忠而事私，百姓怨非而不用，賢良退
處而隱逃，此其所以喪九牧之地，而虛宗廟之國也。桀死於鬲山，
紂縣於赤旆，身不先知，人又莫之諫，此蔽塞之禍也。成湯監於夏
桀，故主其心而慎治之，是以能長用伊尹，而身不失道，此其所以
代夏王而受九有也。文王監於殷紂，故主其心而慎治之，是以能長
用呂望，而身不失道，此其所以代殷王而受九牧也。遠方莫不致其
珍，故目視備色，耳聽備聲，口食備味，形居備宮，名受備號，生
則天下歌，死則四海哭，夫是之謂至盛。《詩》曰：「鳳凰秋秋，其
翼若干，其聲若簫。有鳳有凰，樂帝之心。」此不蔽之福也。（〈解
蔽〉）

　　夏桀殷紂之所以被視為昏庸暴虐之君，在於「以惑其心，而亂其行」，桀
為末喜、斯觀所蔽，紂為妲己、飛廉所蔽，無法知關龍逢、微子啓的賢能忠
誠並加以任用之；此可追溯至桀紂二人「妒繆於道」，而讓奸佞之臣有可趁之
機「誘其所迨也」，又偏執於感官、情欲之惑亂，使得「私其所積，唯恐聞其
惡也。倚其所私，以觀異術，唯恐聞其美」，偏執於曲邪之道，聽不進忠臣的
勸諫之言。心知之蔽是無可避免的，然若當心遭受蔽塞之時，又無賢良之人
於一旁將其導回正道，其心不正，行為跟著偏亂，使得「群臣去忠而事私，
百姓怨非而不用，賢良退處而隱逃」眾叛親離、陷民生百姓於疾苦的情形，
最後造成「喪九牧之地」「虛宗廟之國」，桀死於鬲山，紂則遭斬首而懸首於
赤旆的悽慘下場。如此自己無法自覺，又無得道之人勸誡輔佐，即為蔽塞之
禍。成湯文王有鑑於此，而能「主其心而慎治之」，使心能識明正道，不為情
欲惑亂所蔽，而能「身不失道」，任用賢能才俊加以輔佐，使國家得以正理平
治，百姓安樂祥和，受到百姓的愛戴「生則天下歌，死則四海哭，夫是之謂
至盛」達到至盛的狀態，而為詩文所歌頌，此即為「不蔽之福」。

　　昔人臣之蔽者，唐鞅、奚齊是也。唐鞅蔽於欲權而逐載子，奚齊蔽
於欲國而罪申生：唐鞅戮於宋，奚齊戮於晉。逐賢相而罪孝兄，身
為刑戮，然而不知，此蔽塞之禍也。故以貪鄙、背叛、爭權而不危
辱滅亡者，自古及今，未嘗有之也。鮑叔、甯戚、隰朋仁知且不蔽，
故能持管仲而名利福祿與管仲齊。召公、呂望仁知且不蔽，故能持

周公而名利福祿與周公齊。傳曰：「知賢之爲明，輔賢之謂能，勉之
強之，其福必長。」此之謂也。此不蔽之福也。（〈解蔽〉）

在人臣之蔽方面，唐鞅、奚齊，一蔽於欲權，一蔽於欲國，兩者皆爲權
力欲所蔽〔註46〕，成爲亂臣賊子，做出「逐賢相而罪孝兄」驅逐賢才、陷害
手足之事，最後兩者皆淪爲身被刑戮的下場，無法自覺自知，此爲貪戀權力
的蔽塞之禍。荀子以爲這種貪鄙、背叛、爭權之流的人，沒有一個不是自取
滅亡而下場悽慘的；反之，如鮑叔、甯戚、隰朋、召公、呂望這些「仁知且
不蔽」的忠賢之臣，不貪戀於權勢，扶翼管仲、周公，而能享與同管仲、周
公相等齊的聲名利祿；人臣的不蔽之福即在於「知賢之爲明，輔賢之謂能，
勉之強之，其福必長」心知能明而不蔽，而可以知明賢才叫作「明」，能夠輔
佐賢能叫作「能」，能夠盡力彊勉於知賢、輔賢，則其福祉必定能夠長久，謂
之不蔽之福。

其二，雖然心知未受到感官情欲的影響，理性思辨之知將部分當作了整
全，只見到表面性和片面性，假若因此拘泥執著於局限之所見，即使知道有
「道」仍然會困陷於蔽塞之中：

昔賓孟之蔽者，亂家是也。墨子蔽於用而不知文，宋子蔽於欲而不
知得，慎子蔽於法而不知賢，申子蔽於勢而不知知，惠子蔽於辭而
不知實，莊子蔽於天而不知人。故由用謂之道，盡利矣；由欲謂之
道，盡嗛矣；由法謂之道，盡數矣；由勢謂之道，盡便矣；由辭謂
之道，盡論矣；由天謂之道，盡因矣；此數具者，皆道之一隅也。
夫道者，體常而盡變，一隅不足以舉之。曲知之人，觀於道之一隅
而未之能識也，故以爲足而飾之，內以自亂，外以惑人，上以蔽下，
下以蔽上，此蔽塞之禍也。孔子仁知且不蔽，故學亂術，足以爲先
王者也。一家得周道，舉而用之，不蔽於成積也。故德與周公齊，
名與三王並，此不蔽之福也。（〈解蔽〉）

荀子以「百家異說」「亂家之人」爲例，墨子太過於重視有用無用，提
出「非樂」、「節葬」、「節用」之說，以爲「儉節則昌，淫佚則亡」（《墨子‧
辭過》），推崇古代聖王「『凡足以奉給民用，則止。』諸加費不加於民利者，
聖王弗爲」（《墨子‧節用中》）視巧且華一切無用多餘之物爲奢侈浪費，一

---

〔註46〕韋政通以爲：「欲國即是欲權，皆指權力慾而言」，韋政通：《荀子與古代哲學》，
頁135。

味講求物質上的節儉、能用，而忽略了附著於禮文之上精神禮義的內在價值，其所提出的「兼相愛，交相利」以兼愛為前提，欲「以質救文」挽救春秋時代周朝禮樂崩壞的禮教制度，楊倞注於此段謂：「……不知貴賤等級之文飾也〔註47〕」，點出了墨子兼相愛「以兼代別」提倡天志，欲以兼愛廢除貴賤、種族等帶有階級性的親疏之分，忽略了人性本有的倫情觀念，以此欲得天下之大利。墨子講究實用固然有其理想所在，然太過強調於「用」不免使實用主義走向了較為狹隘極端的功利主義與權威主義，故荀子點出其蔽而言「故由用謂之道，盡利矣」。宋子主張「人之情欲寡」，認為人之情，欲寡而不欲多，而不知道人有貪得的情欲存在〔註48〕，只看到克制欲望的面向，蔽塞於不知道使人之欲得到適當滿足的「得欲之道〔註49〕」能夠有助益於人的面向；而以過度的「寡欲」克制壓抑情欲，卻可能反受其害。慎子認為「治國無其法則亂」，太過於注重法治，以國之大道為「民一於君，事斷於法」認為上自君王下至士人庶民都應該聽令於法，一切以法為依歸，忽略了「法」原為聖賢之人所創建，僵化於法而不知因時制宜，遺忘了人之智慧的寶貴與重要性，蔽於法而不知尚賢。申子過度強調權力的鞏固，以圖刑法之治上的便利性，為勢而不擇手段、專斷獨行，楊倞注：「以刑法馭下，而不知權勢待才智然後治，小與慎子意同〔註50〕。」權勢需要有相對應的才智然後治，一味強調權勢而忽略了智是本末倒置，蔽塞之處時與慎子相同，忽略了賢才之用與才智之貴。惠子過於強調辭言理論本身，而忽略語言的作用在於指涉客觀世界之物以利與人相交流，故語言應與客觀事物相對應，循名則實，以其所提出的歷物十事為例，其中有一「天與地卑，山與澤平〔註51〕」，在《荀子‧不苟》引為「山淵平，天地比」，於〈正名〉荀子評：「『山淵平』，『情欲寡』，『芻豢不加甘，大鐘不加樂』，此惑於用實以亂名者也」，不依據感官經驗加以驗證感受，一味以語言辯說，專決於名，反使名實混亂，無助於對事物的了解與對道的追求。莊子「以天為宗」強調天之自然無為與超越之義，主張

---

〔註47〕王先謙撰：《荀子集解》，頁392。
〔註48〕韋政通認為宋子不知人之貪得，是荀子對其的誤解：「宋子主張『人之情，欲寡，』並不表示不知人有貪得的一面，乃赴就人生修養中去欲之工夫說的」韋政通：《荀子與古代哲學》，頁137。
〔註49〕王先謙撰：《荀子集解》，頁392。
〔註50〕王先謙撰：《荀子集解》，頁392。
〔註51〕《莊子‧天下》。

「至人無己、神人無功、聖人無名」不受經驗世界影響的功夫境界，輕忽人文與人事上的價值貢獻，而不知人能制天用天。

荀子以為六子所見都只是道之一隅，若以用為道，則天下之道盡於求利，若以欲為道，則天下之道盡於快意，若以法為道，則天下之道盡於術數，若以勢為道，則天下之道盡於利便，若以辭為道，則天下之道盡於論辯，若以自然為道，則天下之道盡於任其自然，這些都是表面與片面之見，只是「道」的一部分，而不是道之整體，是「蔽於一曲而闇於大理」之謂。然「道」者有什麼特性？「夫道者，體常而盡變，一隅不足以舉之」道猶天地常存，是穿越時空的存在，其能盡萬物之變化，能隨時空的改變、萬物之差異而產生變化，因此其本質為一整體之道，而其呈顯出來的是千變萬化之多，若只觀「道」多中之一（隅）而不知整體之一，便如六子只知其一（隅）而不知其多，實為曲知之人未能識道，固持己見，以為自己持之有故，言之成理，造成「內以自亂，外以惑人，上以蔽下，下以蔽上」的蔽塞之禍，而此不同於君臣的蔽塞之禍在於君臣為情欲所蔽，是情感在理性之所造成的蔽塞，諸子百家則是已經過理性思辨後，蔽塞於道之一隅，而無法綜觀全道之蔽塞。荀子以為眾家之中唯孔子之學「仁知且不蔽」，其所學雜多、才智兼備能與先王並駕齊驅。不蔽塞於成積之舊習而以道應萬變，故能「德與周公齊，名與三王並」，此即為不蔽之福。

其三，為天官意物之蔽，〈解蔽〉：

> 凡觀物有疑，中心不定，則外物不清；吾慮不清，則未可定然否也。冥冥而行者，見寢石以為伏虎也，見植林以為後人也；冥冥蔽其明也。醉者越百步之溝，以為蹞步之澮也；俯而出城門，以為小之閨也；酒亂其神也。厭目而視者，視一以為兩，掩耳而聽者，聽漠漠而以為哅哅，勢亂其官也。故從山上望牛者若羊，而求羊者不下牽也，遠蔽其大也；從山下望木者，十仞之木若箸，而求箸者不上折也，高蔽其長也。水動而景搖，人不以定美惡，水勢玄也。瞽者仰視而不見星，人不以定有無，用精惑也。有人焉，以此時定物，則世之愚者也。彼愚者之定物，以疑決疑，決必不當。夫苟不當，安能無過乎？

天官「當簿其類」各司其職，受到了侷限性而無法清楚掌握客觀事物便容易產生錯誤的解讀，「冥冥而行者，見寢石以為伏虎也，見植林以為後人也；

冥冥蔽其明也」即是眼睛的功能受到黑暗的影響，使視覺產生錯誤的判斷將石頭誤認為伏虎，將樹木當作了站立的人。「醉者越百步之溝，以為蹞步之澮也；俯而出城門，以為小之閨也；酒亂其神也」為心智受到了酒醉的影響，將百步寬溝看作半步小溝，將城門看作了小門；「厭目而視者，視一以為兩，掩耳而聽者，聽漠漠而以為恟恟，勢亂其官也」將眼睛、耳朵遮掩，使得官能受到了外力情勢的影響，一個看作二個，安靜聽成嘈雜；「瞽者仰視而不見星，人不以定有無，用精惑也」，瞽者眼睛看不清楚，旁人不會以其所見的有無來判斷星辰的存在與否，此即在於其本身感官的不明。以上皆是主觀的感官受到內或外的影響產生錯亂與迷惑所呈顯之蔽，又如「遠蔽其大」「高蔽其長」「水勢玄」這些是人視覺上本來所看見即是如此，受遠近的影響而會使物有大有小有高有矮的錯覺，水晃動則倒映在水上的景物也會跟著搖晃，但實際上從遠方看又矮又小的景物走近一看卻是高大壯碩，現實經驗世界的景物亦並不是像水面反射的景象一樣跟著晃動，這些需要以心知來加以判斷實際狀況的真實性是怎麼樣的。當大官意物與微知，無法正確的運行感官作用與心知作用，便容易「以疑決疑」產生錯誤的認知與判斷，造成天官之蔽。從此段落可以看出荀子雖然重視經驗世界的實際狀況，但對於感官感知到的經驗現象亦非是秉持著完全確信的態度，強調尚須以「心知」加以判斷，不同於墨子以感官經驗的所見所聞作為實際存在有無的標準，而以此判斷鬼神是確實存在的：

> 是與天下之所以察知有與無之道者，必以眾之耳目之實，知有與亡為儀者也。請惑聞之見之，則必以為有。莫聞莫見，則必以為無。若是，何不嘗入一鄉一里而問之，自古以及今，生民以來者，亦有嘗見鬼神之物，聞鬼神之聲，則鬼神何謂無乎？若莫聞莫見，則鬼神可謂有乎？（《墨子‧明鬼下》）

荀子以為，認為鬼神之有，就如涓蜀梁「俯視其影，以為伏鬼也」「仰視其髮，以為立魅也」是將感官之蔽的錯覺混亂誤以為真，並在這時候以錯誤的資訊作為判斷的材料「以疑決疑」，產生了鬼神存在的錯覺，因故而言「凡人之有鬼也，必以其感忽之間、疑玄之時定之。此人之所以無有而有無之時也，而己以定事」（〈解蔽〉）。

被情欲所蔽塞則以心識道、專一於道，以理性思辨克制情欲之偏差以解蔽；當理性思辨偏執於一曲之道固然為道，然其只為一隅之道非整全之道，

固須以識整全之道來加以解蔽；而天官的當簿其類容易受到主觀客觀的因素
有其侷限性所在，「中心不定，則外物不清」「以疑決疑，決必不當」，其解蔽
之法在於依靠心的認知判斷，而與心之「定」與「清明」與否所相關。由此
來看，心是否能「知道」與心的「清明」與否為心蔽與不蔽之關鍵所在。

## 第三節　心之道德潛能

### 一、以道為衡——兼權、孰計

知道了蔽之因，也知道了解蔽的關鍵在於「知道」，但是該如何做到「觀
於道之一隅而未能識」，不將一隅之蔽誤作整體之道呢？聖人察覺到了人的心
術之患「凡萬物異則莫不相為蔽」，這些欲惡、始終、近遠、博淺、古今等，
看似矛盾對立的差異，它們都是一個問題的兩面〔註52〕：

> 聖人知心術之患，見蔽塞之禍，故無欲、無惡、無始、無終、無近、
> 無遠、無博、無淺、無古、無今，兼陳萬物而中縣衡焉。是故眾異
> 不得相蔽以亂其倫也。何謂衡？曰：道。（〈解蔽〉）

故聖人不偏執於兩端，而無欲無惡、無始無終、無近無遠、無博無淺、
無古無今，綜觀萬物不滯於一隅，並於其中度量輕重取得懸衡，如此一來固
然萬物各異也不會相互為蔽而亂其理。因此消解蔽塞之法在於「兼陳萬物而
中縣衡焉」，以面面俱到，顧及彼此，來破解偏執；對於這種方法，荀子有更
進一步以欲惡的取捨權衡作為解釋：

> 欲惡取舍之權：見其可欲也，則必前後慮其可惡也者；見其可利也，
> 則必前後慮其可害也者，而兼權之，孰計之，然後定其欲惡取舍。
> 如是則常不失陷矣。凡人之患，偏傷之也。見其可欲也，則不慮其
> 可惡也者；見其可利也，則不慮其可害也者。是以動則必陷，為則
> 必辱，是偏傷之患也。（〈不苟〉）

見其可欲，就必定要前思後慮其可惡之處；見其可利，就必定要前思後
慮其可害之處，而「兼權」「孰計」之，然後才能判斷取捨。從此段話中有幾
個需要加以注意之處，第一，荀子兩次提到及「前後慮」，說明了必須以理性
思辨的活動來作為「取捨」的考量，而自然與以情欲為主導作出的取捨之蔽
不同；第二，「取捨」是相關於「利」與「害」的比較關係：「見其可利也，

---

〔註52〕廖名春：《荀子新探》，頁213。

則必前後慮其可害也者」，於現實經驗世界中，當遇到取捨之抉擇通常不會完全得利或完全有害，因此在作欲與惡的取捨之時，實際上就是比較欲多惡少或欲少惡多所得之利與害多少的關係，而在其中擇一相對來說較好的決定。在這裡或許會有個疑問，似百家諸子之蔽於一曲之人，他們皆是用理性思辨，亦做到了權衡度量並能夠百般思慮加以執計之，何以仍為蔽所害？於此，「兼權」的重要性便能夠凸顯出來，吾人往往於思考認知之時著重於理性的權衡度量，專注於「權」而忽略了「兼」此一要素，影響到「兼」之與否的原因可以是見識不足而無法綜觀整體，也可能是蔽於一己之偏好，專注於一端作為理性的思辨對象而不自知，亦可以說是受到情欲之蔽的影響，如此，要擺脫「偏傷之患」需要兼顧「兼權」與「執計」兩者，而缺一不可。

　　「兼權」與「執計」即是荀子所謂的「兼陳萬物而中縣衡焉」，可視兩者是同而為一的解蔽之法；「兼權」與利害之取捨衡量相關，而欲使「取捨」得以中縣衡焉。「中縣衡焉」是什麼意思？「何謂衡？曰：道。」荀子以「衡」為「道」，故「縣衡」，即是以「道」作為衡量事物的標準〔註53〕；「道」又為何？楊倞注：「道，謂禮義〔註54〕。」，又見《荀子》之〈儒效〉與〈彊國〉篇章：

　　　　先王之道，仁之隆也，比中而行之。曷謂中？曰：禮義是也。道者，
　　　　非天之道，非地之道，人之所以道也，君子之所道也。（〈儒效〉）

　　　　道也者何也？曰：禮義辭讓忠信是也。（〈彊國〉）

　　先王之道為儒家之道〔註55〕，為仁之隆盛，是仁人之所崇尚，並以其為比類而行之中道；此中道為何？所謂「中」，所謂「道」，明是指禮義而言的〔註56〕。而這裡所說的「道」，非天所具有的自然天、陰陽〔註57〕之道，亦非山川自然所行之道，而特為人所遵行之道；荀子於天論篇主張「天人相分」，而以「天行有常，不為堯存，不為桀亡」將天之道與人之道分開，人不用遵

---

〔註53〕蔡仁厚云：「『縣衡』，意謂立起一個標準，而這個標準（衡）即是『道』。」蔡仁厚：《孔孟荀哲學》，頁424。韋政通：「『衡』就是標準，這標準是什麼？曰，道。」韋政通：《荀子與古代哲學》，頁139。

〔註54〕王先謙撰：《荀子集解》，頁394。

〔註55〕楊倞注：「先王之道，謂儒學」王先謙撰：《荀子集解》，頁121。

〔註56〕韋政通：《荀子與古代哲學》，頁140。陳大齊：「『先王之道……比中而行』而所謂中者，即是禮義。」，陳大齊：《荀子學說》頁69。

〔註57〕楊倞注：「重說先王之道非陰陽、山川、怪異之事」王先謙撰：《荀子集解》，頁122。

行天之道，人有人道、天有天道，天、地、人各有其道，故其言「天有常道矣，地有常數矣，君子有常體矣」，人必須要「明於天人之分」而得以爲「至人」，又謂「不與天爭職」「不爲而成，不求而得，夫是之謂天職」，何謂「天職」？廖名春解釋云：「『天職』即『天分』。因此，荀子『天人之分』說不是說天與人互不相干，而是說天和人各有其特定的職分、職能，各有其特殊的規律性〔註58〕。」由此皆得以看出荀子所欲傳遞天與人的分別與其對於人爲努力的思想概念，而有「制天命而用之」、「應時而使之」之言，謂人不是被動的順應自然而已，而應是主動的去控制、使用之。故「君子敬其在己者，而不慕其在天者」此思想從大方面的「天人相分」，到自我修養方面的「若夫志意脩，德行厚，知慮明，生於今而志乎古，則是其在我者也」，都能看出荀子以爲人事方面是在於「人之志」而非依靠「天之志」，故荀子以「人治」爲其思想主軸，而非以「天治」爲其思想所在。

　　人所應該遵循而行的「人之道」即爲「禮義之道」，再從「比中而行之」來看，「道」除了包含有「知道」外，尚還包含有「行之」，才能夠稱之爲人之道。作一試想，能夠被稱之爲「知人之道者」，若其只爲「知道」，但是其所作所爲沒有遵從人之道而行，旁人來看會以爲其人「知道」嗎？其所作所爲還能稱之爲「人之道」嗎？從此處可以窺見，荀子以「道」將心的認知能力（道德的潛能）與行爲（道德的實踐）結合了起來，從〈儒效〉來看更能夠清楚的了解知與行之間的關係：

> 不聞不若聞之，聞之不若見之，見之不若知之，知之不若行之。學至於行之而止矣。行之，明也；明之爲聖人。聖人也者，本仁義，當是非，齊言行，不失豪釐，無他道焉，已乎行之矣。故聞之而不見，雖博必謬；見之而不知，雖識必妄；知之而不行，雖敦必困。不聞不見，則雖當，非仁也。其道百舉而百陷也。

　　沒有聽見不如聽見，聽見不如看見，看見不如知道，知道不如實踐，以爲當爲學到了能夠實踐的地步，便能夠通明於事；而能夠通明於事者，即爲聖人。而從「聖人也者，本仁義，當是非，齊言行，不失豪釐，無他道焉，已乎行之矣」來看，可以知道聖人的「齊言行」是「本仁義，當是非」，故聖人必是先「知」仁義道德，並以其爲本，加以實踐；荀子又以「知之而不行，雖敦必困」，說明即使學識再淵博，若不去實踐之，也只會遭遇困躓；從這兩

---

〔註58〕廖名春：《荀子新探》，頁189。

處皆能夠看出荀子主張知行合一的觀點。而須特別注意到的是，荀子所謂「知之不若行」的「不若」，並非是指「行」比「知」地位較高的意思，而是在於兩者皆為好，能知、又能行更為好，故「行」是以「已知」為前提才能夠產生〔註 59〕，並非重於行而輕於知的意思。故荀子之心，其所包含的並非僅止於認識作用，而是以「道」將「心知」賦予了實踐義的面向。從〈解蔽〉來看「心」與「道」的關係：

> 故心不可以不知道，心不知道，則不可道，而可非道。人孰欲得恣，
> 而守其所不可，以禁其所可？以其不可道之心取人，則必合於不道
> 人，而不合於道人。以其不可道之心與不道人論道人，亂之本也。
> 夫何以知？曰：心知道，然後可道，可道然後守道以禁非道。以其
> 可道之心取人，則合於道人，而不合於不道之人矣。以其可道之心
> 與道人論非道，治之要也，何患不知。故治之要在於知道。

荀子謂「心不可以不知道」，原因在於若是心不知道，則不以正道為可；「可」，為合意〔註60〕、肯定〔註61〕之義，若心不知道，則識道不明，不認肯正道，而反認肯非道，從此來看，雖然心有認知作用，但是所認識的並不必然為正道，亦有可能由心知而認識非道，而無法以「正道」作為權衡的標準，如此一來，以非道為可之人又與妒繆之人為武，以亂戕害善，成為了亂之本源。「心知道」則能認肯正道進一步堅守正道以禁非道，此成為了治之樞要。心知道成為治之要亦不難理解，若治理以非道為可，非之上，非之下，上下共非，無中理可循，國之必亂；故荀子以心不可不知道為必要條件，而謂「心知道，然後可道，可道然後守道以禁非道。」「知道」成為了道德實踐（守道以禁非道）的先決條件，亦使「知」與「行」有了不可分開的聯繫性。正如陳禮彰所言：「認知的目的固然在於實踐，而實踐的完成須賴正確的認知方有意義與價值，所以必先強調『心不可以不知道』，知道即可『以道為衡』而袪除眾蔽〔註 62〕。」於此，心知、正道與行為實踐成為了能夠達至道德一從潛

---

〔註59〕林啓屏以為：「所有的『聞、見、知』的外在行為，正是為了要轉為『倫理道德』之行動的前期動作。」林啓屏：〈荀子思想中的「身體觀」與「知行觀」〉，《中華文化的傳承與拓新──經學的流衍與應用國際學術研討會論文集》，臺北：銘傳大學應用中國文學系編印，2009，頁 125～143。
〔註60〕楊倞注：「可，謂合意也」王先謙撰：《荀子集解》，頁 394。
〔註61〕蔡仁厚：「可，謂認可、肯定」蔡仁厚：《孔孟荀哲學》，頁 409。
〔註62〕陳禮彰：〈荀子人性論及其實踐研究〉，頁 110。

能到實踐的連貫系統。

## 二、如何「知道」—虛壹而靜，謂之大清明

　　已知「心」涵括了「知」與「行」，而「道」使得兩者緊密連結在一起；而以「知道」為可道、守道以禁非道的關鍵所在。然而，荀子的「心」卻不是必然的認識正道，人會受到性之情欲影響，理性之知亦會受到蔽的阻礙，而使心不能成為像孟子一般本身必然為善發源的道德主體，僅將心作為「可能」為善的認識主體與接受善與道德的載體〔註63〕，如此，面向層層的阻礙，究竟人要如何才能將道德潛能之心，使之以「知道」來識明正道以朝向道德之善而行，而不以非道為可呢？荀子以「塗之人可以為禹」賦予了人生理上與本質上的普遍性，使先天性的要素不影響人是否能成善之因由，故人是否能夠「知道」便成為了後天的人為努力所能達成的工夫所在，〈解蔽〉：

> 人何以知道？曰：心。心何以知？曰：虛壹而靜。心未嘗不藏也，
> 然而有所謂虛；心未嘗不兩也，然而有所謂壹；心未嘗不動也，然
> 而有所謂靜。人生而有知，知而有志；志也者，臧也；然而有所謂
> 虛；不以所已藏害所將受謂之虛。心生而有知，知而有異；異也者，
> 同時兼知之；同時兼知之，兩也；然而有所謂一；不以夫一害此一
> 謂之壹。心臥則夢，偷則自行，使之則謀；故心未嘗不動也；然而
> 有所謂靜；不以夢劇亂知謂之靜。

　　人如何能夠「知道」？因為「心」。心如何能夠「知道」？在於「虛壹而靜」。虛壹而靜的作用為何？人在認知的過程中必然產生了「藏、兩、動」的能力，而以「虛、壹、靜」作為對治消解的工夫。「藏」為記識、志藏之義，是心的記憶功能，「虛」為「不以所已藏害所將受」，即是當認知而得的材料不斷的志藏累積，心之「能虛」，使其能不以固有的知識材料為成見妨礙心對於新知識的接收，而可以無限制的吸收新知，凸顯出了心之無限制性〔註64〕，潘小慧更進一步解釋：

> 與其解釋成接受新知識的能力，毋寧解釋成突破既有知識（舊識）
> 或經驗的成見，不使其妨害新知接受的一種能力。此時，既有知識

---

〔註63〕勞思光以為：「荀子所言之『心』乃一觀『理』之心，而非生『理』之心。心之功用重在能受，而不重在能生。」勞思光：《新編中國哲學史（一）》，頁337。
〔註64〕韋政通：《荀子與古代哲學》，頁143。蔡仁厚：「心則虛而能容，並無限量」。蔡仁厚：《孔孟荀哲學》，頁414。

或經驗有如荀子所謂的「蔽」，足以阻礙吾人真確的認知，而心之「虛」
具有一種超越既有知識、化除既有成見之蔽的功能，可不爲之所蔽
害，所以能知「道」。〔註65〕

此與楊倞注：「見善則遷，不滯於積習也〔註66〕」所欲強調者相同，認識
材料經由心知作用而積藏於心，而有先來後到，舊知與新知的分別，而「已
知之知」（舊知）與新知相比，爲已成之見，若是在此種狀態之下認識新知，
便容易以舊知作爲認知準則，而使新進來的知識，受到了舊知的影響而或被
否決或被篩選，使得心知作用成爲了有所偏好的接受，舊知也無法以新知作
爲取代與汰換，潘小慧與楊倞注意到了此點，而以心之「虛」具有超越舊知、
化解成見之蔽的功能，使知識可「遷」並且「不滯」。「兩」是指心能夠同時
兼知不同事物的意思，「壹」爲「不以夫一害此一」，即是指心擁有能夠兼知
多種事物的能力，但若是以如此分散的注意力去顧及每一種認知的事物，則
無法精通於一物，「壹」爲專一的意思〔註67〕，使心不因分心對某一事物的認
識而妨礙了對另一物的認識，韋政通言：「不以彼一害此一，即表示能統攝諸
一之貫通性〔註68〕」說明了「壹」具有統攝與貫通的能力特性，潘小慧說明
的更爲詳細：

> 「心」同接到各感官送來的各種訊息，一面分別處理，一面又加以
> 綜合歸納，始對事物的認知既分析又能統一，這是一種統合萬端而
> 成一體的能力，發揮這種統合能力就是「壹」。……以「心」這種整
> 合能力所把握的自然是道的全體，而非道之一隅。〔註69〕

〈解蔽〉其它段落亦言：「類不可兩也，故知者擇一而壹焉」此言與蔡仁
厚所說的：「心同時兼知不同的事物而又能分別主從、輕重、先後、緩急，擇
其壹而專心致力〔註70〕。」皆再再說明了心除了兼知所能吸納龐大的資訊外，
一方面又將多種事物以專一將其歸納綜合，要能夠認識「體常而盡變，一隅
不足以舉之」之「道」就需要如此「既分析又能統一」的「壹」。由此，「壹」

〔註65〕潘小慧：〈荀子的解蔽心──荀學作爲道德實踐論的人之哲學理解〉，《哲學與
　　　　文化》，25 卷第 6 期，1998 年 6 月，頁 525。
〔註66〕王先謙撰：《荀子集解》，頁 395～396。
〔註67〕郝懿行曰：「壹者，專壹也」。王先謙撰：《荀子集解》，頁 395。
〔註68〕韋政通：《荀子與古代哲學》，頁 144。
〔註69〕潘小慧：〈荀子的解蔽心──荀學作爲道德實踐論的人之哲學理解〉，《哲學與
　　　　文化》，25 卷第 6 期，1998。
〔註70〕蔡仁厚：《孔孟荀哲學》，頁 414～415。

除了包含了心能對所欲專一對象的選擇能力之外，人之所以能「知道」，便在於心的此一種的統合能力。「動」指出心隨時都處於活動的狀態，睡覺時會作夢，放鬆時腦袋也會胡思亂想，役使其運行時則思考謀略，「靜」爲「不以夢劇亂知」，即是防止心之思慮作用被這些無時無刻之想象、煩囂的雜念活動所擾亂。「藏、兩、動」與「虛、壹、靜」看似矛盾相對立，而似乎是藉以虛消除藏、壹消除兩、靜消除動，以使心知能發揮其最大功效，其實則不然，「虛、壹、靜」應爲成就「藏、兩、動」才是〔註71〕，藏、兩、動是心本生而就具有的能力，若無藏、兩、動，則知識無法爲心所吸收積藏，客觀事物所形成的知識就無法爲人所知。

因此藏兩動亦是「知道」所需具備的能力，而以虛壹靜作爲使其達到「知道」的能力、工夫〔註72〕。而通過了虛壹而靜的工夫，所恢復的本心即爲「大清明」。要如何才能稱作虛壹而靜？荀子謂：「未得道而求道者，謂之虛壹而靜」，即是指未得到道之人，有欲追求道之心，即叫作虛壹而靜。「知道察，知道行，體道者也」意指當思道者能靜則能有所辨察，須道者能虛則能加以實踐，兩種都能做到，就已經與道不相分離，而稱之爲「體道者」。從這裡，又再一次看出荀子之心除了能知、能辨察之外，尚還包含了實踐義〔註73〕於其中，必須理論與實踐都能夠符合「道」才能稱作眞正的得道。如此之「體道者也」即是通過了「虛壹而靜」的工夫，而到達了「大清明」之最終追求境界，而使心知能夠完全的理解道。人心與大清明的關係爲何呢？

> 故人心譬如槃水，正錯而勿動，則湛濁在下，而清明在上，則足以見鬚眉而察理矣。微風過之，湛濁動乎下，清明亂於上，則不可以得大形之正也。心亦如是矣。故導之以理，養之以清，物莫之傾，則足以定是非決嫌疑矣。（〈解蔽〉）

荀子以「人心譬如槃水」說明人的本心原本就如槃水一般是清澈的，若正置而無動，則泥沙沉積在底，上面爲清明，而足以察知人鬍鬚眉毛與肌膚

---

〔註71〕 廖名春以：「惟其『虛』，才有所『藏』。前者是後者的前提，後者是前者的結果。」廖名春：《荀子新探》，頁218。何淑靜：「虛壹靜乃是成就藏兩動者。」何淑靜：《荀子再探》，臺北：學生書局，2014，頁78。

〔註72〕 蔡仁厚：「『虛、壹、靜』是心的特性，亦同時是一種工夫。」蔡仁厚：《孔孟荀哲學》，頁415。

〔註73〕 蔡仁厚：「依『知道察、知道行』之句……『心』能『知道、可道、守道、禁非道』之言，又可看出荀子所說的認知心，實兼含『知、行』二方面，不只具有『認知義』，亦含有『實踐義』。」蔡仁厚：《孔孟荀哲學》，頁416。

之紋理；當微風吹過，使沉於底部的泥沙翻騰浮動，則原本清明在上的槃水也跟著混濁，連整個身形都照不清楚了。荀子以盤水譬喻人心容易受到細微的影響而失去了原本清明之心的狀態，又以槃水「正錯而勿動」「微風過之」作為譬喻，說明人心須放置為正，不為歪斜所傾倒，亦不能受到細如微風的輕微干擾就成湛濁之態，受其蔽塞，因此必須要「導之以理，養之以清」以接受客觀型範的導化與主觀虛壹而靜工夫之涵養〔註74〕，以防止湛濁的情況發生，而當「心」已然通過了虛壹而靜的工夫達到了大清明的的境界，則能夠辨明是非，就不會發生「以疑決疑，決必不當」的情形，而能識明正道，做出正確的抉擇與判斷。而此處之譬喻，荀子以人心為槃水，以水清則能見物，即心清明則能見理，水與物，為倒映的關係，故物不在水中，理亦不在心中〔註75〕，因此荀子之心為理在心外，心是作為一接受道德之理的管道，非本身生來即為道德之理，不同於孟子之理在心中，只須向內求道德本心即能得之。

## 三、道德實踐的浮現—心之主宰

前面我們都在探尋荀子之心與「知道」的關係及其重要性，為大官之一的心，有其所好利之欲的偏向，思辨之心亦容易蔽於一曲而固於己之　隅之見，五官亦各有其蔽所在，但是，當心秉持著對於道的追求而通過「虛壹而靜」的工夫涵養，到達了大清明的境界之後，此心已能「知道」，而為「體道者也」，表示此心已從其原始之情欲之心與其生而有的知慮思辨功能之心，更進一步的邁向了「知道」而能夠「定是非決嫌疑矣」擁有道德判斷之心。天官的意物，尚須以心之徵知加以解讀判別，而「心」本身是否亦須由其他官能來行使，才能使之功能完全發揮功效？

> 心居中虛，以治五官，夫是之為天君。（〈天論篇〉）
>
> 心者，道之工宰也。（〈正名〉）
>
> 心者，形之君，而神明之主也，出令而無所受令。自禁也，自使也，自奪也，自取也，自行也，自止也。故口可劫而使墨云，形可劫而使詘申，心不可劫而使易意，是之則受，非之則辭。故曰：心容其擇也，無禁必自見，其物也雜博，其情之至也不貳。（〈解蔽〉）

---

〔註74〕韋政通：《荀子與古代哲學》，頁142。

〔註75〕蔡仁厚：《孔孟荀哲學》，頁411。

　　荀子以君與人臣之關係，來凸顯出心位居「君」之主宰地位，從〈君道〉：
「故天子不視而見，不聽而聰，不慮而知，不動而功，塊然獨坐而天下從之
如一體，如四肢之從心，夫是之謂大形。」荀子反以心與形體的關係來比之
現實社會之君臣關係得以證之。而以心爲人之形與神的主宰，其只發出命令
而不接受命令，強調心不受其他官能所限制，只由自令，而爲自立自主、自
己爲自己的主宰，故其能「自禁也，自使也，自奪也，自取也，自行也，自
止也」，由此，也顯現出了其自由意志的展現。人之「形」的各種感官形體或
許可以以外力使口緘默，或者去作違心之論，可以外力使形體做屈伸，但是
卻無法藉由任何力量使心改變其本身的意志。外在的行爲與感官或者能夠被
欺騙、被強迫行使，但心之內在意志是強迫脅持也無法改變；因此心本身的
選擇與決定便顯得重要了，「是之則受，非之則辭」即是說明了所受、所辭都
是由心來決定的，而非操之於外物〔註 76〕，心具有自我主宰、選擇的能力。
心主宰了形與神、五官與情欲，從這來看荀子言惡之順是之情、欲，則必經
由心之抉擇之後才得以發顯，且心之辭、受都在於心的自主意願，因此在善
惡的抉擇上心並不必然的只抉擇善或只抉擇惡，而在於其意願之所向。由此
可看出心及影響心之抉擇的因素，爲心是否能夠追求道，進而通過「虛壹而
靜」的工夫涵養，達到大清明，而爲化性起僞與成善成惡的重要轉換關鍵。「虛
壹而靜」更能使心之功能完全發揮其功效，而於大清明的狀態之下，呈現如
〈解蔽〉所云：

> 萬物莫形而不見，莫見而不論，莫論而失位。坐於室而見四海，處
> 於今而論久遠，疏觀萬物而知其情，參稽治亂而通其度。經緯天地，
> 而材官萬物，制割大理，而宇宙理矣。恢恢廣廣，孰知其極？罜罜
> 廣廣，孰知其德？涫涫紛紛，孰知其形？明參日月，大滿八極，夫
> 是之謂大人。夫惡有蔽矣哉！

　　當在大清明的境界時，則能通於萬物，使得所有有形之物沒有不能明見
的，能被看見則能被論說，沒有被論說而失去其分位的。坐在室中而可以見
四海之物，處於現今而能夠洞悉未來，通觀萬物而能夠知其情理，驗考萬物
而能通曉其制度。能把握天地自然之理序，主宰制裁萬物與大理，而連宇宙

---

〔註 76〕陳大齊解釋：「『是之則受』不是屈從的接受，而是自願的接受。心認以爲是，
　　　　始與接受。『非之則辭』，心認以爲非，便不接受。已是非來決定受辭，受辭
　　　　之權乃操諸心，並非操諸外物。而以是非受辭，似乎是偏就理智方面說的。」
　　　　陳大齊：《荀子學說》，頁 31。

之理皆能夠通曉掌握了。此段說明了心本容易受到情欲的影響而成蔽塞的狀態，所見所聞局限於一隅之地，而經由虛壹而靜，洞悉萬物之理，以及人道之禮義，便能通達於萬物歸正心而於人道來行使心之功能，通過「虛壹而靜」來增添後天外在客觀萬物之知識理序，卻能夠使心因著這些增添之道、理，使心之功用發揮得更爲完整，在大清明的狀態之下，洞悉一切、主宰一切。荀子以此大清明狀態「恢恢廣廣，孰知其極？睪睪廣廣，孰知其德？涫涫紛紛，孰知其形？」沒有極限、極具美德，爲人之所難以莫測，在此種境界之時，蔽塞便無從而生。故荀子謂通過「虛壹而靜」之心爲「心容其擇也，無禁必自見，其物也雜博，其情之至也不貳」使藏兩動與虛壹靜同時體現於一體，而使心能容下兼知之雜多，又能專精於道而不二心，使心之擇爲完全的遵照其本身的自由意志來行使，是「無禁必自見」的。在這個意義上來說，在大清明的狀態之下，通達於道之心及其自由意志之判斷抉擇的主宰功能，使心能夠主動且必然的去選擇行使道德的實踐，而使「心」從最基本之認知之心涵括了實踐義與道德義的面向。如同潘小慧所言：「《荀子》中的『解蔽心』之『知』和『智』從『認知能力』『知識』等原本純屬知識論的意涵，轉而爲『是是非非』此兼具知識論與倫理學之雙重意涵〔註77〕。」

　　心之擇牽涉到心的自由意志，何淑靜以爲心之「自由意志」一詞可以分爲二義：

> 一指意志可以自由地作抉擇言，此即言心可以自由地選擇此或選擇
> 彼，不受任何地禁限；另一則指意志（心）自立行爲活動地法則而
> 能自主地依其所立之法則來決定行爲活動之生起。〔註78〕

　　蔡仁厚以前者爲荀子的「認知心」，後者爲孟子與正宗儒家所講的具有創造性的道德心之自由意志〔註79〕。孟子道德心之自由意志創生義是根據人內在天生所具有的良知良能的善性，以此爲發源，由內產生了道德法則，而使行爲與之一致，故其言「即心言性」「盡心知性」，以心善而言性善，仁義禮

〔註77〕潘小慧：〈從「解蔽心」到「是是非非」：荀子道德知識論的建構及其當代意義〉，《哲學與文化》，第34卷第12期，2007年12月，頁41～54。
〔註78〕何淑靜：《孟荀道德實踐理論之研究》，頁113。蔡仁厚與何淑靜兩者論述意思相同：「一是指心可以自由地選擇，而不受任何禁制或限制。一是指心能自立法則，而即自主地依其所立之法則而生起行爲活動。」蔡仁厚：《孔孟荀哲學》，頁411。筆者以何淑靜之解釋較爲詳細，而取爲用之。
〔註79〕蔡仁厚：《孔孟荀哲學》，頁411。

智是內在於我，孟子之心是四端之心，是道德本心；荀子自由意志之抉擇，則是藉由「心知」功能去知道外在的「道」而以外在之「道」作爲基底，從而自使、自行、自禁，做出抉擇與反應，心在大清明的狀態之下，知「道」而使心之思慮與其所判斷抉擇依憑著「道」，必然的走向正道與善之路，因此人的行爲法則是根據從外所知的道，作爲心之慮擇與行爲實踐的憑據。而何以孟子之自由意志具有創生義，而荀子則無？孟子以四端之仁義禮智本存於心，而使「行」能遵照本心之仁義禮智建立的道德行爲法則來行動，故此一道德行爲法則是由內在本心本身所建立，故孟子言：「仁義禮智，非由外鑠我也，我固有之也，弗思耳矣〔註80〕。」「由仁義行，非行仁義也。〔註81〕」而荀子則是藉由心之認識作用，再加上虛壹而靜的工夫，識明外在之道，並以「道」此一現成的道德行爲法則來做爲「行」的依據，故荀子的自由意志只於心的可知與能知「道」的理解與知曉，而以其作爲憑藉，行使其所具有的主宰義功能「自禁也，自使也，自奪也，自取也，自行也，自止也」所下的選擇與決斷，而心繫於道，故必定選擇行止有禮，去成就仁義禮智信之道德行爲操守。

---

〔註80〕《孟子・告子上》。
〔註81〕《孟子・離婁下》。

# 第四章　道德之修養與實踐

　　荀子以「生」之義來理解「性」，從現實經驗來說「性惡」，並以人心之「思慮」作為人之所以為人的區辨。從人之性到人現實之惡，再到人擁有的思辨理性，荀子於《荀子》一書中，分別對此三者作了詳盡的解釋與論述，然於前面章節探討的過程中，我們已知荀子極力探究此三者，提出人之性惡，絕非僅只是為了論證偏險悖亂此等「惡」之存在的原由，或僅只是為了使惡之存在能有合理解釋；相反的，對於荀子而言，他之所以強調性惡，論述性惡與心性之間的關聯，是為了凸顯後天人為努力之影響，才是決定人之為善為惡的關鍵所在。從《荀子》一書〈性惡〉篇章之句首即可獲得此一端倪，其言：「人之性惡，其善者偽也。」荀子將「性惡」與「善偽」二者，看似矛盾且具有強烈對比之詞彙擺放在一起，陳述出「其善者偽也」此一事實所在的結論。鄧小虎以為：「〈性惡篇〉不僅僅是為了論證『人之性惡』，『其善者偽也』應該也是它意圖證立的重要觀點〔註1〕」，陳禮彰更引用了唐端正之直言：「與其說荀子是性惡論者，不如說它是善偽論者〔註2〕。」從這幾位學者之言中，我們可以發現，荀子雖以性惡論著稱於世，然「善偽」或許才是他之所以提出性惡所欲導引出來的因由。

　　在對荀子之性的定義與性惡的觀看角度有了初步了解之後，在探究荀子之「心」的過程中，發現荀子之「心」的思慮功能與其能解蔽識道對於人之

---

〔註 1〕鄧小虎：〈《荀子》中「性」與「偽」的多重結構〉，《國立臺灣大學哲學評論》，第 36 期，2008 年 10 月，頁 5。

〔註 2〕唐端正：〈荀子善偽論所展示的知識問題〉，《先秦諸子論叢》，臺北：東大圖書公司，1981 年，頁 171、172。轉引自陳禮彰：〈荀子人性論及其實踐研究〉，頁 130。

道德爲善爲惡是不可忽略的關鍵樞紐。然而，雖然心與道德之善惡有所相關，心能處於大清明的境界而識道進而必然的爲善，但心卻非生而即必然的朝向大清明的境界發展，對荀子而言，順是之性所導致的是偏險悖亂，但其又以此「以欲爲性」之「性」亦擁有欲善的傾向。故筆者於此章節欲連接起荀子之性惡到善僞的過程及其所提出的「化性起僞」之原因原理，欲從中了解影響人之心朝向大清明或流於惡的決定因素爲何；人同時擁有爲善與爲惡的潛能，而要如何使爲善之潛能浮現，蓋過於爲惡之潛能，就如荀子〈解蔽〉所形容的：「湛濁在下，而清明在上」之情狀。人是生活於現實經驗之中，而與經驗世界無法分離，荀子既然提出「善僞」，以「後天人爲」爲「善」，如此，要如何善用現實經驗之要素，藉由後天人爲因素的修養與實踐，來幫助對善之潛能的抉擇與實現，而使潛能與實踐兩者彼此融合貫通，使涂之人能一步一步達到荀子心目中「聖人」的理想典範，就成爲了探討的重要課題。

# 第一節　成爲聖人之實踐的原理——化性起僞

## 一、性僞之分

荀子不似孟子將「善」內建於人性之中，甚至以人性中潛藏著爲惡之潛能，即「以欲爲性」凸顯出無善無惡之「欲」在順是無限擴張之後，成爲人之惡的原由。既然無法如孟子一般向內求得善之根源，荀子必然得另闢新源，以求得善之根據，而此根據即是外在的禮義之統。但是，其又指明了性中不含禮義，禮義是外在的，非生而即有者；如此，作爲善之根據的禮義又是由何而生？又如何能進入到荀子之道德實踐的理論脈絡之中？荀子既然將「性」與「禮義」作了明顯的內外區別，又提出了「性惡」、「善僞」之對比詞句，其不只能看出性惡、善僞兩者之間的差異，亦能看出此兩者之間的關聯性，筆者便以荀子之性僞之分爲始，作爲釐清其「化性起僞」的理論依據與其架構。

〈性惡〉：「人之性惡，其善者僞也」，楊倞注曰：「僞，爲也，矯也，矯其本性也。凡非天性而人作爲之者，皆謂之僞。故爲字『人』傍『爲』，亦會意字也。」郝懿行曰：「性，自然也。僞，作爲也。『僞』與『爲』，古字通。」[註3] 楊倞與郝懿行皆以「僞」與「爲」兩字相通，而有「作爲」的意思，並

---

[註 3] 王先謙撰：《荀子集解》，頁 434。

以性為天性、為自然，而與人之「作為」有所區別，楊倞更點出了「為」有「矯」之義，而其矯正的對象是「性」。〈性惡〉篇中，荀子對「性偽之分」有直接的陳述：

> 凡性者，天之就也，不可學，不可事。禮義者，聖人之所生也，人之所學而能，所事而成者也。不可學，不可事，而在人者，謂之性；可學而能，可事而成之在人者，謂之偽，是性偽之分也。

荀子將性與偽以「不可學，不可事，而在人者」之「自然而然」，與「可學而能，可事而成之在人者」之「後天人為」作區分，以「禮義」是「聖人之所生也」、「人之所學而能，所事而成者」並非是生而即有不經學與事即自然擁有者，將其歸之於「偽」。從這段落可知，荀子之性中不含禮義，不具有任何道德價值內容，亦非先天具有道德是非判斷的能力。禮義是聖人之所生，是後天人為之所成，是「感而不能然，必且待事而後然者」，故人之所以能為善，是在於後天人為之「偽」。荀子以人之「性」是禹與桀之所同也，具有普遍性，又將「善」之根源的禮義放到了後天所學所事之「偽」上面；此處會產生一個疑問，是否「偽」即完全等同於「禮義」，使「偽」之指涉完全是好的、善的？我們可以藉由對「偽」之義涵更深入的了解，來釐清此一問題，〈正名〉：

> 性之好、惡、喜、怒、哀、樂謂之情。情然而心為之擇謂之慮。心慮而能為之動謂之偽。慮積焉、能習焉而後成謂之偽。

在第三章時已探討過「偽」的二種定義，一是「心慮而能為之動謂之偽」，二是「慮積焉、能習焉而後成謂之偽」，蔡仁厚、鄧小虎與陳禮彰〔註4〕將此二種定義稱之為「偽」之兩層涵義，第一層的偽，是就「在人者」之與生俱有的性與心之功能作用來說，性中之情欲並非影響人之行為善惡的關鍵，真正的取決者，在於所認可為何的「心為之擇」之「慮」，但是性中無禮義，心亦非天生即內具道德價值判斷而必然的認可禮義，故此一層之「偽」，尚未進入到「慮積焉、能習焉」的第二層之「偽」，故是以一己之好利惡害作為擇取的標準，並非必然的符合道德之範準，是不含禮義之偽，亦即就是說，其所擇、所認可者並非僅限定在善，亦有可能為惡。第一層的「偽」依憑著本有的性之反應及心之功能作用來活動，看似不符合「偽」之「作為」、「後天人

---

〔註4〕蔡仁厚：《孔孟荀哲學》，頁393。鄧小虎：〈《荀子》中「性」與「偽」的多重結構〉，頁14。陳禮彰：〈荀子人性論及其實踐研究〉，頁134、135。

為」的定義，而較偏向於單純的生理與心理之作用，然從「能為之動」來看，心之思慮中雖然尚未積習禮義而以禮義作為思慮判斷的標準，但從「能」到「動」，實是已經由心之思慮、抉擇與認可之後，過度到了行為（作為、人為）之活動上，如鄧小虎所言：

> 第一義的「偽」有兩個必要條件：第一是「心」的思慮，即其對情
> 欲的抉擇、肯否；第二是「能」根據「心」的思慮展開活動。如果
> 只有思慮而沒有相關的活動，那當然不構成人為；如果只有活動而
> 沒有思慮，那或許是無意識的本能活動，卻稱不上人為。〔註5〕

故「偽」是內在活動之思慮與外在活動之實踐的結合。

第二層「慮積焉、能習焉而後成」的「偽」，是在於「慮」的累積和「能」的熟習。並且這兩者要有所「成」才稱之為「偽」〔註6〕。換句話說，也就是經由心不斷的反覆抉擇思慮，以及後天不斷的學習實踐，而後所成的結果；此是需要時間之漸培養累積，並非只需運用人生而即有的生理與心理之功能便可達成，如何淑靜對於「生於偽」的定義：「不是有所感、有所想的當下，人就自然而然地能做到、能有之，而是需要經過後天人為地努力與學習，才能作照、才能有之的〔註7〕」。因此倫理道德的觀念是必須經由後天之訓練才能有，人之所以能成為道德主體為「偽」之後天積習而成，非天生之「性」所具有，是具有相同之性的人，有不同善、惡之行為表現的原因。此意義下的偽其所積、所習者，即是指能使荀子達致正理平治此一目標的「禮義」而言之，故此一層之「偽」等同於「禮義」。綜合了偽之兩層涵義，再回到《荀子》〈性惡〉篇章之文本來看，即能了解到偽除了等同於禮義之外，尚包含了聖人對於禮義的創制：

> 禮義者，聖人之所生也，人之所學而能，所事而成者也。
>
> 聖人積思慮、習偽故以生禮義而起法度，然則禮義法度者，是生於
> 聖人之偽，非故生於人之性也。
>
> 聖人化性而起偽，偽起而生禮義，禮義生而制法度。

禮義是由聖人積思慮習偽故所生，禮義本身亦是「所學而能」「所事而成」之「偽」，〈法行〉言：「禮者，眾人法而不知，聖人法而知之」，涂之人遵守

---

〔註5〕鄧小虎：〈《荀子》中「性」與「偽」的多重結構〉，頁15。
〔註6〕鄧小虎：〈《荀子》中「性」與「偽」的多重結構〉，頁15。
〔註7〕何淑靜：《荀子再探》，頁100。

著禮義法度而行,而將禮義法度作為積慮習偽的對象,藉此途徑成為能做出合乎中道的道德行為者,此一部分,聖人與涂之人無異,聖人亦須經過積思慮習偽故的過程,但當其慮積焉、能習焉而後成之後,能融會貫通禮義之統,以針砭時弊,創建改制不合乎時代的禮義法度「偽起而生禮義」。故禮義本身是偽,而禮義之得以生亦是由於聖人之「偽」的原故。從對荀子之偽的兩層涵義之探究上,我們可知人之所以能成善,在於後天的積習教化,使得「性」能藉由「心」之認識功能,經由「偽」來附加倫理道德觀念以及仁義禮智,使得心能中理擇正道,使人之思慮與行為皆能符合善。〈臣道〉篇云:「禮義以為文,倫類以為禮。」荀子提出性偽之分,主要目的還是在彰明禮義之統類〔註8〕。既然禮義是「聖人化性起偽,偽起而生禮義」,聖人之於禮義兩者之間的關係如何?我們可從〈性惡〉荀子以陶人製作陶器與工人製作木器的比喻,來看聖人之於禮義的關係:

> 問者曰:「禮義積偽者是人之性,故聖人能生之也。」應之曰:是不然。夫陶人埏埴而生瓦,然則瓦埴豈陶人之性也哉?工人斲木而生器,然則器木豈工人之性也哉?夫聖人之於禮義也,辟則陶埏而生之也,然則禮義積偽者,豈人之本性也哉?凡人之性者,堯、舜之與桀、跖,其性一也;君子之與小人,其性一也。今將以禮義積偽為人之性邪?然則有曷貴堯、禹,曷貴君子矣哉?凡所貴堯、禹君子者,能化性,能起偽,偽起而生禮義。然則聖人之於禮義積偽也,亦猶陶埏而生之也。用此觀之,然則禮義積偽者,豈人之性也哉?所賤於桀、跖小人者,從其性,順其情,安恣睢,以出乎貪利爭奪。故人之性惡明矣,其善者偽也。

禮義之生對荀子來說是生於後天之偽,而與先天之性無關,他以陶人埏埴而生瓦和工人斲木而生器為喻,說明陶匠與木匠所製造出來的器品,並不等於陶匠和工人之本性,由此來說明聖人之於禮義,並非是從無中生有,而是有其來源所在,此來源即是聖人後天積習之偽,而非天生之性所自然而生;而後荀子更加強論證,舉例了堯、舜、聖王之性與桀、跖、小人之性「其性一也」;人之性既然是無差別的,禮義又怎麼能從中而產生,造成了人的差異性?難道堯、舜、聖王之尊貴是在於此一人人相同、毫無分別之性嗎?荀子給出了答案,以為堯、舜、聖王的尊貴之處在於他們能夠化性起偽,並且在

---

〔註8〕馬國瑤:《荀子政治理論與實踐》,臺北:文史哲出版社,1996,頁73。

化性起偽之後生禮義。

何淑靜以爲荀子一直未就「能力」方面來正視此問題〔註9〕，陳禮彰亦言：「荀子的回答未能充分說明爲何自己將聖人所生的禮義積偽劃出人性之外，便急著由肯定堯、舜、君子的價值來印證性惡善偽〔註10〕。」對於聖人以偽生禮義此一論點是無庸置疑的，譬若陶人、工人經由後天努力習得埏埴生瓦與斲木生器的知識與技術，經由操作實踐，才能夠達致成其職業之能力，進而造出瓦、木之器具；同理，聖人亦須經由後天學習道德禮義，加以親身實踐，使得化性起偽有所成，而能生禮義，故必然會涉及到後天之偽，但是此一過程中是否完全不涉及「性」（即何淑靜提出的「能力」）？何淑靜以飛行能力爲例，如同狗生而沒有飛而只有跑、跳的能力，即使經過一千次、一萬次，想盡辦法訓練牠，牠也只會跑跳而不會飛〔註11〕。因此「偽」的前提是須要有「生而有做某活動之能力」（何淑靜之言），故若陶人、工人本身不具有天生潛在能製造瓦、器的能力，聖人本身不具有能習得禮義法度的能力以及生禮義的能力，即使付出再多的努力去積偽，亦是徒勞無功。〈禮論〉可見性與偽的關係：

> 性者，本始材朴也；偽者，文理隆盛也。無性，則偽之無所加；無偽，則性不能自美。性偽合，然後聖人之名一，天下之功於是就也。

「本始材朴」是自然義，荀子之性是中性材質，要使人能夠化性起偽，性與偽須兩者不可偏一而廢，偽沒有性的存在即無所用，因爲偽必須以性爲基礎，才能夠加之。只有在自然本性與人爲之偽兩者相合之時，以禮義對本性進行加工改造，如此才能成爲聖人；故性與偽是「原料與加工」的關係〔註12〕，性作爲內在本質、偽作爲外在作用兩者相輔相成，禮義即是在性偽合的狀態下所生；回到陶人、工人創造器物與聖人創制禮義的能力來看，可知荀子的本始材朴之性與聖人生禮義之性所指的是兩種不同的指涉之義，生而有之性，即是何淑靜與陳禮彰提及的先天擁有之性（生而有做某活動之能力），聖人生禮義之性則是先天擁有之性經過了偽的加工所成之性，經過偽所加工之性已經不是本始材朴之性，故已脫離了自然之性的範疇，而隸屬於後天人爲之「偽」，即屬於第一層之偽的涵義。

---

〔註 9〕 何淑靜：《荀子再探》，頁 101。
〔註10〕 陳禮彰：〈荀子人性論及其實踐研究〉，頁 133。
〔註11〕 何淑靜：《荀子再探》，頁 102。
〔註12〕 蔡仁厚：《孔孟荀哲學》，頁 394。何淑靜：《荀子再探》，頁 103。

## 二、化性起僞

從「性僞之分」到「性僞合」可知荀子肯定人之「性」是能夠改變與改造的，即性是可「化」的，〈儒效〉有直接的論述：「性也者，無所不能爲也，然而可化也」，性的可化是荀子善僞論的必要條件，而「化性起僞」就是要以人爲的力量來對治天生之性〔註13〕。〈正名〉：「狀變而實無別而爲異者，謂之化。」此句可分解爲對於「狀」、「實」兩者之「變」與「無別」來看兩者的關係，以此句來理解「化性」之謂：「狀」指的是荀子之所謂「性惡」之「性」，即人之性擴張無節所呈現的狀態表現，「實」指的是自然之性，即人生而即有，包括了人一切的生理與心理之具，故也包含了情、欲，但是此情欲是無善惡可言，爲中性之具；人透過了聖人所生的禮義，經由後天人爲努力的學習與實踐改變了性之「狀」，但是並沒有改變個體自然即有的性之「實」，如此，性之狀改變，但性之實沒有改變，狀與實雖然相異，但是又是同爲一體〔註14〕，即是「化性起僞」之原理。故「化性起僞」的目標，並非在於消滅生而即有的情欲之「實」，而是在於轉化「惡」的情欲之「狀」。如廖名春所說：「荀子的『化性起僞』說是建立在人性平等的基礎之上〔註15〕。」此言除了闡明了「性僞合」性與僞兩者的相輔相成，亦提點了「化性起僞」並非爲了消滅人人生而即有的最根本之性，而是以此爲基礎展開。

楊倞以「起僞」爲「興起矯僞〔註16〕」之義，吾人已知「實」之性爲中性之性，無所謂善惡，荀子亦沒有將道德價值內涵內建於人之本性中，使人成爲天生的道德主體，故所興起的「矯僞」便如同「化性」一般，皆是來自外在的慮積、能習；是經驗、外在的〔註17〕。陳禮彰以化性起僞有兩層涵義：

> 第一層指人依禮義導化自然本性而表現合乎人倫規範的行爲，其中「人」包括聖人在內的所有人，在此禮義躍升主導地位，人處被動地位；第二層涵義則是已經化性完成而道德全備的人，因革損益已有的規範而建立新的禮義法度，其中能創制禮義的人僅限於聖人，在此聖人居主導地位，禮義則居被動地位。〔註18〕

〔註13〕 華仲麐等著：《儒家思想研究論集（二）》，頁251。
〔註14〕 「有化而無別，謂之一實。」〈正名〉。
〔註15〕 廖名春：《荀子新探》，頁126。
〔註16〕 王先謙撰：《荀子集解》，頁438。
〔註17〕 韋政通：《荀子與古代哲學》，頁66。
〔註18〕 陳禮彰：〈荀子人性論及其實踐研究〉，頁133。

　　第一層是所有人都能達到，聖人無論後來的道德多麼完備、能力多麼高操，最初亦是經由此一層開始；藉由學習禮義來導化自然之情欲，使原本順是無節之性，經由學習禮義、遵守師法，將原本的「性惡」導化朝向「善」的方向；此一層人是被動的接受禮義之導化，故是屬於被動的，是朝向聖人的必經之路；第二層的化性起偽則可看出聖人與涂之人的差異，〈非相〉言：「聖人者，以己度者也。故以人度人，以情度情，以類度類，以說度功，以道觀盡，古今一度也。」聖人除了被動的接受禮義之導化，而成為道德完備之人外，尚能運用其所學，舉一反三，以自己的意思推度古之人情、種類與功業，以道觀盡物之理〔註19〕；故他們能夠因革損益、因時制宜，而能改善舊有不合時宜的規範律則，創建新的、符合時下的禮義法度，他們從被動的接受，轉變成主動的對禮義創制革新，於此一層就非人人皆所能達到，也是涂之人與聖人之差異所在，即習偽之後之性的能力（屬於「偽」），〈性惡〉云：「聖人之所以同於眾，其不異於眾者，性也；所以異而過眾者，偽也。」如韋政通所說：「聖人之性同於眾，這說明自然之性有普遍性。聖人之異於眾人者在其能偽；很明顯，聖人之偽是繫於聖人之才能。這是沒有普遍性的〔註20〕。」

　　荀子藉由禮義之生與聖人之偽說明了禮義產生的原由，又藉由禮義的存在，說明人之能為善的可能，即藉由學習禮義以導化性惡以成善。荀子提出性惡善偽論的最終目標是為了使國家社會能夠達到「善」，此一正理平治的狀態，國家社會是由人所組成，故當從國家社會縮小範圍到了個人，個人的最終目標則在於達到聖人〔註21〕，此一道德完備且又能視明正道因時制宜之境界。從了解荀子「性惡」到「化性起偽」的過程中，我們能看出荀子極為肯定後天外在人為的努力，藉由學習與思慮禮義來導化人性，人可以不用陷入必然為惡的結果，故我們可以由「化性起偽」之原理推論，荀子以為性惡到善偽的實踐過程，是以「教育」為本質〔註22〕，或可說，化性起偽是教育的原理與內涵，而教育是化性起偽在經驗世界中的實踐；教育包含了師與學二者，無師者則學生沒有學習的對象，無學生則師者沒有教習的對象，無具體教學之內容則沒有具體學習之內容，荀子以道德為後天所習得之偽，故必然

〔註19〕王先謙撰：《荀子集解》，頁82。
〔註20〕韋政通：《荀子與古代哲學》，頁67。
〔註21〕「其數則始乎誦經，終乎讀禮；其義則始乎為士，終乎為聖人。」〈勸學〉。
〔註22〕王廷洽以化性起偽所含的思想來看，也就是教育的意思。王廷洽：《荀子答客問》，上海：人民出版社，1997，頁250～251。

須經過後天教育之師與學的過程，道德禮義才能進入到人，荀子於〈勸學〉篇章之句首言：「學不可以已」，楊倞注：「以喻學則才過其本性也〔註23〕」，凸顯出了荀子對於學之注重，而所學之內容則是能成就涂之人與聖人之禮義。

## 第二節　個人實踐之積學成偽

　　我們已探究了荀子從性惡到善偽的原理，對於自身所具有之自然之性與經由偽而能具有之能力和達至善的可能也有了瞭解，然身為生活在經驗世界之人，我們與世界的互動與實踐是不可避免的，在現實裡，須付出何種努力與實踐，又受到哪些後天因素的影響，才能達致身為人的終極目標——聖人？

### 一、「君子居必擇鄉，遊必就士」——環境

　　荀子認為，為學首須重視環境〔註24〕，環境為人所學習之憑藉〔註25〕，亦影響到人為學之成效〔註26〕，〈勸學〉即以南方之鳥蒙鳩與西方之木射干一反一正作為例子，說明環境的影響力之大：

> 南方有鳥焉，名曰蒙鳩，以羽為巢而編之以髮，繫之葦苕，風至苕折，卵破子死。巢非不完也，所繫者然也。西方有木焉，名曰射干，莖長四寸，生於高山之上而臨百仞之淵：木莖非能長也，所立者然也。蓬生麻中，不扶而直。（白沙在涅，與之俱黑〔註27〕。）蘭槐之根是為芷。其漸之滫，君子不近，庶人不服，其質非不美也，所漸者然也。故君子居必擇鄉，遊必就士，所以防邪僻而近中正也。

　　蒙鳩以羽為巢編之以髮，足見此鳥所編織的巢本身即為牢固，造成「卵破子死」的原因是「風至苕折」所造成，是在於鳥所抉擇葦苕作為築巢的環境使然；干射此種樹木，莖只有四吋長，但是它生長在臨百仞之淵的高山上，並不是其莖幹本來就高大，而是它所處在的地方讓它顯得高大。「蓬生麻中，不扶而直。白沙在涅，與之俱黑。」除了闡明俗諺「近朱者赤，近墨者黑」之意，亦說明了環境對於「學」會帶來助益或者阻力。其又以「蘭槐之根是

〔註23〕王先謙撰：《荀子集解》，頁1。
〔註24〕蔡仁厚：《孔孟荀哲學》，頁481。
〔註25〕蔡仁厚：《孔孟荀哲學》，頁481。
〔註26〕陳禮彰：〈荀子人性論及其實踐研究〉，頁153。
〔註27〕王念孫曰：「此（指『蓬生麻中，不扶而直』之句）下有，『白沙在涅，與之俱黑』二句，而今本脫之」王先謙撰：《荀子集解》，頁1。

爲芷」爲例，說明即使質地良好之芷，浸漬到了骯髒臭惡之水中，君子與庶人都不會想要再去接近碰觸它，讓環境之惡臭掩蓋了其本質的香美。陳福濱以人之成長過程會受到環境無形、漸近的潛移默化，形塑人的社會行爲模式：「蓋因環境對人的影響是無形的、漸進的，它對我們起著默化的作用；而在人成長的過程中，環境對於人之『社會化〔註28〕』過程具有絕對的影響〔註29〕。」所以環境對人的影響並不是馬上、立即的，而是有時間的歷程，是「漸」是「不知不覺」是「無形」，陳福濱點出了此一點。知道了環境所能造成影響之巨大，所以「君子居必擇鄉，遊必就士，所以防邪僻而近中正也。」居住要選擇善良的習俗文化之處，交遊要選擇品行賢良之人，如此除了可以避免接觸到邪僻受其誘惑，亦能於善良風俗與賢良之士身上習染中正之道，即如孔子所言之「里仁爲美」（《論語・里仁》）之擇仁居處，與「就有道而正焉」（《論語・學而》）之所謂，親近有德之人以砥礪自我品行之意。由此可看到環境的影響因素可以分成兩種，一爲「居必擇鄉」之習俗文化，二爲「遊必就士」之所結交的人士。

然是否人只能完全被動的受外在環境的影響？荀子接續言：

> 物類之起，必有所始。榮辱之來，必象其德。肉腐出蟲，魚枯生蠹。怠慢忘身，禍災乃作。強自取柱，柔自取束。邪穢在身，怨之所構。施薪若一，火就燥也；平地若一，水就溼也。草木疇生，禽獸群焉，物各從其類也。是故質的張而弓矢至焉；林木茂而斧斤至焉；樹成陰而眾鳥息焉，醯酸而蜹聚焉。故言有招禍也，行有招辱也，君子慎其所立乎！（〈勸學〉）

事物之發起，都有其本始；榮辱之來，必是取其德行。荀子以肉腐而生蟲、魚枯而生蠹爲例，都是在說明事出必有因。回到人身上，人若是遭遇了災禍，原因則在於「怠慢忘身」。「強自取柱，柔自取束」有兩義，一爲楊倞注之解：「凡物強則以爲柱而任勞，柔則見束而約急，皆其自取也〔註30〕」意

---

〔註28〕「社會化（socialization）一詞，係指個人學習其所處社會之行爲模式的過程。在每一個社會中，都有不同社會行爲模式的存在；個人自幼至長，學習這些模式的過程，叫做社會化。從某一種觀點說，這是個人接受社會規範或文化環境影響的過程；從另一種觀點說，這是個人與團體交互作用所形成的結果。」見林清江：《教育社會學》，臺北：國立編譯館，1977，頁44。

〔註29〕陳福濱：〈荀子的教育思想及其價值〉，《哲學與文化》，第34卷第12期，2007年12月，頁10～11。

〔註30〕王先謙撰：《荀子集解》，頁6。

思是剛強之物可以用來作為支撐作用，柔軟之物可以用來作為束縛之用，這都是在於選擇是否適其適所；二為王引之解：「柱，當讀為祝。……何、范注並曰：『祝，斷也。』此言物強則自取斷折，所謂太剛則折也。大戴記作『強自取折』，是其明證矣〔註31〕。」意思是太剛強之物會導致其斷折、太柔軟之物會導致其束縛，這些都是自己所招致的。筆者閱原典前後文之意，以為此段主要在說明事出必有因，而傾向王引之解較為順暢，即除了外在環境的影響之外，自己本身所選擇的「怠慢忘身」（原因）亦是招致「災禍乃作」（後果）的因素。荀子以外在條件相當，然火往乾燥處燒、水往濕處流、草木叢生、禽獸群聚來說明物會追逐其同類而相聚的道理。箭靶張則弓矢至、林木茂而斧斤至、樹成蔭而眾鳥息等等這些則是在說明「有德則慕之者眾〔註32〕」，相反的，若為邪僻無德，則亦會招致邪僻無德之眾者。所以言語會招來災禍、行為會招致侮辱，這些都是自身所導致，故君子謹慎選擇其之所學、所立之道。故人可以自己選擇所居之環境並擇師交友，而非只是被動的接受環境而「怠慢忘身」，放棄自己擁有選擇自己的居處及所交遊對象的機會，也再度回應了「君子居必擇鄉，遊必就士」與「君子慎其所立乎」的原由。

　　環境是屬於外在的影響，是漸進、無形的，對於習俗文化，〈儒效〉言：「居楚而楚，居越而越，居夏而夏，是非人性也，積靡使然也。」說明後天習俗文化對人造成的積靡影響，非天性所使然，又言「注錯習俗，所以化性也」、「習俗移志、安久移質」，「注錯」為措置之義〔註33〕，以社會而言指所設置之制度或習俗文化，用到個人身上，則為〈榮辱〉：「小人莫不延頸舉踵而願曰：『知慮材性，固有以賢人矣。』夫不知其與己無以異也，則君子注錯之當，而小人注錯之過也。」指的是行為舉止而言。即日積月累之習俗，所造成的影響足以化性，能夠改變人的想法與性格。對於交遊之士，〈性惡〉言：

　　　　夫人雖有性質美而心辯知，必將求賢師而事之，擇良友而友之。得
　　　　賢師而事之，則所聞者堯、舜、禹、湯之道也；得良友而友之，則
　　　　所見者忠信敬讓之行也。身日進於仁義而不自知也者，靡使然也。
　　　　今與不善人處，則所聞者欺誣詐偽也，所見者汙漫、淫邪、貪利之

〔註31〕　王先謙撰：《荀子集解》，頁6、7。
〔註32〕　王先謙撰：《荀子集解》，頁7。
〔註33〕　王先謙撰：《荀子集解》，頁144。

> 行也，身且加於刑戮而不自知者，靡使然也。傳曰：「不知其子視其
> 友，不知其君視其左右。」靡而已矣！靡而已矣！

兩種都提到了「靡」，「靡」為何義？楊倞注「靡使然也」：「靡，謂相順從也。
或曰：靡，磨切也〔註34〕。」王忠林：「靡，披靡。說文：『靡，披靡也。』
言受感染而傾向使其如此〔註35〕。」靡的意思即是人與習俗文化或與所交之
師友兩者之間相互的感染、磨切而對人所造成的影響。「遊必就士」如同「蘭
槐之根是為芷」一般，人雖然性質美又有心能辯知，若擇賢師而事，則所聽
聞的皆是堯、舜、禹、湯聖王之道，若得良友，則所見皆是忠、信、敬、讓
等德行之行為。長時間與賢師良友相處，便不自覺得受到他們的感染與影響，
這是「靡」之使然。「不知其子視其友，不知其君視其左右。」就是靡的道理。

　　「非我而當者，吾師也；是我而當者，吾友也；諂諛我者，吾賊也。故
君子隆師而親友以致惡其賊。」（〈修身〉）亦言：「君人者不可以不慎取臣，
匹夫不可不慎取友。友者，所以相有也。」說明君王謹慎擇臣子的重要，與
庶人謹慎擇友的重要。漸、靡便如孔子所言：「與善人居，如入蘭芝之室，久
而不聞其香，則與之化矣。與惡人居，如入鮑魚之肆，久而不聞其臭，亦與
之化矣〔註36〕！」之意相同。

## 二、師法與積學

　　環境相較於個人努力之積習，是屬於外在被動層面的影響，而想要朝成
聖之路前行者，則必須對於居處環境與師友多加選擇，聖人況乎如此，凡人
更需加以抉擇，一方面可以避免受到邪僻的誘惑，一方面可以藉著朝夕接觸
習俗文化與賢師益友以化性，當養成了習慣，長時間受到了習染，就成為了
自己的一部分，形塑而成自己的性格。假如居必擇鄉、遊必就士是為了凸顯
「選擇」對於「學」的影響與重要性，師法與積學是更為直接、主動的「人
為」努力。

### （一）師法

　　傳統中華文化自古即有社會分工的概念，重視階級之人倫道德，如《論
語・顏淵》孔子言：「君君，臣臣，父父，子子」；從司馬遷所著之《史記・

---

〔註34〕王先謙撰：《荀子集解》，頁449。
〔註35〕王忠林：《荀子讀本》，頁353。
〔註36〕《孔子家語・雜言》。

仲尼弟子列傳》：「孔子卒，子夏曰：『一日爲師，終身爲父。』乃心喪廬于墓側三年而後返。」更能直接看到傳統社會，師道之尊嚴，與學生對老師的崇敬之情。《禮記‧學記篇》云：「能爲師然後能爲長，能爲長然後能爲君。故師也者，所以學爲君也。是故擇師不可不愼也。《記》曰：『三王四代唯其師。』此之謂乎？」則凸顯出了擇師的重要性，老師所關涉到的，不只單單在於教育與學習，甚至可以直接或間接地影響到經濟政治的繁榮與否，與國家社會之興亡，荀子亦言：「國將興，必貴師而重傳。貴師而重傳，則法度存。國將衰，必賤師而輕傳。賤師而輕傳，則人有快。人有快，則法度壞。」故擇師不可不愼。荀子〈禮論〉：

> 禮有三本：天地者，生之本也；先祖者，類之本也；君師者，治之本也。無天地，惡生？無先祖，惡出？無君師，惡治？三者偏亡焉無安人。故禮上事天，下事地，尊先祖而隆君師，是禮之三本也。

荀子視天地、先祖、君師爲禮之三本，生命的根本是天地，族類的根本是先祖，治理的根本爲君師，三者缺一不可、無法偏廢，否則無法安人，缺乏天地，則世上無生命可以存在，缺乏先祖，則沒有人類存在亦無族群國家之生，若無君師，則無法治理與治道；所以禮包含了時間與空間，上事天，下事地，尊敬先祖而隆重君師。故治國之本在於君師，荀子看重名與實的相符，主張明於天人之分及不與天爭職，黎建球言：

> 荀子由此名份之定，而以名份之內涵爲立身行事的根本，而每一名份皆有其所以成其名份之特質，不具有此特質，則無法稱其名，獲其辭，他說「今聖王沒，名守慢奇辭起，名實亂，是非之形不明，則雖守法之吏，誦數之儒，亦皆亂也。」（〈正名篇〉）就是指出名份的重要。〔註37〕

君師之名需與其實質相符，君師作爲治理與治道之本，對於國家與學習的影響是不言可喻的。師者之於學習與君子之間有什麼關係呢？孔子曾說：「工欲善其事，必先利其器；居是邦也，事其大夫賢者，友其士之仁者〔註38〕。」工匠欲將工作做好，要在準備時就將工具給打磨的鋒利，同樣的，學習也是如此，若要學得好，便要善加利用周遭環境所擁有的大夫賢者而事之以及與

〔註37〕黎建球：〈荀子的修身正本論〉，《哲學與文化》，第 21 卷第 9 期，1994 年 9 月，頁 805。

〔註38〕《論語‧衛靈公》。

擁有仁心之士而友之。〈勸學〉：

> 學莫便乎近其人。《禮》、《樂》法而不說，《詩》、《書》故而不切，《春秋》約而不速。方其人之習君子之說，則尊以徧矣，周於世矣。故曰：學莫便乎近其人。學之經莫速乎好其人，隆禮次之。上不能好其人，下不能隆禮，安特將學雜識志，順《詩》、《書》而已耳。則末世窮年，不免爲陋儒而已。

荀子以爲學習沒有比親近賢者更便捷，學習固然以誦讀《禮》、《樂》、《詩》、《書》、《春秋》爲主要學習內容，然《禮》、《樂》述其制度大法而無述其原委，《詩》、《書》述先王故事，而在時空變化之下或已不切合實際，《春秋》則文義隱晦，褒貶難明，使人無法快速通曉其意。故若欲通達經書文本之精神，以徧得其義，最快速的方法就是與能因時制宜、通曉大道明理之聖人君子學習。〈儒效〉：「聖人也者，道之管也。天下之道管是矣，百王之道一是矣，故《詩》、《書》、《禮》、《樂》之歸是矣」荀子以聖人爲大道之樞紐，與百王之道緊緊相連繫，古之聖王制禮作樂，今之聖人則能明其理而因時制宜，通曉《禮》、《樂》、《詩》、《書》、《春秋》典籍文字表面義底下所內蘊之道，而習其精神，故能不被時空所限。故荀子認爲，爲學之道並非在於自己閉門苦讀即可，而是以親近聖人爲首要，隆禮次之，若親近賢人與隆禮兩者皆無法做到，而僅是將自己所學得的雜記百家之說，順詩書之文而解其義，則終究只能習得表面之義，而無法學其精髓而能知通統類以應萬變。將這種道理，從現實經驗實際來體會，便如〈君道〉所言：

> 法者、治之端也；君子者、法之原也。故有君子，則法雖省，足以徧矣；無君子，則法雖具，失先後之施，不能應事之變，足以亂矣。
>
> 不知法之義而正法之數者，雖博，臨事避亂。

法是死的，人是活的，就算法多麼的簡約，只要有通達之人來解之，仍能夠通變而使法治能順利進行；相反的，若是法治完備而無能通變的君子能人之士，僅是遵照法治而爲，仍有可能失其先後順序而造成紊亂，所以法雖然是治之開端，但是君子才是法之本原。故荀子就「隆禮」而言，更重於「親師」。〈儒效〉對人的才能在有師法與無師法之下的差別，做了說明：

> 故人無師無法而知，則必爲盜，勇則必爲賊，云能則必爲亂，察則必爲怪，辯則必爲誕；人有師有法，而知則速通，勇則速畏，云能則速成，察則速盡，辯則速論。故有師法者，人之大寶也；無師法

者，人之大殃也。人無師法則隆性矣；有師法，則隆積矣。而師法
者，所得乎積〔註39〕，非所受乎性。性不足以獨立而治。性也者，
吾所不能爲也，然而可化也。積也者，非吾所有也，然而可爲也。
注錯習俗，所以化性也；並一而不二，所以成積也。習俗移志，安
久移質。並一而不二，則通於神明，參於天地矣。

　　人在無師法的狀態之下，擁有知、勇、才能、明察、辯捷這些看似好的
質具，卻沒辦法朝向好的方向發展，反而去做盜、做賊、做亂、做怪與妄誕，
而在有師法的引導之下，人具有這些好的質具才能，便能夠善用這些質具，
有效的發揮才能，使目標能更爲快速的達成，所以荀子說：「故有師法者，人
之大寶也；無師法者，人之大殃也」。荀子又說，假若沒有了師法的規範與引
導，便會「隆性」而順著自然之欲無限擴張，被性之情欲所障蔽而任性而爲，
此即荀子之所以謂：「人之生固小人，無師無法則唯利之見耳」（〈榮辱〉）之
義。有了師法，則會擴張其所學而「隆積」。此即是化性起僞之理，以後天積
習之僞而得師法，積習起於後天人爲，而非起於天生自然之性，故性無法獨
立而治，但是性可化也。師法得之於積習，積習非自然之性所有，所依靠的
就是以措置習俗來改變原所沒有之性，措置習俗之積靡是決定人將成爲何種
人的關鍵，荀子言：「可以爲堯舜，可以爲桀跖，可以爲工匠，可以爲農賈，
在勢注錯習俗之所積耳。」（〈榮辱〉）使本不可爲，轉化成可爲，使非天性所
有，憑藉後天人爲轉化成有，這是後天的行爲習慣之積，以及「並一而不二」
專一而不懈怠的努力所堆積出來的，即如〈性惡〉所云：「必將有師法之化，
禮義之道，然後出於辭讓，何於文理，而歸於治」師法始於君子之積，亦以
積習使人能得師法，藉由得師法使「不足以獨立而治」之性得以治，而能積
僞成善。

　　師者除了作爲學習者的通權達變之引者與開闊者外，尚可作爲學習者的
楷模，〈修身〉：

見善，修然必以自存也；見不善，愀然必以自省也；善在身，介然
必以自好也；不善在身，菑然必以自惡也。故非我而當者，吾師也；
是我而當者，吾友也；諂諛我者，吾賊也。故君子隆師而親友，以

〔註39〕「積」於原典寫作「情」字，楊倞注：「或曰『情』，當爲『積』。所得乎積習，
　　　　非受於天性，既非天性，則不可獨立而治，必在化之也」王先謙撰：《荀子集
　　　　解》，頁143。

致惡其賊。好善無厭，受諫而能誡，雖欲無進，得乎哉？

荀子以批評、糾正學習者的錯誤者爲師，當局者迷、旁觀者清，人往往無法覺察到自己的錯誤，師者存在的功用便有提點之效，且藉由師法之在，吾人可以以聖賢師法爲鏡，見他們爲善的行爲，反身見自己行爲的善與不善，重新自省與改進；此除了體現「見賢思齊」之理，尚有督促的功能。

## （二）積學

雖然師在荀子的教育思想中，居於中心的地位〔註 40〕，然而學習不可能身旁永遠都有老師伴隨，也不可能隨時都能尋找到良好的環境，況且，即使有良好的環境與賢師，但是自己不好好努力進取，也無法「善假於物」，利用賢師與環境加助學習之效。相較於環境與從師，個人努力的積學是更爲主動的學習，也是自我可以完全掌控的。荀子以「材性知能，君子小人一也」以人之性具有普遍性，人皆具有「知」而能知禮義的潛能，以及「情欲」好利惡害而易流於惡的傾向，但荀子又以人的多層面〔註 41〕使人「最爲天下貴」，〈王制〉：「水火有氣而無生，草木有生而無知，禽獸有知而無義，人有氣、有生、有知、亦且有義，故最爲天下貴也。」人的多層、人性內涵的多樣，凸顯出了荀子的重智思想，君子、小人最初是站在同一個起點上，最後卻朝往不同的終點，這其中的歷程，就在於主體是否選擇去積僞以化性：「若夫志意脩，德行厚，知慮明，生於今而志乎古，則是其在我者也〔註 42〕」人性雖惡，因其可化，人人都有學習爲善人的可能，絲毫用不到悲觀〔註 43〕，荀子是從積極樂觀的角度看人性，以人能掌握自己最終成爲什麼樣的人，一切皆「其在我者」。

當立志爲君子之後，要依循什麼樣的爲學步驟與途徑？〈勸學〉：

學惡乎始？惡乎終？曰：其數則始乎誦經，終乎讀禮；其義則始乎爲士，終乎爲聖人。眞積力久則入，學至乎沒而後止也。故學數有終，若其義則不可須臾舍也。爲之人也，舍之禽獸也。

〔註 40〕徐復觀：《中國人性論史（先秦篇）》，頁 221。
〔註 41〕伍振勳：「人是一個多層面的存在物：有生理的層面、心理的層面，以及社會和文化的層面，所有這些層面都是『人性』的內涵。」伍振勳：〈從語言、社會面向解讀荀子的「化性起僞」說〉，《漢學研究》，第 26 卷第 1 期，2008 年 3 月，頁 14。
〔註 42〕〈天論〉。
〔註 43〕陳大齊：《荀子學說》，頁 191。

　　陳禮彰從此段落看到了荀子化性起偽系統中「學習」所具的三大特色：
「『終乎讀禮』說明了學習以禮義爲主要內容，『終乎爲聖人』說明了學習以
成聖爲終極目標，『眞積力久則入』說明了學習以積久爲至善功夫〔註44〕。」
「數」，爲「術〔註45〕」，「其數」是爲學的途徑〔註46〕的意思，所以荀子爲
學之術，首先在於誦讀經文，而以讀禮爲終，但是此處所指的禮，並非是閱
讀〈禮〉之典籍，爲學的目標在於成爲聖人，荀子以「積善而全盡，謂之聖
人〔註47〕」，如何才能夠「全盡」？

　　　　君子知乎不全不粹之不足以爲美也，故誦數以貫之，思索以通之，

　　　　爲其人以處之，除其害者以持養之……君子貴其全也。（〈勸學〉）

　　　　誦數以貫之，權也；思索以通之，粹也。權而粹，則倫類通，仁義

　　　　一矣。（〈大略〉）

　　從第一段話可知，爲學的誦讀是爲了能夠貫串所讀之經典，思索使所誦
讀之經文能夠融會貫通，把握其精神內涵，否則只是知，而無法貫通，亦無
法眞正的稱之爲學，故〈勸學〉云：「倫類不通，仁義不一，不足謂善學。
學也者，固學一之也。一出焉，一入焉，涂巷之人也。其善者少，不善者多，
桀紂盜跖也。全之盡之，然後學者也。」故學要學到「一仁義」的「全之盡
之」，才能夠稱爲善學。「一仁義」是造次不離，他術不能亂〔註48〕的意思，
即遇到任何狀況都不會受到影響，專一於仁義之禮法；「全之盡之」是以「倫
類通，仁義一」爲對象，而有使通倫類、仁義一常駐於知與行〔註49〕，有「常」、
「不變」〔註50〕的意思，蔡仁厚：「所謂『倫類通，仁義一』實亦『知明行
修』之意。如果智而不能通類，行而不能全一，就不算是全盡之學〔註51〕。」
故全之盡之的聖人學者，知與行都能夠符合仁義禮法，言行舉止皆爲善。由

〔註44〕陳禮彰：〈荀子人性論及其實踐研究〉，頁179。
〔註45〕王先謙撰：《荀子集解》，頁11。
〔註46〕何淑靜：《荀子再探》，頁34。
〔註47〕〈儒效〉。
〔註48〕王先謙撰：《荀子集解》，頁18。
〔註49〕何淑靜以爲要能通倫類、一仁義就必須先「誦數以貫之」、「思索以通之」，這
　　　　是屬於「知」之事。「一仁義」、「全之盡之」乃「知之後」的「行」。何淑靜：
　　　　《荀子再探》，頁36～37。
〔註50〕何淑靜：「『全』、『盡』之意，指『常』、『不變』」，何淑靜：《荀子再探》，頁
　　　　36。
〔註51〕蔡仁厚《孔孟荀哲學》：頁484。

此，再回來看「終乎讀禮」，既然爲學是爲了達至聖人，荀子以讀禮爲終，所表示的是對於禮的融會貫通，使「誦數以貫之，思索以通之」之「知」到「倫類通，仁義一」的「行」從內到外皆能全盡合乎仁義禮法，達到「慮積焉能習焉而後成」之「成」，所以「成」的狀態包含了智識與實踐。如何淑靜所言：

> 依此，「終于讀禮」之讀禮即「學至乎禮而止」的「學禮」，也就是爲學所指的「學禮」、「讀禮」乃意指「知而後行」、「知而後全盡禮義」。此「學」、「讀」乃就「知而後行」言，意涵爲學的最後一步驟是行。〔註52〕

爲了防止爲學「一出焉，一入焉」使前面的努力都前功盡棄，荀子強調專注不間斷的學習仁義禮法以達化性起偽之功效，〈勸學〉：

> 積土成山，風雨興焉；積水成淵，蛟龍生焉；積善成德，而神明自得，聖心備焉。故不積頤步，無以致千里；不積小流，無以成江海。騏驥一躍，不能十步；駑馬十駕，功在不捨。鍥而捨之，朽木不折；鍥而不捨，金石可鏤。螾無爪牙之利，筋骨之強，上食埃土，下飲黃泉，用心一也。蟹八跪而二螯，非蛇蟺之穴，無可寄託者，用心躁也。是故無冥冥之志者，無昭昭之明；無惛惛之事者，無赫赫之功。行衢道者不至，事兩君者不容。目不能兩視而明，耳不能兩聽而聰。螣蛇無足而飛，梧鼠五技而窮。詩曰：「屍鳩在桑，其子七分。淑人君子，其儀一分。其儀一分，心如結分。」故君子結於一也。

荀子以頤步千里與積流成江海爲喻，言爲學是緩慢漸進的過程，無法一蹴可幾，必須持之以恆方能成功；即使是良馬，再怎麼有本事跳也不能跳出十步，劣馬雖然走得慢，慢慢走卻可以走得很遠，說明了即使資質再怎麼良好，仍有做不到的事情，反之，即使資質再怎麼駑鈍，只要鍥而不捨的努力積習，仍能以後天補足先天之不足，荀子降低了自然之性對成功與否的影響性，認爲持之以恆的努力才是成功的關鍵，且「一出焉，一入焉，涂巷之人也」、「鍥而捨之，朽木不折」，以爲爲學不能自暴自棄、半途而廢，否則就沒法達到有所成的結果而前功盡棄。後段文字荀子以「行衢道者不至」，「事兩君者不容」，「目不能兩視而明」，「耳不能兩聽而聰」，「梧鼠五技而窮」，說明專精的重要，〈解蔽〉亦云：「自古及今，未有兩而能精者也」。〈勸學〉首句

〔註52〕何淑靜：《荀子再探》，頁37。

所言的「學不可以已」即已一語道出學須專心一志不可間斷積習，使「眞積力久則入」的爲學之方。

「積」本身就是一個具有時間歷程的詞彙，「學」亦是時空之下的活動，荀子凸顯出了時空的性質，注意到人的生活所做的大多是細微瑣碎之事，以爲人不要忽略這些如沙粒般渺小的事情與付出的努力：

> 積微：月不勝日，時不勝月，歲不勝時。凡人好敖慢小事，大事至然後興之務之，如是，則常不勝夫敦比於小事者矣。是何也？則小事之至也數，其縣日也博，其爲積也大；大事之至也希，其縣日也淺，其爲積也小。故善日者王，善時者霸，補漏者危，大荒者亡。故王者敬日，霸者敬時，僅存之國危而後戚之。亡國至亡而後知亡，至死而後知死，亡國之禍敗，不可勝悔也。霸者之善箸焉，可以時託也；王者之功名，不可勝日志也。財物貨寶以大爲重，政教功名反是；能積微者速成。《詩》曰：「德輶如毛，民鮮克舉之。」此之謂也。（〈彊國〉）

此段對爲學者無非是一記警鐘，人往往輕忽了平日若有似無的努力，只有在遇大事時才開始重視；但是從經驗來看，大事發生的少，所花的時間精力和所累積的也就相對來的少，相反的，細微瑣碎之事常常來，若以每月每日每時來計算，累積起來也是極爲可觀。那些稱王稱霸者，即是重視時間之積微，到了有敝漏才知道要去彌補的要危殆，荒廢而不治的則滅亡，荀子以此呼籲人不要平時不努力，而有落日殘紅，始覺春空之憾，不能等到危機來臨時，才臨時抱佛腳，甚至完全坐以待斃，不付出任何努力。不同於財富累積的越大越好，政教功名是每天細微渺小的累積才是通往成功的捷徑。爲學者常遭遇到的困難就是懷疑自己平日的努力是徒勞，或受情欲之蔽而半途而廢，荀子引《詩》曰：「德輶如毛，民鮮克舉之。」即再說明積微的道理，德似輕而易舉，但是若無立定志向，每日每時持續不斷的積累，也無人能將之舉起。

從化性起偽之原理，到人現實經驗已成善所需的爲學之知與實踐，從荀子〈勸學〉篇章與其對於聖人之規定來看，比起知，荀子更重於實踐，〈勸學〉：「不登高山，不知天之高也；不臨深谿，不知地之厚也。」「吾嘗終日而思矣，不如須臾之所學也。吾嘗跂而望矣，不如登高之博見也。登高而招，臂非加長也，而見者遠；順風而呼，聲非加疾也，而聞者彰。」，這些都在說明思不

如學之效用，學習是爲了實踐，若僅只是將所學束之高閣，則再怎麼博學，沒有實際運用發揮，也只是枉然。再從成聖的目標來看，荀子以「君子博學而日三省乎己，則知明而行無過。」(〈勸學〉)「積善而全盡謂之聖人」(〈儒效〉)，「不聞不若聞之，聞之不若見之，見之不若知之，知之不若行之。學至於行之而止矣。行之，明也；明之，聖人也」(〈儒效〉)前面已探討過「全之盡之」包含了「行」，「終乎讀禮」亦包含了行，全盡者爲聖人，故荀子將「行」包含在聖人的規定裡面，如何淑靜所言：「人之成聖是『由知而行』；『聖人』是由『行』來規定﹝註53﹞」，故並非埋首書堆，將禮義法度讀的苦瓜爛熟，將禮義法度之大道講的口沫橫飛，而於行爲實踐上仍如涂之人一般；荀子承繼了儒家「入世」的思想，以爲聖人君子是需要走出去生活實踐，此才是爲學的最後一個步驟，亦是判定聖人的準則。

﹝註53﹞何淑靜：《荀子再探》，頁46。

# 第五章　結　論

　　人生活在現實經驗中，而與現實經驗密不可分，理論與理想的可貴之處，在於給予了現實一個確切的目標，使人能藉由階段與階段的完成，藉由不斷努力實踐與實現，邁向理想的達成。孔孟傳統儒家將道德價值根源設立在人本有之「性」中，經由內聖，開出外王「老者安之，朋友信之，少者懷之」（《論語·公冶長》）的社會理想型態。荀子集百家之長，除了對諸子百家多作批判以防蔽於一曲之外，亦對他本身所崇尚的儒家之說多作檢討，從性惡的論證中，他指名孟子不知性偽之分等論述，對孟子性善論作了多項批判，在〈非十二子〉篇章中更對思孟學派等孺子多作非難。

　　本文的研究目標是藉助荀子「坐而言之，起而可設，張而可施行」此一重視經驗的獨特思想視角，以了解自身所具有的質具潛能及其運作的原因原理，以朝向更好的方向實踐發展，故筆者首先於第二章探討荀子之「性」的意涵。荀子之性為「天之就也」，雖可追溯至天，但是荀子的天是「列星隨旋，日月遞炤，四時代御，陰陽大化，風雨博施，萬物各得其和以生，各得其養以成」不具有超越、形上義的天，而僅只就經驗物理現象的觀察來理解。荀子之性亦是從自然的角度觀之，是包含生理與心理的整體，而有自然、質樸與生就義，同於萬物之生滅之「生」，是中性且單純的自然生發存在，而不具有道德價值意義。從荀子視性為自然之義的角度，我們能體會到荀子之性是人與人皆所同然，並不是導致個體與個體之間之差異性與獨特性的根源，以及荀子並不是從原始、中性的自然之性角度上來說性之善惡。

　　在「以欲為性」的探討中，我們可以知道「惡」雖然是起於性之「順是」、欲之「窮年累世不知不足」，但是「欲」並非僅僅是導致「惡」之生的潛能，

亦是具有「欲善」的潛能，故不能視欲爲惡；再者，當深入討論「順是」的時間性與空間性之後，發現當試圖從時空下具有經驗性質之惡反證到自然之性的本惡，是具有困難的，而僅能證成到人之性有惡的階段。既然荀子並沒有對生而即有之性作出善惡的價值判斷，那麼他提出性惡強調「人之性惡」的原因何在？除了肯定自然之性的可塑性之外，正因爲性中無禮義，人必須要透過後天努力之僞來加以轉化朝向惡發展的可能，彰顯出後天人爲努力的重要；此亦是對思孟學派一味追求內聖的流弊，拉回到對外王之道的重視。

　　第三章，說明荀子之心在各種層面來說都是關鍵的樞紐，荀子以人之所以不同於禽獸在於有「辨」，人之所以能認識經驗世界，在於心知的功能，人之所以能知禮義以成道德人，也是在於「知」；在「人，生而有知」的意義之下，心屬於性的範疇，故「涂之人也，皆有可以知仁義法正之質，皆有可以能仁義法治之具」（〈性惡〉），荀子肯定人皆有能夠知善、向善的潛能。但此處又會引發一個疑問，既然人皆具有能知、能能仁義法正之質具，何以非天下人皆成爲禹呢？這也是爲什麼不說心善爲性善的原因，即在於感官與心是否中理與閉塞，以及人是否有意願去認知「道」。蔽可以分爲三種情況，一是爲情欲所迷亂所產生的蔽塞之禍，二是雖未受情欲所蔽，但是心知將部分當作了整全，局限於表面與片面之見，而以爲所見即爲道的全貌，三是天官各司其職所受到的侷限性影響到對客觀事物的掌握。故心並非是必然的朝向善發展，還須倚靠虛壹而靜的工夫以達大清明的境界去「知道」，知道後才可以道爲衡而兼權、孰計，經由心之主宰抉擇符合「道」的判斷，使透過「已知」爲前提的「行」也能符合「道」。荀子謂「知道察，知道行，體道者也」，當結合了思道者之察與須道者之行即是體道者，當內在的心知與外在的行爲實踐皆能符合「道」方能稱作是眞正的得道者，才能從知道進而可道、守道以禁非道；心知、正道與實踐在此成爲了道德從潛能到實踐的連貫系統。

　　荀子的性與心並不具有任何善惡的價值判斷，既然無法如孟子一般向內求得善之根源，荀子向外另闢新路以禮義之統作爲善的根據，以「化性起僞」做爲性惡到善僞的原因原理，經由化性起僞，使外在的禮義之統能進入到人的心知當中，使心知道，並以道爲衡。在荀子「僞」的兩層意涵裡，我們從「心慮而能爲之動謂之僞」看到荀子凸顯心的抉擇與主宰功能，以及心之「慮」與行爲之「動」所構成的人爲之僞，又從第二層「慮積焉、能習焉而後成」的「僞」強調人爲後天努力的必要性，點出善惡的分別是在於後天的積習與

否。而君子聖人與禮義的關心是雙向的，禮義出自於聖人之僞，聖人學禮義
以化性起僞，兩者互相成就著彼此，「性」與「僞」的關係就似原料與加工，
「無性，則僞無所加；無僞，則性不能自美」只有在性僞合的狀態之下，性
與僞才能眞正互為所用，而在這個經由僞所轉化過的性，已經脫離了「本始
材朴」的自然之性，屬於第一層之僞的範疇。

　　荀子提出性惡善僞論的目標是為了使國家社會能夠達到正理平治的狀
態，使個人能往聖人的目標努力，藉由後天的積習，成就自己也成就社會。
這一切都是在於後天人為的努力，故荀子以「學不可以已」闡明學習的重要
性。國家社會是由人所組成，要使社會達到正理平治的狀態需要每個個體之
人的努力，故筆者縮小範圍以個人實踐之積學成僞來探討人在現實經驗中，
能實際做到哪些努力，以達致聖人的目標？荀子於〈勸學〉中舉了很多例子
說明環境對人所造成的無形、漸進影響，好的環境對人的學習能有所助益，
反之，不好的環境，會誘惑人走卜邪僻之路，周圍的師友對學習的影響亦與
環境一般，故荀子以「君人者个可以不愼取臣，匹夫不可不愼取友。友者，
所以相有也」說明環境與師友之靡的重大。君子況且居必擇鄉，遊必就士，
涂之人个就史須審愼選擇環境與師友了嗎？

　　與人為努力有直接相關的是師法與積學，經由師法的規範與引導，使學
生能夠學得精髓所在，使理解能不停留於表面之見，能善用師法，便能夠有
效、更快速的達到目標。在積學上，荀子以聖人為「全之盡之」之人，「全盡」
除了學之外尚包含了行為實踐的部分，「學」是不可能一蹴可幾的，便如江海
非一夕可成，而是由小流慢慢匯聚積成，倘若沒有持之以恆，專心一意的學
習，「一出焉，一入焉，涂巷之人也」，在尚未有所成的時候即半途而廢，結
果前功盡棄，故荀子以「眞積力久則入」作為為學之方。吾人不可以小看平
日渺小的累積，「善日者王，善時者霸，補漏者僅，大荒者亡」說明了能珍惜
善用細微零索時間的重要性，聖人就是在這看似微乎其微的時間與努力中形
成。故荀子的理論並非只停留在象牙塔的理想之中，而是確實走入現實社會，
從眞實人的生活體驗中所悟出來的可行道理，荀子之「學」亦非只停留在對
於書籍與知識的攝取，而是去親身實踐的。荀子的「終乎讀禮」與聖人的「全
之盡之」正說明了人光習得人之道的禮義之統還不算完全，眞正能被稱作聖
人者，是舉手投足皆在道之中，由內到外，從心知到實踐，皆契合於道，故
聖人是涂之人的典範，是潛能到實踐的最完美狀態，而荀子肯定，潛能到實

踐的完成是涂之人與聖人皆能夠完成的，只在於實現的程度不同，而期許涂之人皆能以成聖爲目標，藉由後天的努力而成爲聖人。

# 參考文獻

## 一、原典及注本

1. 王先謙撰：《荀子集解》，北京：中華書局，2011。
2. 王忠林：《新譯荀子讀本》，臺北：三民書局，1991。
3. 朱熹：《四書章句集注》，臺北：大安出版社，2007。
4. 梁啓雄：《荀子簡釋》，北京：中華書局，1983。
5. 許慎：《說文解字注》，臺北：洪葉文化事業公司，2000 年 9 月。
6. 熊公哲：《荀子今註今譯》，臺北：臺灣商務，1980。

## 二、專書

1. 王廷洽：《荀子答客問》，上海：人民出版社，1997。
2. 王穎：《荀子倫理思想研究》，黑龍江：人民出版社，2006。
3. 牟宗三：《才性與玄理》，臺北：臺灣學生書局，1974。
4. 牟宗三：《心體與性體》，上海：上海古籍出版社，1999。
5. 牟宗三：《名家與荀子》，臺北：臺灣學生書局，1994。
6. 何淑靜：《孟荀道德實踐理論之研究》，臺北：文津出版，1988。
7. 何淑靜：《荀子再探》，臺北：學生書局，2014。
8. 李哲賢：《荀子之核心思想——「禮義之統」及現代意義》，臺北：文津出版社，1994。
9. 周振群：《荀子思想研究》，臺北：文津出版社，1987。
10. 周德良：《荀子思想理論與實踐》，臺北：臺灣學生書局，2011。
11. 帕瑪著，嚴平譯：《詮釋學》，臺北：桂冠圖書公司，1992。
12. 林紀東：《法學緒論》，臺北：五南圖書出版，2009。

13. 林清江：《教育社會學》，臺北：國立編譯館，1977。

14. 哈伯瑪斯、里克爾、海德格等著，洪漢鼎譯：《詮釋學經典文選（上）》
臺北：桂冠圖書公司，2005。

15. 韋政通：《荀子與古代哲學》，臺北：臺灣商務印書館，1966，頁126。

16. 夏甄陶：《論荀子的哲學思想》，上海：人民出版社，1979。

17. 孫偉：《重塑儒家之道——荀子思想在考察》，北京：人民出版社，2010。

18. 徐復觀：《中國人性論史（先秦篇）》，上海：上海三聯書局，2001。

19. 馬丁·海德格：《存在與時間》，北京：生活、讀書、新知三聯書店，2009。

20. 馬國瑤：《荀子政治理論與實踐》，臺北：文史哲出版社，1996。

21. 張立文：《性》，臺北：七略出版，1997。

22. 陳大齊：《荀子學說》，臺北，華岡出版有限公司，1971。

23. 陳忠孝：《行銷管理》，臺北：千華數位文化，2010。

24. 傅偉勳：《從創造的詮釋到大乘佛學》，臺北：東大圖書出版社，1990。

25. 勞思光：《新編中國哲學史（一）》，臺北：三民書局，1988。

26. 惠吉星：《荀子與中國文化》，貴州：貴州人民出版社，1996。

27. 曾春海：《中國哲學史綱》，臺中：五南圖書出版，2012。

28. 華仲麐等著：《儒家思想研究論集（二）》，臺北：黎明文化事業公司，1983。

29. 馮契：《中國古代哲學的邏輯發展》，上海：華東師範大學，1997。

30. 廖名春：《荀子新探》，臺北：文津出版社，1994。

31. 廖其發：《先秦兩漢人性論與教育思想研究》，重慶：重慶出版社，1999。

32. 蔡仁厚：《孔孟荀哲學》，臺北：學生書局，1988。

33. 鄭力爲：《儒學方向與人的尊嚴》，臺北：文津出版社，1987。

34. 魏元珪：《荀子哲學思想研究》，臺中：東海大學，1983。

## 三、期刊、會議論文

1. 方旭東：〈可以而不能——荀子論爲善過程中的意志自由問題〉，《哲學與文化》，第34卷第12期，2007年12月。

2. 王邦雄：〈論荀子的心性關係及其價值根源〉，《鵝湖月刊》，第8卷第10期，1983年4月。

3. 王祥齡：〈荀子哲學思想核心價值的建構〉，《哲學與文化》，第34卷第12期，2007年12月。

4. 王楷：〈性惡德性：荀子道德基礎之建立——一種德性倫理學的視角〉，《哲學與文化》，第34卷第12期，2007年12月。

5. 王楷：〈從「知者利仁」到「仁者安仁」——荀子道德論證的兩層結構〉，

《哲學與文化》，第 35 卷第 10 期，2008 年 10 月。

6. 伍振勳：〈荀子的「身、禮一體」觀——從「自然的身體」到「禮義的身體」〉，《中國文哲研究集刊》，第 19 期，2001 年 9 月。

7. 伍振勳：〈從語言、社會面向解讀荀子的「化性起偽」說〉，《漢學研究》，第 26 卷第 1 期，2008 年 3 月。

8. 吳略余：〈論荀子「積善成德」之所以可能與必要〉，《東華漢學》，第 15 期，2012 年 6 月。

9. 岑溢成：〈荀子性惡論析辯〉，《鵝湖學誌》，第 49 卷第 11 期，2010 年 11 月。

10. 李哲賢：〈荀子「禮義之統」思想之理論依據（上）〉，《鵝湖月刊》，第 235 期，1995 年 1 月。

11. 李哲賢：〈荀子「禮義之統」思想之理論依據（下）〉，《鵝湖月刊》，第 236 期，1995 年 2 月。

12. 李哲賢：〈荀子人性論研究在美國〉，《政大中文學報》，第 8 期，2007 年 12 月。

13. 周紹賢：〈荀子之教育論〉，《哲學與文化》，第 14 卷第 10 期，1987 年 10 月。

14. 東方朔：〈心知與心慮——兼論荀子的道德主體與人的概念〉，《國立政治大學學報》，第 27 期，2012 年 1 月。

15. 林啓屏：〈荀子思想中的「身體觀」與「知行觀」〉，《中華文化的傳承與拓新——經學的流衍與應用國際學術研討會論文集》，臺北：銘傳大學應用中國文學系編印，2009。

16. 陳福濱：〈荀子的教育思想及其價值〉，《哲學與文化》，第 34 卷第 12 期，2007 年 12 月。

17. 陳福濱：〈荀子的禮論思想及其價值〉，《哲學與文化》，第 35 卷第 10 期，2008 年 10 月。

18. 陳德和：〈荀子性惡論之意義及其價值〉，《鵝湖月刊》，第 231 期，1994。

19. 曾暐傑：〈「性惡」即「本惡」——從「性」的定義探究荀子之性惡論的義涵〉，《成大宗教與文化學報》，第 20 期，2013 年 12 月。

20. 楊雅婷：〈荀子道德哲學思想在道德教育上的啓示〉，《公民訓育學報》，第 16 期，2004 年 6 月。

21. 劉振維：〈荀子「性惡」說芻議〉，《東華人文學報》，第 6 期，2004 年 7 月。

22. 潘小慧：〈荀子言性惡，善如何可能？〉，《哲學與文化》第 39 卷第 10 期，2012 年 10 月。

23. 潘小慧：〈「荀子」中的「智德」思想〉，《哲學與文化》第 30 卷第 8 期，2003 年 8 月。

24. 潘小慧：〈荀子的解蔽心——荀學作爲道德實踐論的人之哲學理解〉，《哲學與文化》，25 卷第 6 期，1998 年 6 月。

25. 潘小慧：〈從「解蔽心」到「是是非非」：荀子道德知識論的建構及其當代意義〉，《哲學與文化》，第 34 卷第 12 期，2007 年 12 月。

26. 鄧小虎：〈《荀子》中「性」與「僞」的多重結構〉，《國立臺灣大學哲學評論》，第 36 期，2008 年 10 月。

27. 黎建球：〈荀子的修身正本論〉，《哲學與文化》，第 21 卷第 9 期，1994 年 9 月。

## 四、學位論文

1. 王惠雯：〈荀子教育思想之研究〉，屏東教育大學中國語文學系碩士論文，2012。

2. 林耀麒：〈荀子心性論之研究〉，輔仁研究所碩士論文，2010。

3. 范家榮：〈荀子論「心」的研究〉，輔仁大學哲學研究所碩士論文，2005。

4. 張勻翔：〈攝王於禮、攝禮於德：荀子之智德及倫理社會建構之意涵〉，輔仁大學哲學研究所博士論文，2008。

5. 陳禮彰：〈荀子人性論及其實踐研究〉，國立臺灣師範大學國文學系博士論文，2009。

6. 曾暐傑：〈打破性善的誘惑——重探荀子性惡論的意義與價值〉，政治大學中國文學系碩士論文，2011。

7. 黃嬌娥：〈荀子積僞重學的教育思想〉，輔仁大學哲學研究所碩士論文，2014。

8. 潘小慧：〈從解蔽心看荀子的知識論與方法學〉，輔仁大學哲學研究所碩士論文，1986。

9. 鍾曉彤：〈荀子的人性論與理想社會研究〉，東吳大學哲學研究所碩士論文，2008。